АЛЕКСАНДРА
МАРИНИНА

КОРОЛЕВА ДЕТЕКТИВА

Адрес официального сайта Александры Марининой в Интернете
http://www.marinina.ru

АЛЕКСАНДРА МАРИНИНА

ВЗГЛЯД ИЗ ВЕЧНОСТИ

БЛАГИЕ НАМЕРЕНИЯ

МОСКВА

2010

УДК 82-3
ББК 84(2Рос-Рус)6-4
М 26

Разработка серии и иллюстрация на обложке
Geliografic

Маринина А. Б.

М 26   Взгляд из вечности. Книга первая : Благие намерения :
роман / Александра Маринина. — М. : Эксмо, 2010. —
384 с. — (А. Маринина — королева детектива).

ISBN 978-5-699-37812-8

Никто не сомневается, что Люба и Родислав — идеальная пара: красивые, статные, да еще и знакомы с детства. Юношеская влюбленность переросла в настоящую любовь, и все завершилось счастливым браком. Кажется, впереди безоблачное будущее, тем более что патриархальные семейства Головиных и Романовых прочно и гармонично укоренены в советском быте, таком странном и непонятном из нынешнего дня. Как говорится, браки заключаются на небесах, а вот в повседневности они подвергаются всяческим испытаниям. Идиллия — вещь хорошая, но, к сожалению, длиться долго она не может. Вот и в жизни семьи Романовых и их близких возникли проблемы, сначала вроде пустяковые, но со временем все более трудные и запутанные. У каждого из них появилась своя тайна, хранить которую становится все мучительней. События нарастают как снежный ком, и что-то неизбежно должно произойти. Прогремит ли все это очистительной грозой или ситуация осложнится еще сильнее? Никто не знает ответа, и все боятся заглянуть в свое ближайшее будущее...

УДК 82-3
ББК 84(2Рос-Рус)6-4

От автора

Эта книга писалась в трудное для меня время, и я, скорее всего, не справилась бы с ней, если бы не помощь двух очень близких мне людей — моего мужа Сергея Заточного и моей подруги Ирины Козловой. Они старались сделать все возможное и даже невозможное для того, чтобы придать мне сил и мужества взяться за эту работу.

В мае 2008 года, сидя на веранде отеля в Северной Италии, я в отчаянии сказала Ирине:

— Давай напишем книгу вместе.

— Давай, — тут же с готовностью отозвалась она.

Я не имела ни малейшего представления: как это — написать книгу вместе, но мне в тот момент важно было услышать, что кто-то готов разделить со мной и труд, и все связанные с этим тяготы. Мне сразу стало легче, и даже если бы Ирина больше не сделала вообще ничего, одного этого уже было бы достаточно, чтобы поддержать меня.

Я поделилась своей задумкой, которая к тому времени была лишь в зачаточном состоянии, и мы сразу же стали придумывать судьбы и характеры персонажей и всю их жизнь, ход которой логично вытекал бы из этих характеров. После возвращения в Москву к нам присоединился мой муж, которого мы радостно нагрузили «милицейской» проблематикой и требовали, чтобы он придумал или вспомнил из своей богатой практики примеры непрофессионализма следователя и выстроил бы нам для одного из героев служебную карьеру в системе МВД. Мы купили диктофон и заставили Сергея подробно рассказывать все, что он придумал. Потом, с этим же диктофоном, мы все втроем поехали на месяц в Германию и там по очереди наговаривали все, что приходило в голову, — детали характеров и биографий, психологическое обоснование поступков персонажей, фабулу и даже целые диалоги.

Вернувшись в Москву, я попросила распечатать диктофонные наработки и долгие месяцы с ужасом смотрела на без малого сто страниц текста, совершенно не понимая, что с ним делать. Разговаривать было так легко, работа с диктофоном шла весело и азартно, а когда речь зашла о том, что нужно садиться и делать книгу, меня снова охватило отчаяние. Мне казалось, что я не смогу, никогда не смогу...

И снова на помощь мне пришли Сергей и Ирина, которые не уставали мне повторять: «Глаза боятся — руки делают. Не отчаивайся, ничего не бойся, только начни».

На эти уговоры ушел без малого год. И снова была Италия, и рядом была Ирина, которая, как она сама выражается, взяла хлыст и вошла в клетку со львом: купила в магазине толстую большую тетрадь и практически насильно сунула мне в руки. «Напиши хотя бы два предложения. Хотя бы одно». Я написала. Получилось. Когда впоследствии я набрала этот выполненный от руки текст на компьютере, оказалось, что под угрозой хлыста написалось почти тридцать страниц.

Работа пошла. Но для нее требовались реалии 50—60-х годов прошлого века, которых я не знала. И на помощь снова пришла Ирина, которая из разных источников добывала для меня крупицы информации вплоть до того, какие платья и прически носили в те или иные годы.

Текст этой книги написан мной от первого до последнего слова. Но у меня есть два соавтора, которым я хочу выразить в этих строках свою глубокую благодарность и горячую любовь. Спасибо вам, Ирина и Сергей! Без вас этой книги не было бы.

ВЗГЛЯД ИЗ ВЕЧНОСТИ

БЛАГИЕ НАМЕРЕНИЯ

КНИГА ПЕРВАЯ

Камень проснулся и первым делом подумал о том, что у него подагра. Наверное. Или этот, как его, артроз. Уж больно скрипуче у него внутри, ржаво как-то, туго-неповоротливо. Старость... Сырость... Холод от земли... Да еще Ветер, подлец эдакий, то и дело смотается в командировку в северные страны, наберется там всяких погодно-циклонных глупостей, а как вернется — так сразу к нему, к Камню то есть, в гости заваливается и давай со всех сторон обдувать чем-то промозглым, вот вам и простуда.

Хоть бы Ворон прилетел, развлек бы чем-нибудь... Хотя в такую мерзкую погоду старый приятель, наверное, будет дрыхнуть до полудня. Камень представил себе перспективу долгих часов, заполненных ипохондрическими изысканиями, и загрустил. Пока этот засоня Ворон появится, это ж сколько новых болезней отыщется! И будут они одна неизлечимей и смертельней другой. И настроение испортится — это уж как пить дать. Мысли о скорой смерти, и все такое...

Однако Камень ошибся. Едва успел он разобраться с артрозом и приступил к примерке глаукомы (что-то зрение стало сдавать), откуда-то справа донеслось знакомое:

— У тебя как сегодня голова на такую погоду? У меня болит — просто сил нет.

Камень с облегчением оторвался от примерки глаукомы — все равно она как-то плохо ему подходила, не пролезала ни по одному параметру — и живо включился в обсуждение.

Поговорили о здоровье и болезнях, не спеша, с подробностями, со вкусом и удовольствием. Роли все давно расписаны: Камень жалуется, брюзжит и готовится к собственным похоронам, а Ворон — тот бодрячком подпрыгивает на макушке у Камня, лапками трехпалыми переступает, когтями мшистую поверхность царапает и молодится, молодится, дескать, я-то еще при полном параде, и помирать мне рано, я еще о-го-го...

Потом пришел черед погоды, ну а как же без нее, без погоды-то, родимой, в стариковских беседах, от нее ведь все неприятности — и ломота в суставах, и тяжесть в голове, и настроение пакостное, будто жизнь и впрямь кончилась.

— Это надолго, — авторитетно сообщил Ворон, перестав наконец переступать когтистыми лапками по Камню и устроившись поудобнее, так, чтобы не соскальзывать с размоченной дождем замшелости, — месяца на полтора-два.

— Сам смотрел? Или прогнозы слушал? — встревоженно уточнил Камень.

— Сам, — коротко каркнул Ворон. — Своими глазами видел. Так что твои кости будут еще долго болеть, а подагра твоя станет развиваться бурно и ощутимо, а голова...

— Тьфу на тебя, — обиделся Камень. — Вот ты всегда над моими недомоганиями смеешься, а я, может, смертельно болен, не ровен час — помру. Что тогда делать станешь?

— Да ты меня переживешь, ипохондрик ты хренов! Бери с меня пример, не обращай ни на что внимания и радуйся жизни, зазнобу себе заведи, что ли. Вот я...

— Да пошел ты, — беззлобно отмахнулся Камень. — Вот ты, вот ты... Надоело. Давай, что ли, сериал какой-никакой запарим, раз уж такая мерзкая погода на два месяца. — Он вздохнул и вдруг снова забеспокоился: — Но ты точно знаешь, что на два? Ты точно сам смотрел?

Вопрос был не праздным. Ворон обладал редкой способностью практически повсюду находить пространственно-временные дыры, пролезать в них и в любой момент возвращаться обратно. Он имел возможность увидеть все, что происходило на Земле, где бы и когда бы это ни происходило, а уж про такую ерунду, как погода на завтра или на неделю вперед, и говорить нечего. И когда им с Камнем становилось скучно, они выбирали себе героя и начинали следить за его жизнью от рождения и до самой смерти, подробно обсуждая всю его биографию, каждый шаг, каждое принятое решение, каждое сказанное слово. Развлекались они этим давно, лет двести, а может, и все четыреста. Однажды, давно-давно, Ворон залетел в двадцать первый век и, когда вернулся, поведал, что люди тоже этим занимаются, смотрят по телевизору длинные истории про всяческие жизненные перипетии и горячо обсуждают, и у них это называется «смотреть сериал». Слово Камню понравилось, и теперь они с Вороном, выбирая себе героя и отслеживая его жизнь, тоже считали, что смотрят сериал. А что? Разве не похоже?

С предложением насчет сериала Ворон с удовольствием согласился и немедленно расправил крылья.

— Ну так чего, я полетел, что ли?

— Давай, давай, лети.

— А куда? Есть идеи?

Камень призадумался. В последний раз они смотрели про жизнь какого-то египетского фараона, кажется, Эхнатона, а до этого у них в работе была история белошвейки из французского Средневековья. Кого же выбрать теперь?

— Может, куда-нибудь в начало компьютерной эпохи? — неуверенно проговорил он. — Там всегда интересно, интеллектуальный конфликт поколений, и все такое.

— Чего там?! — Ворон вытаращил на приятеля круглые блестящие глазки. — Какой конфликт?

— Интеллектуальный, — терпеливо пояснил Камень. — Одно поколение выросло без компьютеров и без Интернета, а уже их дети и внуки всем этим вовсю пользуются, соответственно, у них совершенно разный темп жизни, менталитет, уклад. У них вообще все принципиально другое. В общем, для тебя это сложно, не морочься, ты делай, как я говорю.

Камень был мыслителем, даже где-то философом. Он всю жизнь лежал неподвижно на одном месте и видеть мог только то, что находилось в непосредственной близости от него, посему всю мощь недюжинных мозгов направлял исключительно на анализ информации, поступающей извне, ничем другим заниматься он не мог по определению. Ворон же был попроще, зато мобильнее, летал, где хотел, вел активную личную жизнь, много путешествовал и вообще всячески развлекался, и на глубокомыслие у него не хватало ни времени, ни усидчивости.

— Тоже мне, нашел мальчика на побегушках, — обидчиво заворчал Ворон, подбираясь и готовясь взлетать. — А может, я против? Может, мне другое интересно? Я, может, середину двадцатого века люблю, а ты меня в какую-то тмутаракань загоняешь.

— Ну и далась тебе эта середина двадцатого! — Камень даже не пытался скрыть раздражение. — Чего ты к ней прилепился? По каждому поводу туда лазишь. Медом тебе там намазано?

Ворон от возмущения аж подпрыгнул и чуть было не поскользнулся.

— Да что ты понимаешь, старая развалина! Середина двадцатого — это личности такого масштаба, что другим эпохам и не снилось! Сталин, Броз Тито, Кастро, Че Гевара, генерал де Голль — и все одновременно! Где ты еще такое найдешь? И потом, туда ходить удобно, там дырища — во! — Он широко взмахнул крыльями, чтобы наглядно продемонстрировать Камню размер прохода, и все-таки не удержал равновесия на скользкой поверхности, вынужденно взлетел и уселся на нижней ветке дерева, стоящего рядом. — На одни только похороны Сталина знаешь сколько желающих посмотреть? На март пятьдесят третьего дыра самая большая, самая удобная.

— Не торгуйся, лети давай куда сказано. Если повезет, может, вернешься в свои любимые пятидесятые, ты же знаешь, я истории люблю с самого начала смотреть.

Ворон улетел искать героев, а Камень уже погрузился было в привычную дрему, когда почувствовал легкое щекочущее прикосновение где-то в самом низу, с левой стороны.

— Ты, что ли? — радостно встрепенулся Камень.

— Ну а кто же? — последовал едва слышный ответ. — Как дела?

— Нормально. Ты надолго в наши края?

— Собираюсь надолго, а там как получится.

— Это хорошо, — обрадовался Камень. — А то мы тут новый сериал затеваем, так я без тебя как без рук. И вообще, я по тебе соскучился.

— Я по тебе тоже, — донесся снизу вздох. — Вот ведь дожили, а? Живем целую вечность, а прячемся от твоей Трясогузки, как пацаны нашкодившие. Да я все понимаю, тебе с Каркушей твоим ссориться нельзя, он — твои глаза и уши, окно в мир, можно сказать. Мне-то что, я ползаю где хочу, если что не по мне — мышцу напряг и свалил, а тебе тут лежать и лежать, бедолаге.

Когда-то они дружили втроем — Ворон, Камень и Змей. Был в их компании Вечных и четвертый — Ветер, но он со своим легкомыслием и непостоянством так и не смог крепко вписаться в коллектив и до сих оставался на положении просто приятеля, доброго знакомого, который то через день в гости заглядывает, а то вдруг пропадает на долгие месяцы, не прощаясь, и вестей о себе не подает.

Многие тысячелетия все шло у них хорошо, но в один отнюдь не прекрасный момент начался разлад. Почему? Да из-за Ворона все, хотя сам Ворон был свято уверен в том, что виновником конфликта являлся вовсе даже Змей. Причиной же явилось сперва едва заметное соперничество, а впоследствии яростная, жгучая ревность. Дело в том, что Змей обладал той же способностью, что и Ворон, — находить дыры в пространственно-временном континууме, однако если Ворон в целом неплохо находил место, но в желаемое время умел попадать только приблизительно, плюс-минус неделя, то Змей мог оказаться в нужном месте и в нужное время с точностью до секунды и миллиметра. Ворон чувствовал себя ущербным, столь явного превосходства товарища стерпеть не смог и начал потихоньку оттеснять Змея от Камня, страшно интриговал, даже ложь пускал в ход и старался на пустом месте раздуть пусть мелкую, но ссору, дабы выставить Змея перед Камнем в самом невыгодном свете. Философ и созерцатель Камень видел происки старого друга насквозь и ужасно расстраивался, понимая, что мирного исхода все равно не будет: Ворон старел и с годами становился все более нетерпимым к чужим достоинствам. Он был очень привязан к Камню и хотел владеть его вниманием единолично, для чего стремился сделать Камня зависимым от себя. А добиться этого можно было, только убрав Змея с глаз долой. В итоге по инициативе Ворона разгорелся конфликт, который поставил точку в существовании тысячелетнего триумвирата. При этом суть конфликта никто вспомнить уже не мог, в памяти остался лишь результат. Ворон поставил перед Камнем вопрос ребром:

— Выбирай, или я, или эта гадюка. Завтра прилечу за ответом.

Змей проявил свойственную ему мудрость и готовность к компромиссу.

— Скажи, что выбираешь его, — посоветовал он Камню. — Пусть этот пернатый дурень успокоится. Он все равно подолгу на одной ветке усидеть не может, будет мотаться по всему свету, а я буду к тебе приползать, когда его нет.

— Что ж ты предлагаешь, прятаться, как школяры, которые тайком курят в туалете? — возмутился тогда Камень.

— Ой, много ты школяров-то видел в своей жизни! — рассмеялся Змей. — Особенно курящих в туалете. Ты хоть видел когда-нибудь, как люди курят? Как это вообще выглядит? А в туалете бывал? Что такое унитаз, знаешь?

— Ну, не видал, ну, не бывал, — ворчливо согласился Камень. — Мне Ворон рассказывал. Он хорошо рассказывает, ты же знаешь, я будто своими глазами все вижу.

— Вот, Камешек, мы и подошли к самому главному, — свистящий шепот Змея стал серьезным. — Ты без Ворона — никуда. Пропадешь ты без него. А от меня тебе пользы никакой, я хоть и умею поболе, чем этот перистый лазутчик, но сериалами не увлекаюсь, да и рассказчик я хреновый, так что скрасить твое одиночество не смогу. Скажи, что выбираешь его, а меня прогнал, я не обижусь, буду к тебе заходить, как возможность представится.

Камень долго горевал, но сделал так, как советовал мудрый Змей. С тех пор так и повелось: Ворон был у Камня как бы официальным другом, полноправным и полновесным, а Змей — тайным, бесправным. Если Ворон при просмотре очередной истории пропускал что-то важное и потом не мог попасть туда, где это важное можно было узнать, на помощь Камню неизменно приходил Змей, легко находивший ответы на все вопросы.

Друзья успели обсудить не только здоровье Камня, но и посплетничать о Ветре, который из последнего путешествия вернулся каким-то чудным, задумчивым, рассеянным, не иначе влюбился в какую-нибудь радугу, когда Змей настороженно приподнял аккуратную овальную голову:

— Кажись, летит твой вестник с полей. Ну все, я уполз, но я тут неподалеку буду, заскочу при случае.

Это и вправду был Ворон, уставший, но с гордым блеском в глазах.

— Нашел! — торжественно объявил он. — Семейка — пальчики оближешь, в их отношениях сам черт ногу сломит, как раз как ты любишь. И время — как ты заказывал, начало двадцать первого века. Скажи, что я молодец! Я...

— Ну давай же рассказывай, — нетерпеливо прервал его Камень. — Что там за отношения?

Ворон переступил с лапки на лапку и нервно повел клювом.

— Ты что это? — с нескрываемым подозрением спросил он, недобро прищурив левый глаз. — К тебе этот дырявый шланг, что ли, приползал?

Просто поразительно, как Ворон чуял старого соперника! Камню пришлось изобразить праведное негодование:

— Да ты с ума сошел! Он сюда больше не является.

— Не смей мне врать! Я чую, чую... — Ворон повел клю-

вом справа налево и обратно. — Скажи честно, приполза-
ла эта драная веревка?

— Да нет же, уймись ты.

— Честное слово?

— Честное слово. Давай, рассказывай.

— Значит, так, — приступил Ворон. — Какое-то заго-
родное сборище, не то семейный обед, не то день рождения. Народу — десять человек, возраст — от примерно
двадцати до шестидесяти. Дом такой... ну, не Тадж-Махал,
конечно, но ничего, по ихним меркам приличный, с уча-
стком. Одна пара: она его любит, он ее тоже, но пока об
этом не знает...

— Как это? — удивился Камень.

— Ну вот так. Он думает, что он ее давно уже совсем не
любит, а любит другую, а на самом деле любит. В общем,
это сложно. Ладно, не перебивай. Другая пара: она его любит, а он в это не верит, хотя сам ее тоже любит. Третья
пара: они любят друг друга, но все остальные в этом сильно сомневаются. Четвертая пара: он ее любит, но она не
верит, что он ее любит, а сама...

— Стоп, стоп! — остановил его Камень. — Я запутался.
Там что, одна сплошная любовь?

— Ну да. А что тебе не нравится?

— А где ненависть? Где ревность, месть? Старые оби-
ды? По-моему, ты какую-то ерунду нашел.

— Ничего не ерунду, — обиделся Ворон. — У них в глазах знаешь сколько горя? У каждого. И болезни там всякие, и потери, только они про них вслух не говорят, но
я-то вижу. Интересно же, как это бывает: на душе сплошное горе и боль, а снаружи сплошная любовь.

— Не знаю, не знаю, — засомневался Камень. — Не уверен, что это будет так уж интересно.

— Ну хочешь, я лет на десять назад слетаю, погляжу,
как там и что, — предложил Ворон.

— Валяй.

Вернулся Ворон довольно скоро. Перья на крыльях встрепаны, глаза безумные.

— Слушай, там такое! В доме полно полиции...

— Милиции, — поправил его Камень.

От постоянных путешествий в пространстве и времени у Ворона в голове образовалась настоящая каша, он путал все на свете и мог, например, болгарскую ракию назвать «саке», а императора Карла Великого — президентом страны.

— Ладно, милиции. В общем, в доме полно этих жандармов, а они рыдают.

— Кто — они?

— Женщины. Я же не знаю пока, как их зовут. Сидят обнявшись и ревут. Тебе уже интересно или еще дальше смотреть?

— Посмотри еще, — попросил Камень. — Пока что-то не очень убедительно.

В следующий раз Ворон доложил, что видел каких-то мужиков с бритыми головами и еще одного, в темных очках и с усами, они что-то злобно говорили «ей», а «она» варила им кофе и тихонько плакала. Как «ее» зовут, он снова узнать не успел, потому что бритоголовые и усатый никак к ней не обращались.

Но и этого Камню показалось мало, и Ворон снова отправился добывать информацию, на этот раз куда-то в начало восьмидесятых годов.

— Их допрашивают. В комендатуре. И между прочим, за ними какой-то таинственный тип следит.

— В комендатуре допрашивают или в прокуратуре? — уточнил Камень, не терпевший неясностей.

— Там вывеска была, но я прочитать не успел, заметил только, что слово длинное и заканчивается на «...тура». А тебе не все равно? — огрызнулся Ворон. — Нам надо принципиальное решение принимать, смотрим мы это или нет, а ты к мелочам цепляешься. Лично я считаю, что надо смотреть.

— А вот я не уверен. Слетай еще посмотри.

На этот раз Ворон вернулся довольный.

— На свадьбе был, — отрапортовал он. — Ух, красотища! Невеста вся в белом платье, красивая до невозможности, глаза сияют, зубы сверкают, жених тоже по всем статьям хорош, высокий, широкоплечий, в черном костюме, танцуют вместе — загляденье! И все вокруг так радуются, так радуются! И подруга невесты тоже за нее радуется, сидит за столом такая счастливая — просто приятно посмотреть. Кстати, я узнал, как ее зовут: Люба.

— Кого — невесту?

— Да нет же, подругу. Невесту как-то мудрено зовут, я не очень разобрал. Это вот как раз Люба тогда бритоголовым кофе варила и плакала втихаря. А еще у нее сестра есть, рядом с ней сидит, страшненькая такая, так она как раз, наоборот, к этой свадьбе очень плохо относится, смотрит на жениха с невестой так, словно готова на куски порвать. А еще там парень один сидел, я его узнал, он на той загородной собирушке тоже был, так ты бы видел, как он на невесту пялился! С таким ехидством, с таким злорадством, словно подсунул ей порченый товар за бешеные деньги и теперь ручонки потирает. Правда, интересно?

— Интересно, — не смог не согласиться Камень. — Вот уж когда интересно — тогда интересно, тут и не поспоришь. Ну, так кого выбираем: невесту, счастливую подругу или ее озлобленную сестру?

— Про невесту неинтересно, — тут же начал выдвигать аргументы Ворон, — вышла она замуж за своего красавца и будет жить с ним тихо-мирно. Скучно. Я бы выбрал подругу, которая за нее радуется.

— А почему не злую сестру?

— Да ну ее, с ней и так все ясно. Влюблена небось в жениха по уши, вот и злится, что он на другой женится. Зато с подругой, с Любой этой, ничего не понятно. Ты мне поверь, я знаю, что говорю, я на стольких человеческих свадьбах побывал — не перечёсть, но никогда не видел, чтобы девушка так радовалась за подругу, которая замуж выходит. Она не просто радуется — она счастлива, как будто это самый главный и самый лучший день в ее жизни. Вот мне и интересно почему.

Но Камень все не мог избавиться от сомнений и склониться к выбору.

— А может, будем смотреть про того парня, который, как ты выразился, порченый товар подсунул?

— Нет, — твердо каркнул Ворон, — я настаиваю на Любе. Вот увидишь, не пожалеешь.

Камень знал пристрастие своего друга к женщинам определенного типа. Если была возможность, именно таких женщин Ворон старался выбрать в качестве героя истории.

— Ну ладно, — согласился Камень, — давай про Любу. Только ты уж найди там место, когда они все еще знакомы не были, с него и будем смотреть. Кажется, это как раз получается твоя любимая середина пятидесятых.

— Сделаю, — Ворон обрадованно вспорхнул с ветки. — Все будет в лучшем виде.

* * *

...Пыль никак не желала извлекаться из глубоких складок пышного бело-розового кринолина с голубыми бантами, и Люба все туже и туже обертывала свой тоненький пальчик специальной мягкой тряпочкой, пытаясь все-таки пролезть в те места фарфоровой статуэтки, где скопилась эта злосчастная, непонятно откуда взявшаяся пыль. А ведь эту фарфоровую барышню в такой неправдоподобно красивой юбке с бантами и с розово-зеленым веером в изящной опущенной вниз ручке Люба любила больше всех остальных статуэток, составлявших бабушкину коллекцию. Сама коллекция была, по мнению девочки, огромной — целых тридцать две фигурки, и бабушка Анна Серафимовна, баба Аня, или просто — Бабаня, как называли ее внучки, обожала свое сокровище и ни за что не пожелала оставлять его в Москве на целых три дачных летних месяца, тщательно упаковывала каждую фигурку в мягкую бумагу, всю дорогу на электричке от Москвы, а потом на автобусе до дачного поселка держала драгоценную коробку на коленях, потом так же тщательно распаковывала экспонаты, любовно расставляла по своей комнате и строго-настрого наказала Любе и ее старшей сестре Тамаре протирать фигурки от пыли каждый божий день. В комнате Бабани было большое всегда чисто вымытое окно, слегка затененное лишь белоснежными тюлевыми занавесками, поэтому каждую пылинку в этой самой светлой комнате было отлично видно. Дома, в Москве, Анна Серафимовна ухаживала за своей коллекцией сама — все-таки девочки учатся в школе, а уж теперь-то, во время летних каникул, у них полно свободного времени.

А вот у самой Бабани Анны Серафимовны на даче хлопот полон рот: семья из пяти человек, сын Николай, Николенька, невестка Зина, да две внучки, да сама Бабаня, и все должны быть накормлены, и не вчерашним, впрок приготовленным, а сегодняшним, с пылу с жару, и все должны быть обстираны, каждое утро надевать все чистое, заштопанное и наглаженное, и скатерть на столе должна быть белоснежной, без единого пятнышка, и хрустеть от крахмала, и занавески и подзоры на окнах — стерильными. И как же не стирать и не гладить каждый день, если у девочек всего-то по две смены белья да по два платьица? Хорошо хоть у Николая форма, он в милиции служит, но и за ней надобно следить, чтобы капитан Николай Дмитриевич Головин выглядел достойно. А сад с многочисленными кустами черной и красной смородины и крыжовника? А заготовки на зиму, огурчики-помидорчики, которые надо сперва купить у кого-нибудь из местных, потом закатать в предварительно простерилизованные банки? А варенье из «своей» смородины и крыжовника? Впрочем, «своими» ягоды можно было считать весьма условно, принадлежала дача в подмосковном поселке не Головиным, а одной очень старой актрисе Малого театра, Юлии Марковне Венявской, которая сдала им эту дачу бесплатно, а вместо денег попросила несколько банок варенья и компота из растущих на участке ягод. Но что такое несколько банок для одинокой старухи, которая часто болеет и не всегда может выйти в магазин? Бабаня справедливо рассудила, что за три месяца бесплатной жизни в хорошем, крепком просторном доме с садом Головины должны «отдариться» таким запасом всевозможных заготовок, чтобы актрисе хватило на год, до следующей осени. А полы, которые полагалось надраивать два, а то и три раза в день? А половики, на которых не должно быть ни соринки? А посуда, которая от самой большой кастрюли до самой маленькой ложечки для варенья должна сверкать и скрипеть? В общем, хлопот у Анны Серафимовны выше головы, и, разумеется, внучки ей должны во всем помогать, а заодно и учиться готовить, вести хозяйство и вообще содержать дом как должно.

И Люба к своим одиннадцати годам уже многое из бабушкиной науки освоила: и супы готовить умела, и котлеты жарить, и пироги печь, и штопать, не говоря уж о такой ерунде, как пуговицу пришить (этим нехитрым искусством она овладела лет, наверное, в шесть) или гладить. Училась она Бабаниным премудростям с интересом и любую работу по дому выполняла с удовольствием, не в тягость ей было. А вот Тамара... Нет, если полы помыть, одежду постирать или в магазин сбегать — тут от старшей сестры отказа никогда не было, но у нее была какая-то своя собственная шкала, какой-то внутренний приборчик, при помощи которого она раз и навсегда отделила для себя важное и нужное от всякой, как она сама выражалась, «мещанской придури», и никому в семье Головиных не удавалось сбить ее с ориентиров ею же самой расставленных по ранжиру ценностей. Пол должен быть чистым? Конечно! Одежда должна быть опрятной? Безусловно. Притащить из магазина продукты? Не вопрос. Ну и дырки в носках или оторванные пуговицы — это, само собой, тоже непорядок. Завтрак, обед и ужин тоже хорошо бы, чтобы были. Но вот ежедневно протирать бабушкины фарфоровые статуэтки — это явный перебор. И вообще, статуэтки там всякие — это чистой воды мещанство, пережиток прошлого. И хрустящая от крахмала скатерть — тоже глупость, вполне достаточно, если она будет просто чистая и наглаженная. И пироги, каждый день разные, печь совсем необязательно, барство это — ежедневно баловаться такой вкуснятиной, раз в неделю по воскресеньям в самый раз будет. А уж про соленья-варенья и прочее Тамара даже слышать не хотела! Ну что за глупость, право слово, сперва в несколько заходов осторожно обирать кусты, чтобы не повредить еще не созревшие ягодки, потом часами сидеть и тупо срезать маникюрными ножницами носики у смородины и крыжовника, выковыривать шпилькой косточки из вишни — от одного этого можно с ума спятить, а потом тащить из продмага сахар, и вся кухня и веранда заставлены тазами и банками — бр-р-р! Ведь в это время можно почитать или порисовать, во всяком случае, сделать что-то действительно важное и нужное. А варенье и компоты — разве это важно и нужно? Если не с чем пить чай, можно купить карамелек или сушек, а если уж захочется компотику — сварить из чего-нибудь, что продается в магазине, хоть из яблок, хоть из сухофруктов. Одним словом, Тамара в домашних хлопотах помощницей была неважной, предоставляя младшей сестре зачастую отдуваться за двоих, если уж Любаше это все так нравится. Люба на сестру не обижалась, она обожала Тамару и искренне считала ее очень взрослой, умной и красивой и в силу именно этих качеств имеющей право выбирать, что ей делать. Мама девочек, Зинаида Васильевна, какое-то время пыталась ругаться с Тамарой и наказывать строптивое чадо, но очень быстро выяснилось, что это бесполезно: крика Тамара не боялась, на громкий голос и обвинения никак не реагировала, а наказание воспринимала не то что с безразличием — даже как будто с радостью. Ведь не бить же ребенка, это непедагогично, значит, надо не пустить его в кино или на прогулку. Тамара, выслушав очередной приговор рассерженной матери, тихо улыбалась и садилась «в угол» с книжкой или альбомом для рисования. Кажется, для счастья ей вообще больше ничего не было нужно. Зина махнула рукой и оставила попытки перевоспитать старшую дочь. Отец же, Николай Дмитриевич, в процессе воспитания, равно как и наказания, участия не принимал, он нежно любил обеих своих девочек и даже не подозревал, какие баталии разыгрываются за его спиной, пока он несет нелегкую свою службу по охране общественного порядка и защите прав и интересов граждан: Бабаня строго-настрого запретила всем рассказывать ее сыну то, что может его огорчить или рассердить. «Дом должен быть островом счастья, мира и покоя, — не уставала она повторять, — особенно для того, у кого такая тяжелая и опасная служба». Сама же Анна Серафимовна принимала поведение старшей внучки как должное, постоянно обращалась к ней с поручениями и спокойно относилась к отказам. Люба, любившая сестру, от души этому радовалась, но понять не могла. Почему мама сердится, а бабушка — нет?

Слушая негромко звучащее радио, Люба продолжала свою монотонную работу. А по радио обсуждали чудесный фильм «Высота», который вышел только в апреле, но Люба с Томой успели в Москве его посмотреть. Любе особенно нравился Николай Рыбников в роли главного героя, а Тамара только насмешливо фыркала и говорила, что ей слишком положительные герои не нравятся. Еще по радио рассказывали про лозунг «догнать и перегнать Америку», то есть догнать США по производству мяса, масла и молока на душу населения, и про постановление ЦК КПСС и Совета Министров СССР «Об отмене обязательных поставок сельскохозяйственных продуктов государству хозяйствами колхозников, рабочих и служащих». Это было Любе уже неинтересно. Самое интересное было, само собой, про Фестиваль молодежи и студентов, который совсем недавно проходил в Москве.

Дома Люба, конечно, больше любила слушать радиолу. В ней был приемник и проигрыватель для пластинок. К сожалению, на дачу радиолу не брали — боялись сломать в дороге, так что приходилось обходиться радиоточкой, по которой передавали только одну программу, и если по ней было скучное — тут уж ничего поделать было нельзя.

Но самой большой мечтой всей семьи был телевизор — настоящий «КВН-49» в деревянном полированном ящике и с волшебной линзой для увеличения изображения. Внутрь линзы наливался глицерин или специальная, очень чистая вода, чтобы изображение было четким. Такое чудо в их коммунальном бараке, где Люба с родителями, бабушкой и старшей сестрой занимали двадцатиметровую комнату, было только у одних соседей, и иногда вечером Анна Серафимовна, Зинаида и девочки ходили в гости его смотреть. Это были сказочные вечера. В глубине души Любе не верилось, что когда-нибудь она у себя дома сможет запросто подойти к своему телевизору, повернуть ручку и посмотреть какой-нибудь фильм. Вот если бы можно было вытирать пыль и одновременно смотреть кино, тогда она готова была бы чистить коллекцию хоть три раза в день!

Ей все-таки удалось добраться до пыли в самой глубине фарфоровой складочки. Люба удовлетворенно вздохнула и принялась за следующую фигурку.

— Ну и дурища же ты, Любка! — раздался за ее спиной сердитый голос Тамары. — Ты что, всю жизнь собираешься провести возле этой рухляди с тряпкой в руках?

— Бабаня велела, — твердо ответила Люба. — И я всегда это делаю.

— Да делай на здоровье, если нравится, кто ж тебе не велит. Но нельзя же всю жизнь только этим и заниматься. У нас каникулы, мы на даче, а ты тратишь время на всякую ерунду. Можно сделать то же самое в сто раз быстрее.

— Как? — удивилась Люба.

Ей казалось, что она работает быстро, ловко, да и бабушка ее всегда хвалит, мол, Любаша у нас спорая да проворная. Как же еще быстрее?

— Ой, дурища ты, дурища, — горестно вздохнула Тамара и вышла из комнаты.

Вернулась она через минуту, неся в руках кастрюлю с водой и чистое, истончившееся от бесчисленных стирок полотенце.

— Ну? — она с вызовом поглядела на младшую сестру.

— Что — ну? — не поняла та.

— Не допираешь?

— Нет.

— Да смотри же!

С этими словами Тамара выхватила из Любиных рук галантного кавалера, склонившегося перед кем-то в поклоне — наверное, перед царственной дамой — сунула в воду, тут же вытащила и насухо обтерла полотенцем. Ни пылинки не осталось. Вот это да!

— Поняла теперь, бестолочь?

В голосе Тамары не было ни злости, ни раздражения,

просто она была грубовата, но только на язык, а не на чувства, и, называя сестренку «дурищей», «бестолочью» и еще множеством всяческих нелестных эпитетов, вовсе не считала, что Люба глуповата и бестолкова, и все нелицеприятные слова, которыми Тамара награждала ее, произносились с неподдельной нежностью и любовью.

— Поняла, — кивнула Люба. — Но Бабаня велела протирать.

— Балда ты, Любка! Бабаня велела, чтобы в этом мещанском барахле пыли не было, а корячиться каждый божий день по три часа она разве велела? Давай я тебе помогу, мы сейчас в четыре руки быстренько все перемоем, вытрем — и можешь идти гулять. Пять минут — и все готово. Бабаня и не узнает, если ты сама не проболтаешься. Она куда ушла?

— За вишней на варенье.

— У-у, — Тамара махнула рукой, — это на другой конец поселка, она только там у одной тетки вишню берет, я знаю, в прошлом году я с ней вместе ходила. Это надолго. Ну давай, чего стоишь как вкопанная?

Люба робко взяла скульптурную группу, изображающую двух гимназисток, играющих с собачкой, и осторожно опустила в воду.

— Давай шевелись, — подбадривала ее сестра, хватая с комода старого шарманщика с собакой, кошкой и обезьянкой — самую любимую бабушкину статуэтку. Глядя на стремительные и резкие движения Тамары, Люба даже зажмурилась от ужаса, представив себе, что будет, если статуэтка разобьется.

Тамара бросила на нее лукавый взгляд и усмехнулась:

— Не бойся, не разобью, сохраним Бабанино мещанство в целости.

И вправду, все получилось очень быстро, буквально за несколько минут, а ведь обычно на эту работу уходило часа полтора. Просто удивительно, ведь Люба протирает коллекцию каждый день, и каждый день обнаруживаются новые пылинки и соринки. И откуда только они берутся?

— Спасибо тебе, Тома, — Люба с чувством обняла сестру, — я бы ни за что не догадалась. Все-таки ты ужасно умная, а я, наверное, и в самом деле дура.

— Не смей так говорить! — внезапно рассердилась Тамара. — Никакая ты не дура.

— Но ты же додумалась, а я нет, — возразила Люба. — Значит, ты умная, а я — нет.

— Не в уме дело, Любаня.

— А в чем же тогда?

— В том, что ты послушная и покорная, а я — самостоятельная и независимая.

— Как это?

— Ну... вырастешь — поймешь. Ты еще маленькая. Иди вон лучше погуляй, смотри, сколько времени я тебе освободила. Бабаня еще не скоро вернется. А когда вернется, заставит тебя косточки из вишни выковыривать, опять на целый день застрянешь.

Гулять, конечно, хотелось, но идти одной Любе было скучно. На этой даче они проводят уже второе лето, а Люба так ни с кем из сверстников и не познакомилась, и друзей в поселке у нее не было. А как познакомиться-то? Подойти на улице или на берегу озера к какой-нибудь девочке и предложить дружить? Глупо как-то, да и неловко. Люба Головина была девочкой скромной и застенчивой, в отличие от старшей сестры, которая за словом в карман не лезла и могла заговорить с кем угодно и где угодно. Вот если бы у Тамары здесь, в поселке, были друзья, то и Люба вошла бы в их компанию. Ну и что, что они старше, у них ведь наверняка есть младшие братья и сестры, вот и Люба обзавелась бы приятелями. Беда, однако, в том, что Тамара ни с кем не желает знакомиться, ей бы только читать и рисовать — и ничего больше не нужно, она даже во время каникул каждую неделю ездит на автобусе и на электричке в Москву, в библиотеку, прочитанные книжки сдает и привозит новые, которые и читает все дни напролет. Конечно, ездить не очень удобно, электрички с Киевского вокзала идут только до платформы «Апрелевка», а дальше нужно добираться автобусом до расположенного рядом совхоза, но ничего, автобусы ходят четыре раза в день, два раза утром и два раза вечером, так что и Тамара справлялась со своими поездками, и мама с папой ездят каждый день на работу и возвращаются на дачу. Можно от электрички и пешком дойти, правда, долго очень, но Тамару это не смущало.

— Тома, а пойдем вместе погуляем, — робко предложила Люба.

— Еще чего! — фыркнула та. — Делать мне больше нечего, только гулять.

Люба вздохнула, сунула ноги в стоящие на крылечке сандалетки и отправилась на озеро. Прозрачное и чистое озеро было одним из сокровищ их дачного поселка. Дома стояли в лесу в окружении вековых сосен и елей, а в центре поселка, как драгоценный сапфир, — озеро. Со дна били холодные ключи, и потому вода всегда была прохладной и чистой. Все лето в нем купались и взрослые, и дети, а во время каникул ребята проводили здесь целые дни. На озеро прилетали утки, и все ходили на них смотреть и кормить их сухими корками хлеба, потом утки разбивались на пары, и наблюдать за этим было забавно и трогательно. Сама Люба этого никогда не видела, Головины переезжали на дачу только в начале июня, когда заканчивались занятия в школе, но Бабаня Анна Серафимовна рассказывала, как это бывает и что происходит до того, как в июне появляются маленькие утята, покрытые нежным пухом. Утят Люба видела и с интересом наблюдала, как они растут, как гуськом плывут за мамой-уткой, как учатся летать и в концу августа становятся на крыло, а все остальное живо представляла себе со слов бабушки.

Одной, конечно, скучно, что и говорить, но там, на озере, все время собираются ребята, во что-то играют или жгут костер и пекут картошку. Люба давно наблюдала за ними, еще с прошлого года, почти всех знала в лицо и особенно выделяла одну девочку с необычным, каким-то нерусским лицом, черноволосую и яркоглазую. Судя по всему, эта девочка была главной заводилой в компании, ее смех звенел громче всех, а остальные ребята смотрели на нее с восхищением и обожанием. Вот если бы эта девочка заметила сидящую поодаль Любу, обратила на нее внимание, заговорила бы с ней! Тогда случилось бы чудо, и Люба оказалась бы среди них, таких веселых, занятых чем-то ужасно интересным и увлекательным, она вошла бы в этот замкнутый клан избранных, никого к себе не допускающих и живущих своей особой, необыкновенной дачной жизнью. А в том, что такая жизнь существует, Люба нисколько не сомневалась, в ее классе многие ребята летом отдыхали на дачах и потом с горящими глазами взахлеб рассказывали о своих приключениях. Когда в прошлом году отец торжественно объявил, что каникулы девочки проведут с бабушкой на даче, счастью Любы не было предела, она не могла дождаться дня отъезда, с восторгом предвкушая известные до той поры только понаслышке радости и удовольствия.

А вышло все совсем не так: много забот по дому и никаких приключений. Наверное, она, Люба, и в самом деле дурища, если не может вот так запросто взять и завести себе друзей.

На озере было безлюдно, взрослые на работе, а ребят сегодня не оказалось, наверное, в лес пошли или, может, все вместе в Москву уехали погулять или в соседний поселок за мороженым отправились. Люба посидела, поглядела на воду, погрустила и поплелась домой. Скоро Бабаня вернется, надо будет ей с вареньем помогать, потом с обедом, потом опять с вареньем, потом с ужином, мама приедет из Москвы, с работы, они будут сидеть на веранде, пить чай, ждать папу, который возвращается поздно. Вот день и закончится. Опять ей не удалось ни с кем познакомиться... Грустно Любе, скучно. Ой, да что это она, бабушка собиралась ведь сегодня научить ее делать слоеное тесто, сдобное-то Люба уже более или менее освоила и теперь мечтала самостоятельно испечь папин любимый торт «Наполеон». Вот здорово! Вспомнив об этом, девочка просияла и вприпрыжку побежала к дому.

* * *

Бабушка Анна Серафимовна, как и всегда, позвала Тамару поучаствовать в подготовке вишни и, как и всегда, получила категорический отказ.

— Я не собираюсь потакать мещанству, — заявила девочка, не отрываясь от альбома для рисования. — Все эти ваши варенья и соленья — чистой воды мещанство и барство.

— А мне кажется, нет ничего мещанского в том, чтобы вечером собраться всей семьей за самоваром, попить чаю с вареньем и поговорить, — мягко заметила Анна Серафимовна, как и всегда, ничуть не рассердившись.

— Я не ем варенья.

Справедливости ради надо заметить, что это было совершенной правдой. Тамара терпеть не могла сладкого, она не то что чистое варенье или конфеты — даже пирожки со сладкой начинкой не ела, а любимым ее лакомством была горбушка черного хлеба, тонко намазанная горчицей и присыпанная солью.

Однако бабушкиному терпению, казалось, не будет предела.

— Ласточка моя, разве дело в том, ешь ты варенье или

нет? Можешь не есть, тебя никто не заставляет. Но ты должна уметь его готовить, и не абы как, а правильно, чтобы оно было не только вкусным, но и красивым, прозрачным, и ягодки чтобы были красивыми, одна к одной, целыми, не треснутыми, не лопнувшими. Мало ли, как жизнь сложится. А вдруг твой муж окажется сладкоежкой и захочет есть варенье каждый день, а ты и не знаешь, с какой стороны за дело взяться? Вы с Любочкой у меня две любимые внучки, и моя святая обязанность вырастить вас такими, чтобы вы стали хорошими женами. Ты ведь собираешься когда-нибудь выйти замуж и завести свою семью, детей, а, Томочка?

— Еще чего! — послышался традиционный в таких случаях ответ. — Делать мне больше нечего.

Анна Серафимовна тихо улыбнулась, слегка сжав губы, словно услышала что-то очень глупое и смешное, но рассмеяться почему-то нельзя, и снова принялась выковыривать шпилькой косточки. Люба почувствовала, как запылало лицо. Каждый раз, когда начинался такой разговор, она испытывала ужасную неловкость, и еще ей становилось немного страшно. Однажды она случайно подслушала разговор Бабани с мамой. Мама сетовала на то, что «Томка растет злая и упрямая, при таком характере хоть бы внешность была, так нет, бог его знает, в кого она такая страхолюдная уродилась, рожа как оскомылок какой-то. Такую разве кто замуж возьмет? Намаемся мы с ней, мама, вот увидите, намаемся». Люба была в ужасе от услышанного, она считала сестру очень красивой и с тех пор все время боялась, что Тома узнает, какие страшные слова говорила про нее мама. Страшные, обидные и несправедливые. И что это за «оскомылок» такой? Не то осколок, не то обмылок. Неужели можно так говорить про Тамару, умную, красивую и очень взрослую? Конечно, Тамара старше Любы всего на каких-то два года, но младшая сестренка считала ее ужасно взрослой.

* * *

— Занятная девчонка, — пробормотал Камень, выслушав первый подробный рассказ Ворона.

— Да брось, — каркнул тот пренебрежительно, — ничего в ней нет занятного. Простая, как корка хлеба, и такая же пресная. Ни характера, ни изюминки. Квашня какая-то, размазня. Вот вечно ты выбираешь черт знает кого, а мне потом мучиться, — Ворон имел обыкновение весьма удачно забывать все то, о чем помнить не хотелось, в частности, и то, что это именно он настоял на том, чтобы Люба была главной героиней истории, в то время как Камень предлагал рассмотреть других кандидатов. — Я бы лучше про ее сестру историю смотрел, вот уж там характер так характер! Врагу такую дочь и жену не пожелаешь. А ты все: Люба, Люба... Далась тебе эта Люба. Будем теперь от скуки париться. Вечно я тебя, колоду неподвижную, слушаю, а потом локти кусаю.

— Перья, — меланхолично поправил Камень, — или крылья. Чего ты разворчался-то? Не хочешь про Любу — давай про Тамару смотреть, они же сестры, все равно про обеих получится.

Камень не стал ввязываться в пустую дискуссию и доказывать Ворону, что это он сам выбирал Любу. Пусть думает как хочет, лишь бы результат был. Но Ворон в ответ на предложенный Камнем компромисс немедленно заупрямился?

— Нет уж, — капризно заявил он, — ты сам решил, что смотрим про Любу, вот сам теперь и расхлебывай. И вообще, я уже настроился, в некоторых местах даже вешки возле дырок поставил, ну там, где интересное было, чтобы потом правильно попасть. Что ж теперь, вся подготовительная работа псу под хвост пойдет?

Камень в этот день был настроен особенно миролюбиво, поэтому не стал напоминать старому другу о том, как у того горели глаза и нервно пощелкивал клюв, когда он в красках живописал «полный дом полицейских», «бритоголовых бандитов» и таинственного человека, следящего за семьей Любы, и верещал на весь лес, что это «просто жуть как интересно и загадочно». Он сделал вид, что пропустил возмущенную тираду мимо ушей, и спросил как ни в чем не бывало:

— А что, эта Тамара действительно такая некрасивая?

— Без слез не взглянешь, — авторитетно заявил Ворон, считавший себя крупным знатоком женской красоты. — Я уж сколько людей перевидал, но такие, как Тамара, редко встречаются. Росточка небольшого, тощая как спичка, ноги как палки, руки как ветки, волосики реденькие, какого-то неизвестного цвета, не то серые, не то светло-коричневые, глазки маленькие, да еще узко поставленные, носик острый, подбородок вообще кургузый. Жуть малиновая, одним словом. Права ее мамаша-то, замуж ей с такой внешностью и с таким характером ни за что в жизни не выйти.

— Понятно, — протянул Камень. — А Люба? Она какая?

— А что Люба? Люба красавицей будет, это уже сейчас сказать можно. Шмакодявка ведь совсем, всего одиннадцать лет, а уже стать видна, глазищи огромные, серые, лицо такое нежное, и коса толстенная до... Короче, до ниже пояса. Такая, если захочет, шороху даст — все попадают. Только она ведь не захочет, характер не тот, мямля она.

— А бабка? — продолжал допытываться Камень.

— Ну-у, — Ворон многозначительно шевельнул крылом, — бабка там мощная. Высокая, худая, голова аккуратно прибрана в такую, знаешь, кику, или как у них это называется, я забыл...

— В пучок, — подсказал Камень.

— Ну в пучок, ладно. Значит, одета она в юбку и блузку, а на горле такая вроде брошки приколота, опять забыл, как называется, на тебя похоже...

— Камея.

— Во-во, она самая. Представляешь, она вот в таком виде и с камеей на шее за вишней через весь поселок перлась и обратно два ведра тащила. Спина прямая, идет ровно, да еще встречным-поперечным улыбается.

— Из дворян, что ли?

— Да откуда же мне знать? — раздраженно ответил Ворон.

Он ужасно не любил, когда Камень задавал вопросы об увиденном, на которые у него, Ворона, не было ответа. Получалось, что он вроде как работу свою плохо сделал, летал-летал, смотрел-смотрел, а в итоге чего-то не знает.

— Так ты узнай, — попросил Камень. — Интересно же, откуда такой занятный типаж взялся. Ну а родители девочек, ты их видел? Какие они?

— Не видел пока, — буркнул Ворон, готовясь взлететь с ветки. — Ладно, все узнаю, посмотрю, расскажу. Бывай покедова, пень ты замшелый.

Камень с усмешкой поглядел ему вслед и погрузился в дрему.

* * *

Анна Серафимовна Головина происхождением была из старинного купеческого рода Белозубовых. Отец Серафим Силыч любил повторять, что в их роду все были сплошь купцы да промышленники, не скрывая, гордился этим, однако единственную дочь замуж выдать мечтал «хорошо», что в его представлении означало «породниться с дворянством». На двух старших сыновей-то надежи никакой в этом плане не было, кого сами выберут — на тех и женятся, своенравными выросли, да и воспитаны были самостоятельными да властными, настоящими хозяевами, как испокон веку принято было в патриархальной семье Белозубовых, а вот младшенькую, Анютку, вырастили, опять же, как принято, послушной и покорной, такая все сделает, что отец велит, и замуж пойдет, за кого укажут. Только, конечно, постараться надо, чтобы девицу не стыдно было сватать. Из этих соображений воспитание и образование Анечка Белозубова получила самое что ни есть изысканное, с трех лет ее опекала гувернантка-англичанка, которая и прививала девочке, помимо множества необходимых знаний и умений, настоящую викторианскую мораль под девизом «леди не стонут». Истинная леди никогда не жалуется, не плачет, по крайней мере, при муже, не навязывает своего мнения, своих желаний и вообще своего присутствия, никогда не повышает голос, никого не оскорбляет, не употребляет «дурных» слов, держится скромно, но с достоинством, не выказывает своих эмоций, но в то же время умеет сделать так, чтобы даже в самые тяжелые времена и дом, и все его обитатели выглядели ухоженными.

Анна родилась в 1890 году, а в 1902-м, когда ей было всего двенадцать лет, Серафим Силыч внезапно скончался от удара, так и не успев узнать, что его самостоятельные и своенравные сыновья девятнадцати и двадцати трех лет от роду о продолжении семейного купеческого дела и думать забыли, поскольку попали под влияние революционно настроенной молодежи и давно уже посещали тайный марксистский кружок. Свалившееся на молодых людей немалое наследство немедленно было пущено на дело революции, а малолетняя сестра стараниями братьев стала приобщаться к большевистским идеям.

С поручиком Дмитрием Головиным Анна познакомилась в 1913 году, как раз перед самой войной. Покойный Серафим Силыч был бы доволен: офицер, из дворян, хоть и обедневших, но происхождения хорошего. Правда, революционно настроенный, большевик, ведущий в армии антимонархическую пропаганду. Анна вышла замуж за Головина по большой любви, в 1916 году родила сына Николеньку, а в 1919-м овдовела. Дмитрий погиб на фронтах Гражданской, командуя красноармейским полком. Война, голод, разруха — все это Анна Головина, оставшаяся с маленьким сыном на руках, перенесла стойко, используя все навыки, полученные в детстве и юности. Не напрасно учили ее достойно содержать дом даже в самые тяжелые времена, она умела варить борщ из крапивы, делать салат из одуванчиков, готовить из подорожника компрессы от гнойных ран, она знала множество растений, трав, грибов и ягод, из которых можно было, потратив немало времени и приложив много усилий и терпения, получить пусть не очень-то и вкусное, но полезное и питательное блюдо. Да, сынок Николенька рос не избалованным вкусной едой, но зато он никогда не был дистрофичным, хилым и болезненным.

И воспитывала его Анна Серафимовна точно так же, как принято было воспитывать мальчиков в ее семье: Николаю сызмальства внушалось, что он — мужчина и единственная опора и защита для своей матери. Он должен быть самостоятельным и нести ответственность за свои решения, даже за самые маленькие и незначительные. Однажды, когда Коле было пять лет, мать показала ему, сколько у них осталось денег, и сказала, что на них можно купить или хлеба, или сахару, и пусть мальчик сам решит, что в хозяйстве нужнее. Разумеется, Коля выбрал сахар, они вместе пошли в лавку и сделали покупку, вечером пили морковный чай с сахаром вприкуску, и Коля бурно радовался, что принял такое решение — вон как им с мамой вкусно, и сахару вдосталь, и еще на утро останется, а наутро он захотел есть и попросил хлебушка. Мать предложила снова попить чаю с сахаром, но сахару отчего-то не хотелось, а хотелось именно хлеба. «А на хлеб у нас больше нет денег, — спокойно сказала Анна Серафимовна. — Ты же сам вчера решил, что сахар нам нужнее. Ты — мужчина в семье, ты принял решение, ты взял на себя ответственность, как и положено мужчине, а я только выполнила твое решение, как и положено женщине. Я тоже очень голодна и тоже хотела бы поесть хлеба, но я ничего не могу сделать. Надеюсь, в следующий раз, когда ты будешь принимать решение, ты как следует подумаешь». Конечно, мать лукавила, и положение было вовсе не безвыходным, и денег еще немного было, и пара картофелин, и луковица, но она считала, что куда важнее воспитывать в сыне умение нести ответственность за свои решения. Мальчик должен сразу понять, что нельзя принимать решения в надежде на то, что, если оно окажется неправильным, придет мама и все перерешит, перекроит и сделает «как надо».

Старшие братья Анны Серафимовны, Прохор и Григорий, тоже принимали участие в воспитании Николеньки. Советская власть, помня их заслуги перед революцией, купеческих сыновей не только не обижала, но и всячески привечала, двигала по карьерной лестнице, выдвигала на руководящие посты. И Анне, вдове геройски погибшего красного командира, внимание оказывалось и пайками, и карточками, и комнату ей выделили в относительно малонаселенном бараке — всего пять соседских семей, вместе с Анной и ее сыном шесть получается, а ведь другие-то живут, бывает, и по десять семей, и по пятнадцать, если барак или квартира большие. Не только братья Анне помогали, но и товарищи мужа не оставляли, навещали, помощь оказывали — кто чем мог. Красный командир Дмитрий Головин был для красноармейцев как отец родной, любил солдат, заботился о них и, не жалея сил, обучал военному делу, щедро делился всеми знаниями, которыми обладал сам как бывший кадровый царский офицер. Вокруг подрастающего Николеньки всегда были мужчины, и Анна Серафимовна не упускала возможности привить оставшемуся без отца мальчику модели «истинно мужского поведения», как она его понимала, всегда подчеркивала главенство мужчин и их безусловную правоту.

Николай вырос жестким, строгим, неулыбчивым, пошел по стопам отца — стал военным. В 1941-м ушел на фронт, в 1943-м с тяжелейшим ранением оказался в госпитале за Уралом, куда к нему из эвакуации немедленно прибыла мать, поселилась поблизости и ежедневно сидела у постели сына. Там она и заприметила санитарку Зиночку.

Зиночка, незатейливая, малообразованная, но простодушная, добрая, искренняя и, что немаловажно, очень красивая, работала в госпитале и искала себе мужа среди военных. Мать ее, работница местной фабрики детских игрушек, объяснила дочке, что с ее нелюбовью к учебе и получению знаний единственный способ устроиться в жизни более или менее прилично — это хорошо выйти замуж, лучше всего за офицера: и престижно, и зарабатывают они много. Конечно, найти мужа среди артистов или ученых тоже неплохо, даже, может быть, и лучше, но тут шансов у Зиночки, прочитавшей в своей жизни хорошо если две-три книжки, одна из которых — букварь, а вторая — учебник по литературе, практически никаких нет.

Зиночка присматривалась к раненым, ухаживала за ними, помогала писать письма, развлекала разговорами, а сама искала, искала... Попадались красивые, но им чаще всего нужно было только одно, сами знаете что, а она ведь не такая, ей хотелось серьезных отношений и последующего замужества. Были и такие, кто сразу звал замуж, но эти уж тем более доверия у девушки не вызывали. А вот старшего лейтенанта Головина Зина выделяла особо, хотя и не могла понять, нравится он ей или нет. Лицо грубое, словно из камня высеченное, никогда не улыбнется, смотрит строго, даже как будто сердито, разговаривает мало, но было в нем что-то, какая-то невидимая, но очень и очень осязаемая сила, которая и притягивала, и одновременно пугала. Зине он никакого особого внимания не оказывал, и она никак не могла понять, замечает он вообще ее красоту или не видит ничего, погруженный в какие-то свои мысли. Когда к Головину приехала мать, Зина глянула на нее — и ахнула! Будто королева ступала по дощатому полу зауральского госпиталя — такая прямая была у женщины спина, так гордо поднят подбородок, и такое приветливое выражение светилось на тонком увядшем лице. Зиночка цену своей внешности знала отлично и точно так же отлично знала: начни она кокетничать и пускать в ход весь свой арсенал — никто не устоит, уж сколько раз проверено, но если до того дня она не была уверена, стоит ли затевать все это в отношениях с Головиным, то, увидев Анну Серафимовну, сразу решила, что стоит. В матери видна была порода, внутреннее благородство и безусловная порядочность, и все эти качества не могли не передаться сыну-офицеру.

Молоденькая санитарка стала все чаще оказываться у постели Николая, познакомилась с его матерью, да и самого Головина хоть чуть-чуть да разговорила и вдруг заметила, какой низкий, глубокий и красивый у него голос. С тех пор каждый день она открывала в нем все новые и новые достоинства — то мимолетную улыбку, в которой мелькнут ровные белые зубы, то мощный мускулистый торс, то родинку на шее, при виде которой у Зиночки почему-то сердце защемило. Она и сама не поняла, не уловила тот миг, когда целенаправленный матримониальный интерес уступил место искренней влюбленности.

Анна же Серафимовна ситуацию оценила быстро, все поняла и начала собирать сведения о влюбленной в ее сына санитарке. Поспрашивала то тут, то там, поузнавала и пришла к выводу, что девушка ни в чем плохом не замечена, себя соблюдает строго, вольностей в отношении себя не допускает, а что мужики вокруг нее вьются — так это естественно, при ее-то внешности было бы странно, если б не вились. Статная, крупная, широкобедрая, рожать будет легко, и грудь хорошая, не маленькая, но и не слишком большая, молока будет много. В глаза Николеньке заглядывает, каждое его слово ловит — будет покорной и послушной женой. Убирается быстро и чисто, лежачим больным помогает ловко и споро, переодевает их, белье постельное меняет, значит, по хозяйству будет все успевать, у нее в руках все горит. Раненых, которые еще плохо ходят, буквально на себе таскает, значит, сильная, уставать не будет. Одним словом, отличная жена для Николеньки, будет его слушаться, любить, холить и лелеять. И Анна Серафимовна сделала все от нее зависящее, чтобы сын наконец открыл глаза и обратил внимание на красавицу Зиночку.

Николай поправлялся медленно, ранение было тяжелым, и времени у Зины было хоть отбавляй, на все хватит. Анна Серафимовна перестала ежедневно приходить в госпиталь только тогда, когда твердо уверилась: у них все случилось. Она набралась терпения, дождалась первых признаков беременности у Зины, настояла на немедленной регистрации брака, тут же забрала невестку из дома и поселила вместе с собой, а когда Николай наконец выздоровел, они все вместе вернулись в Москву. Последствия ранения не позволили Головину продолжать войну на фронте, и как он ни бился, в какие двери ни стучался, ответ был один: ваше состояние здоровья не позволяет принимать участие в боевых действиях. А вот работать в милиции и воевать с бандитами состояние здоровья очень даже позволяло, и Николай Головин получил приказ продолжать служить Отечеству на другом поприще.

В 1944 году родилась первая девочка, Тамара, Томочка, спустя два года — вторая, Любаша. Головин мечтал о многодетной семье, он хотел иметь четверых, а то и пятерых, трое из которых были бы непременно сыновьями, и

Зина не возражала, она любила детей, беременности переносила легко, но во время войны им казалось, что вот настанет мир — и жизнь будет легкой и чудесной, и можно будет каждый день радоваться, что войны больше нет, и важнее и сильнее этой радости ничего никогда не будет, и можно будет спокойно рожать сколько угодно детей, а оказалось, что жизнь после войны тяжелая, голодная и нищая, и хорошо бы им хотя бы с двумя дочерьми справиться. Жаль, конечно, что сына не получилось, но и две девочки — тоже очень хорошо. И достаточно.

* * *

Помахивая авоськой, в которой лежали буханка хлеба и полкило сливочного масла, Люба шла из магазина домой и вспоминала разговор двух теток, стоявших перед ней в очереди. Тетки обсуждали какую-то Надьку, которая теперь вынуждена ходить в платке, потому что неделю назад ее в Москве поймали дружинники и налысо обрили. Любе было интересно, она старалась внимательно прислушиваться, но как следует так и не поняла, за что же лишили волос бедную Надьку. Со слов теток выходило, будто с ней такое сотворили только за то, что она приходила в гостиницу, где во время Фестиваля молодежи и студентов жили иностранцы. Этого Люба понять не могла, как ни силилась, и решила спросить у Тамары: Тома обязательно должна знать и все объяснить, когда шел фестиваль, она несколько раз уезжала с дачи в Москву посмотреть, как она сама выразилась, «какие головы носят за границей». Про головы — это не эвфемизм, не случайная оговорка, Тамара интересуется прическами и собирается стать парикмахером, она все время рисует в своем альбоме женские и мужские головы с по-разному постриженными и уложенными волосами, а когда девочки ходят в кино на заграничные картины, она за сюжетом вообще не следит, только и смотрит, кто да как причесан. Тома

44

непременно должна знать, за что же так сурово обходятся с женскими волосами. Или с мужскими тоже? Вот интересно, а парни ходили в эти самые гостиницы? И если ходили, то их что, тоже налысо брили? В общем, все это надо будет спросить у Тамары, только тут главное — правильно выбрать момент, чтобы рядом никого не было, ни Бабани, ни мамы с папой. Когда Тома сказала, что хочет поехать в Москву во время фестиваля, чтобы посмотреть на иностранцев, папа страшно ругался и кричал, чтобы девчонки не смели даже думать об этом, чтобы в столицу — ни ногой, потому что с этим фестивалем там один только блуд и порок. Люба тогда не очень поняла, что такое блуд и порок, наверное, это что-то заразное, чем болеют иностранцы, но одно уяснила твердо: папа ехать не разрешает. Ей, конечно, очень хотелось поехать, но раз нельзя — значит, нельзя. Тамаре же на отцовские запреты было наплевать, она сказала, что едет в библиотеку, взяла книги и отправилась на электричку. От Бабани это скрыть, конечно, не удалось, да Тамара и не пыталась, она точно знала, что бабушка отцу ни слова не скажет, сердить и расстраивать не захочет. Анна Серафимовна неодобрительно покачала головой, но внучку отпустила, попросив быть осторожной и внимательной. Тамара ездила «смотреть на иностранцев» целых три раза и каждый раз возвращалась взбудораженной, немедленно хваталась за свой альбом и рисовала, рисовала... Люба эти рисунки видела и не переставала удивляться забавным «конским хвостам», подкрученным концам волос и большим темным очкам почему-то в белой оправе. Тамара и одежду рисовала, и была эта одежда какой-то совершенно необыкновенной, ничуточки не похожей на цветастые или в горошек отрезные крепдешиновые платьица, к которым так привык Любин глаз. Для Любы идеалом в манере одеваться была мама Зина — большая модница, уделявшая своим нарядам огромное внимание. У Зины была даже своя портниха, шившая ей платья самых модных фасонов. Платья всегда были очень сложного покроя и обязательно подчеркивали Зинину стройную талию. То это было платье со съемным воротником-шалькой с выстроченными под ним защипами, которое плотно облегало фигуру и дополнялось тонким кожаным ремешком, то очень красивое платье из тонкой шерсти с плиссированной вставкой спереди и широкой юбкой чуть ниже колена, да много было нарядов у Зины, и из штапеля, и из крепдешина, и из шерсти, и из бархата, и все они казались Любе пределом совершенства. Она мечтала поскорее вырасти и наряжаться, как мама. А вот то, во что были одеты иностранцы, совсем на мамины платья не похоже. В Тамарином альбоме Люба видела необыкновенные длинные балахоны, и цветные, и совершенно белые, и просто куски ткани, плотно обернутые вокруг тела, и квадратные накидки на плечи, и широкополые шляпы, и смешные маленькие круглые шапочки с длинными остроносыми козырьками, и узкие синие брюки, про которые сестра говорила, что они называются «джинсы». Самое удивительное для Любы было то, что Тамара рисовала женщин в брючках: неужели они так и ходили по улице? Ведь в журнале «Работница», который регулярно приносит домой мама, прямо так и написано: брюки женщина может носить только на производстве или во время занятий спортом.

До дома оставалась всего одна улица, и Люба, привыкшая все делать загодя и ко всему готовиться заранее, начала в уме составлять вопросы Тамаре. Спросить нужно было так, чтобы смысл вопроса был понятен сразу, и сам вопрос должен быть сформулирован как можно короче, чтобы у Томки хватило терпения его выслушать. Старшая сестра терпеть не могла, когда Люба мямлит и, по выражению Тамары, теряет зря время, она в таких случаях могла не дослушать, развернуться и уйти. Погруженная в лингвистические изыскания, девочка не сразу заметила симпатичного черноволосого паренька, одного из тех, что приходил с компанией на озеро, уже было мимо прошла — и остановилась, уловив в общей картине нечто неправильное. Мальчик стоял у калитки по ту сторону забора, на участке, и трясущимися руками пытался вытащить крючок из петли. Лицо у него было такое, что Люба сразу поняла: что-то случилось. Что-то напугало его так сильно, что он не в состоянии выполнить такую простейшую операцию, как открывание калитки.

— Тебе помочь? — Люба подошла поближе, перегнулась, встав на цыпочки, через невысокую ограду и ловко скинула крючок.

— Спасибо, — пробормотал мальчик, выскочил на улицу и внезапно остановился, глядя на Любу безумными глазами.

— Что у тебя случилось? — сочувственно спросила девочка. — Чего ты такой взъерошенный?

— Папе плохо с сердцем, — выпалил паренек. — Надо, наверное, в больницу бежать за врачом, да?

Последнее, что сделала Люба, прежде чем включиться в ситуацию, — удивилась, что такой взрослый и красивый мальчик, кажется, спрашивает у нее совета. Неужели она, «дурища и бестолочь», может знать что-то такое, о чем не знает этот парнишка «из избранных»? Но в следующее мгновение она думала уже совершенно о другом.

— У вас дома есть телефон?

— Есть. Но я не знаю, как в больницу звонить. Ты знаешь, где тут больница? Дорогу покажешь?

— Пошли. — Люба решительно потянула его за руку и подтолкнула в сторону дома. — Сейчас «Скорую помощь» вызовем, телефон «ноль-три», его даже младенцы знают. Сколько лет твоему папе?

— Пятьдесят семь, а что? Это важно?

— Конечно, они же спросят, — со знанием дела ответила Люба. Ей уже приходилось два раза вызывать «Скорую» для Бабани и один раз для мамы, когда у той был аппендицит, и Люба очень хорошо помнила, какие вопросы задают по телефону. — Спиртное употреблял?

— Когда? Вообще? — не понял мальчик.

— Нет, вчера или сегодня.

— Нет, мой папа совсем не пьет. Ну, может, когда-то, в молодости...

— Про это не нужно, — оборвала его Люба. — Раньше сердцем болел?

— Да, у него это давно, он и в больнице лежал.

— Какой диагноз? Фамилия, имя, отчество твоего папы? Какая у вас улица, номер дома?

Люба, продолжая допрос, быстро дошла до крыльца, крепко держа мальчика за руку, взлетела по ступенькам, толкнула занавешенную серым от пыли тюлем стеклянную дверь и буквально ворвалась в дом.

— Где твой папа? Показывай, — потребовала она.

Мальчик молча открыл дверь в комнату, где за огромным письменным столом сидел, откинувшись в кресле, немолодой мужчина, держался за сердце, тяжело дышал и постанывал. Здесь же, на столе, стоял и телефон. Люба решительно сорвала трубку, набрала короткий номер и попросила прислать доктора к Романову Евгению Христофоровичу, пятидесяти семи лет, на улицу Щорса, дом 12. Диспетчер задала ей все те вопросы, ответы на которые у нее уже были, и сказала, что бригада сейчас приедет.

— Давай уложим его, — приказала она. — Помоги ему подняться, мы его с двух сторон подхватим.

— Куда уложим? — Парень выглядел совсем растерянным и, по-видимому, соображал не очень хорошо.

— Куда-куда, куда-нибудь. Ну вот хоть на этот диван. И подушку принеси.

— Не надо, — слабым голосом произнес Евгений Христофорович, открыв глаза, — я сам, вы не справитесь. Я лучше тут посижу.

— Еще чего, — Люба и не заметила, как заговорила в точности словами своей старшей сестры и даже с ее интонациями, — даже и не спорьте. Давайте мы вам поможем, только тихонько, тихонько, вот так, вот молодец, — приговаривала она, подставляя плечико и обхватывая мужчину за пояс, — и медленно, медленно, по одному шажочку идем к диванчику, вот молодец, вот умница.

Вдвоем они уложили больного, подсунули под голову подушку, накрыли тонким одеялом.

— И правда, так полегче, — побормотал Евгений Христофорович. — Спасибо тебе, девочка.

— Рано еще «спасибо» говорить, — Люба как-то незаметно вошла в роль строгой медсестры, — вот сейчас доктор приедет, послушает вас, посмотрит, укольчик сделает — и будете как новенький. Вы только не бойтесь ничего, мы тут рядом, сейчас я вам чайку горячего сладкого сделаю.

Навещая бабушку в больнице, куда ее забирала «Скорая», Люба наслушалась в палате разговоров о том, что во время сердечного приступа больного охватывает страх, и, если дать этому страху разгуляться, он будет плохо действовать на сердце и приступ станет еще сильнее, поэтому самое главное в этом случае — сделать так, чтобы человек не боялся.

— Не надо, не беспокойся, я просто так полежу, доктора дождусь.

— Я не беспокоюсь, я делаю то, что положено, — строго произнесла Люба. — А вы лежите спокойно, и самое главное — ничего не бойтесь.

Евгений Христофорович прикрыл глаза, и Любе показалось, что он стал дышать чуть легче, чуть ровнее.

— Показывай, где у вас тут кухня, где чайник, вода, заварка, сахар, — потребовала она у мальчика. — Кстати, тебя как зовут? Меня — Люба.

— А я — Родик.

— У вас валидол есть?

— Не знаю, — растерянно ответил Родик. — У папы есть какие-то лекарства, но я не знаю, какие они и где лежат.

— Так пойди и спроси, а я пока чай сделаю. Найди валидол и дай папе одну таблетку под язык.

— Хорошо, — послушно ответил паренек, и Люба, немного успокоившаяся и вновь обретшая способность воспринимать окружающее, еще раз удивилась, что этот взрослый красивый мальчик беспрекословно слушается ее, такую маленькую и глупую «бестолочь».

«Скорая» приехала через пятнадцать минут, врач — пожилая полная женщина — увидела двух подростков, бросила быстрый цепкий взгляд на таблетки валидола и стакан с горячим чаем и одобрительно улыбнулась.

— Вот и молодцы, правильно все сделали. А вы, больной, — она взяла Евгения Христофоровича за руку и стала считать пульс, — успокойтесь, у вас аритмия, ничего страшного, с такими ребятами вам вообще бояться нечего, они небось все не хуже врачей знают и отлично за вами ухаживают. Сейчас сделаем укол — и через пять минут все пройдет. Вы, ребятки, выйдите пока, если шприцов боитесь.

— Ничего я не боюсь, — с вызовом ответила Люба, — я останусь.

Она заметила, как побледнел Родик, и шепнула ему:

— Ты лучше выйди, твоему папе неприятно, наверное, будет, если ты будешь смотреть.

Родик кивнул и молча вышел из комнаты. Люба точно знала, что укол Евгению Христофоровичу будут делать в руку — она видела, как делали уколы «от сердца» Бабане, но непонятно каким, шестым ли, десятым ли, чувством угадала, что Родик этого не знает, и можно сделать вид, что укол будут делать в попу, а какому же отцу приятно, когда сын это видит? Пусть парень выйдет под благовидным предлогом, а вовсе не потому, что боится одного вида шприца с иглой. А он совершенно точно боится — вон как побледнел весь! Впрочем, все эти сложные соображения были одиннадцатилетней Любе Головиной на самом деле неведомы, она поступила чисто интуитивно, и спроси ее — объяснить свой поступок не смогла бы.

Укол подействовал, отцу Родика стало лучше, и доктор собралась уезжать. Люба и Родик вышли проводить ее до машины.

— Ну, ребята, еще раз повторяю: молодцы! — широко улыбнулась врач. — Все правильно сделали, и не растерялись, «Скорую» сразу же вызвали, и валидол дали, и чай горячий. Всем бы в дом таких умелых и храбрых ребят — нам бы работы меньше было. А то, бывает, приедешь на вызов — все ревут, мечутся бестолково, больного только зазря пугают, а самого элементарного никто не сделает. Счастливо вам, отца берегите.

Они вернулись в дом и подошли к Евгению Христофоровичу. Тот дремал, дыхание ровное, лицо порозовело. Ребята на цыпочках вышли из комнаты, и тут Люба, переставшая волноваться за больного, начала видеть дом совсем другими глазами — глазами маленькой хозяйки. Да, похоже, мама Родика — это не Бабаня. Занавески серые, пол уж дня два как не мыт, а то и все три, да и на кухне порядка маловато. Люба вспомнила, что, пока готовила чай, успела отметить не только «непорядок», но и отсутствие кастрюль и сковородок с едой. А время-то близится к обеду...

— У вас обед есть? — спросила она.

— Не знаю, — пожал плечами Родик. — Надо посмотреть. Мы с папой на обед макароны варим или картошку.

— А на ужин что?

— Не знаю. Мама что-нибудь привезет из города, приготовит.

— И не стыдно тебе? — набросилась на него Люба. — Мама целый день на работе, потом по магазинам бегает за продуктами, потом на электричке и на автобусе сюда едет, а ее дома даже ужин не ждет, ей самой для вас готовить приходится. Это не дело. Иди посиди с папой полчаса, я скоро вернусь.

— Зачем с ним сидеть? Он же спит.

— Все равно посиди. Он проснется и пусть видит тебя рядом. Ты что, не понимаешь? Это же сердце, а не нога какая-нибудь. Если вдруг что — звони «ноль-три», снова врача вызывай.

— А что, ему опять может быть плохо? — встревоженно спросил Родик.

— Ну это я так, на всякий случай, чтобы ты был спокойнее.

Люба побежала домой, но с полпути вернулась — забыла в доме Романовых свою авоську с хлебом и маслом.

— Что так долго? — напустилась на Любу Анна Серафимовна. — Куда ты потерялась? Обедать пора, все готово, мы с Тамарой тебя ждем, а ты где-то носишься.

Люба коротко объяснила бабушке, где была и почему задержалась.

— Я не буду обедать, ладно, Бабаня? Мне нужно Родику помочь, он там один с больным папой, и у них даже еды нет никакой.

Люба готовилась к тому, что бабушка станет ругаться и не пустит ее к Родику, но Анна Серафимовна мягко улыбнулась:

— Конечно, беги, Любаша, мальчику надо помочь. Погоди-ка, возьми чистую кастрюльку, я тебе жаркого положу, там разогреешь, и вот еще пирог возьми с яблоками, только что из духовки, и баночку малосольных огурчиков. Неси сюда большую сумку, я тебе сейчас все упакую.

Когда Люба вернулась к Романовым, Евгений Христофорович уже не спал и о чем-то беседовал с сыном.

— Боже мой, деточка, ну что ты так с нами возишься? Мне прямо неловко, столько беспокойства...

— Никакого беспокойства, — весело отозвалась Люба, выгружая из сумки продукты. — Сейчас будем обедать, потом я сбегаю в магазин, куплю все, что нужно, и приготовлю ужин. Ваша жена вернется с работы — а у нас уже все готово. И приберусь немножко.

— Вот это уже совсем лишнее, — запротестовал хозяин.

— Ничего не лишнее. Когда в доме больной — кругом должна быть стерильная чистота, — уверенно изрекла Люба один из Бабаниных постулатов.

Она быстро разогрела жаркое, порезала красивыми тонкими овальчиками (как Бабаня учила) малосольные огурцы, на десерт подала чай с яблочным пирогом и очень огорчалась, что не может накрыть стол так же красиво, как это делалось дома: ни одной белоснежной скатерти у Романовых не обнаружилось, да и тарелки были сплошь разнокалиберными. Евгений Христофорович еще немного посопротивлялся, но в конце концов дал ей денег на продукты, Люба сбегала в магазин, а также на автобусную остановку к совхозу, где местные бабульки торговали овощами и ягодами со своих огородов, притащила полную сумку снеди, и к шести часам вечера дом наполнился запахом котлет, жареной картошки и компота из малины, смородины и крыжовника. Когда вернулась из Москвы мама Родика, Клара Степановна, ее встретил дом с чистыми полами и накрытым столом.

— Господи! — ахнула она, едва переступив порог. — Как же это? Что происходит?

— Это Любочка, — с радостной улыбкой объявил вполне оправившийся Евгений Христофорович. — Наш ангел-хранитель. Знакомьтесь.

Они долго сидели за столом, подробно рассказывая

перепуганной Кларе Степановне про сердечный приступ, про приезд «Скорой», про то, как Родик сидел с отцом, а Люба бегала за покупками и готовила еду. Потом девочка спохватилась, что уже поздно и надо возвращаться домой.

— Родик, проводи Любу, — сказала Клара Степановна.

— Да что вы, — засмущалась та, — не нужно, я сама дойду, тут же рядом совсем, у нас дача на соседней улице.

— Надо, — твердо произнесла мать Родика, и отец тут же подхватил:

— Конечно, надо, Родик обязательно тебя проводит.

Они вдвоем вышли из дома, и Люба чувствовала, как отчаянно колотится ее сердечко: впервые в жизни мальчик провожал ее вечером домой, да не какой-то там одноклассник, а взрослый парень, да еще такой красивый. Она совсем не знала, о чем разговаривать по дороге и надо ли разговаривать вообще, может быть, следует идти молча?

— Ты, наверное, врачом станешь, — неожиданно произнес Родик.

— Почему? — удивилась Люба.

Она еще не задумывалась всерьез о будущей профессии, может, инженером будет или учительницей, но о том, чтобы стать врачом, мыслей не было.

— Ты такая решительная, серьезная, даже доктор тебя похвалила. И о больных умеешь заботиться.

— Это меня бабушка научила, — засмущалась Люба. — У нее тоже сердечные приступы бывают, я и запомнила, как и что надо делать. А сколько тебе лет?

— Тринадцать, а тебе?

Надо же, он ровесник Тамары! Почему-то Любе казалось, что он гораздо старше. Но раз он ровесник Томы, то тоже, конечно, очень взрослый, как и сестра, и, наверное, такой же умный.

— Мне одиннадцать. А я думала, тебе лет пятнадцать или даже шестнадцать, — призналась она.

— Это потому, что я высокий, как папа. Мне всегда из-за роста больше лет дают.

— А Родик — это Родион?

— Родислав.

— Как?!

— Родислав, — терпеливо повторил Родик. — Смеяться будешь?

— Почему смеяться? — растерялась Люба.

— А все смеются. Имя необычное.

— Правда, необычное, — согласилась она. — Это твоя мама придумала?

— Папа. И не придумал вовсе, это старинное русское имя.

— А твой папа — он кто? Ученый?

— Ну да, он филолог. Занимается русской литературой восемнадцатого века. Это называется русский классицизм. Радищев, Державин, Кантемир, Сумароков — слышала про таких?

— Нет, мы в школе их не проходили.

Люба еще много чего хотела спросить у Родика, но ее дача почему-то оказалась совсем близко, даже ближе, чем была днем, когда она бегала предупредить Бабаню, что не будет обедать.

— Здесь мы живем, — грустно сказала она и вежливо добавила: — Спасибо, что проводил.

— Люба...

— Что? — встрепенулась она.

— Я хотел сказать... Ну, в общем, ты молодец. Спасибо тебе.

— Да не за что, — смутилась Люба, — я ничего особенного не сделала.

— Нет, ты не понимаешь... Ты не испугалась, не растерялась, не бросила меня в беде. Мне самому противно, что я оказался таким... Ну, ты помнишь, я от страха даже крючок на калитке открыть не смог. И укола я испугался.

Мне ужасно стыдно в этом признаваться, получается, что я слабак какой-то...

— Ничего ты не слабак, — горячо заговорила она. — Просто ты очень любишь своего папу, и это очень хорошо. Если бы с моим папой такое случилось, я бы тоже растерялась, мне бабушка объясняла, что когда несчастье происходит с твоими близкими, то это гораздо страшнее, чем когда с неблизкими... вот... И еще она говорила, что не зря существует поговорка: «Чужую беду руками разведу, а со своей не справлюсь». Твой папа для тебя самый близкий человек, поэтому ты испугался и растерялся, а я же его совсем не знаю, он мне никто, вот я и не растерялась. Если бы такое с моим папой было, а ты бы мимо проходил, ты тоже не растерялся бы и помог мне, а я стояла бы как колода и ревела от страха. Честное слово, так и было бы.

— Думаешь? — с сомнением произнес Родик.

— Точно тебе говорю. Тебе не должно быть стыдно. Нельзя стыдиться того, что любишь своих родителей.

— Ну ладно, — с явным облегчением сказал он. — Но ты все равно молодец. Ну что, пока?

— Пока.

Он помахал Любе рукой, повернулся и ушел.

* * *

— Нет, ты видишь, ты видишь, что она творит, эта шмакодявка! — восхищенно ахал Камень. — И откуда что берется, а? Ну ты мне скажи, где она таких слов-то набралась в свои одиннадцать лет? Откуда такие мысли в ее головенке? Я бы еще понимал, если б ей лет тридцать было, а то — одиннадцать! Да курам на смех!

— Бабкино воспитание, — деловито объяснил Ворон, ужасно довольный тем обстоятельством, что его рассказ явно понравился Камню, который, совершенно очевидно, всерьез заинтересовался Любой. — Бабка с младых ногтей исподволь внушала обеим внучкам: если хочешь, чтобы люди тебя любили и дорожили общением с тобой, надо обязательно говорить им то, что они хотят услышать. Тамарке-то эти уроки впрок не пошли, она своим умишком живет, чужую науку не уважает, а Любка, видать, впитала.

— Впитала, ох, впитала, — согласно повторил за другом Камень. — Но у нее какая-то потрясающая интуиция. Хоть режь меня — не поверю, что и с уколом, и с этим последним разговором у нее были четкие соображения, логика какая-нибудь. Ничего она не соображала, мала еще для таких соображений-то, тут интуиция сработала, мощнейшая интуиция. Этого никаким воспитанием не достигнешь, это должно быть от природы.

— От прадеда, от Серафима Силыча. Он среди своих соратников по купецкому делу зело нюхом выделялся.

— Чем-чем?

— Деловым чутьем, вот чем. Всегда точно угадывал, что купить и как продать, ни разу в жизни в проигрыше не оказался. А с ценными бумагами что творил — это ж уму непостижимо! Все еще покупают, а он уже продает втихаря и в ус посмеивается, а потом — хоп! — и все рухнуло, все прогорели, один Серафим Силыч при деньгах остался, да еще и с прибылью. И у внука его, Николая Дмитриевича, Любкиного папаши, чутье есть, его бандиты знаешь как боятся? Он их насквозь видит, будто мысли читает. Так что у Любки это наследственное.

— А у Тамары как с этим делом?

— Ой, — Ворон безнадежно махнул крылом, — у этого заморыша вообще никак. Никакой интуиции и в помине нету. Она другим берет.

— Чем же, интересно?

— А у нее глаз вострый. Любка-то, она ж слепая, как курица в сумерках, глазами ничего не замечает, зато умом понимает и сердцем чует, а Томка, наоборот, сердцем холодная, а глаз цепкий, все видит, все подмечает, любую детальку, каждую мелочишку.

Камень вздохнул и о чем-то задумался. Ворон нетерпеливо переминался на мшистой Каменной макушке, ожидая, когда же тот спросит про семью Родика. На сей раз Ворон был к отчету готов, но Камень отчего-то не спрашивал.

— Ну, что ты молчишь-то? — раздраженно спросил Ворон. — Мне лететь дальше смотреть или еще что-нибудь спросишь?

— Да я вот все думаю про мальчика этого, про Родислава, — Камень снова вздохнул. — Что он за человек? Так откровенно разговаривать с девчонкой, которую едва знаешь, да еще и младше себя... Нормальные мальчишки так себя не ведут.

— Много ты знаешь нормальных мальчишек! Только тех, про которых я тебе рассказывал, — Ворон и тут не утерпел, не удержался от того, чтобы лишний раз напомнить, мол, я — твои глаза и уши, и ты без меня никуда. — А вот ты меня спроси, я тебе и объясню, что к чему.

— Объясни.

— Значит, так, — Ворон приосанился и приготовился давать подробные пояснения. — У мальчика Родика две основные черты характера, которые были видны с самого раннего детства. Я специально лазил туда, где пораньше, знал, что ты спросишь. Первая особенность: он не умеет просчитывать даже на один шаг вперед. Я только не очень понял: он именно не умеет или умеет, но не считает нужным? Но факт есть факт — он ничего не просчитывает. Вот есть девочка, во-первых, маленькая, младше на целых два года, то есть по его представлениям — совсем мелюзга, от которой в его жизни ничего не зависит и чье мнение для него ничего не значит, и, во-вторых, незнакомая, которую он до этого дня не знал и в упор не видел. Она для него — как тот попутчик в поезде, которому можно рассказать самое сокровенное, потому что на конечной станции они разойдутся и больше никогда не встретятся. А то, что эта девочка живет на соседней улице, и будет жить на ней до конца лета, и на следующий год, и еще на следующий, и будет постоянно попадаться ему навстречу, — об этом он вообще не подумал. Незнакомая, мелкая — значит, можно с ней фасон не держать. И вот тут мы подходим ко второй особенности его характера: он не может долго носить в себе негатив. Ему обязательно нужно выговориться, объясниться, если надо — попросить прощения, признать свою вину, только побыстрее снять конфликт. Конфликтов он совершенно не выносит. Здесь, конечно, конфликта не было, но ему было неприятно, что какая-то мелкая девчонка оказалась сильнее и расторопнее, и единственный способ, которым он мог избавиться от чувства стыда, было вслух об этом заявить. Другого способа он не знает.

— Так другого, наверное, и не существует, — задумчиво изрек Камень. — Мне, например, ничего в голову не приходит.

— Ну, не знаю, не знаю, — Ворон был недоволен тем, что его прервали в таком драматическом месте. — Может, существует другой способ, может, нет, суть не в этом. Главное в том, что ему нужно было выговориться, и Любка оказалась для этого самым подходящим слушателем: маленькая, глупая и чужая. А чего ты меня про его родителей не спрашиваешь? Я как дурак летал незнамо куда...

— Да на войну ты летал, ежу понятно, — усмехнулся Камень.

— Это с чего же тебе понятно? — рассердился Ворон, но внезапно прищурился и повел клювом справа налево и обратно — верный признак того, что он снова вспомнил о своих подозрениях касательно давнего соперника Змея. — Уж не тухлая ли эта сосиска здесь побывала? Что, он тоже там, на войне, чего-то вынюхивал, видел меня и тут же тебе настучал? А ну признавайся, осколок ты недоделанный! Была здесь эта тварь шипящая?

— Не кипятись ты, я тебя умоляю! У тебя чуть что — сразу Змей виноват. Не было его здесь. Просто я сложил два и два. Это у тебя может получиться где-то семь-восемь, а у меня всегда четыре выходит. У нас пятьдесят седьмой год, фестиваль, отмена обязательных сельхозпоставок, верно?

— Ну, — буркнул Ворон.

— Мальчику тринадцать лет, значит, он сорок четвертого года рождения. Куда ж тебе еще было летать, как не на войну? Ты небось года с сорок второго начал смотреть, как там и что, почему его папаша-ученый, ровесник века, только в сорок четыре года ребеночком обзавелся. Прав я или нет?

— Ну, прав, — нехотя признал Ворон. — Я вообще-то хотел с сорок первого начать, но промахнулся маленько, попал в сорок второй, так решил уже не возвращаться. Короче, в сорок втором году Христофорыч этот был в эвакуации в Оренбурге, до войны-то он профессорствовал в университете, вот их всем факультетом в Оренбург и вывезли, кого на фронт не забрали. Его из-за сердца не взяли, да у него и бронь была как у профессора. Он всю жизнь своими Тредиаковскими да Фонвизиными занимался, ничего вокруг не видел и знать не хотел. Студенточки, конечно, вокруг него вились, все ж таки профессор, да еще и холостой, и из себя видный такой, высоченный, глаза горят, когда он про своих писак восемнадцатого века вещает, но он внимания ни на кого не обращал. Были, конечно, какие-то бабешки у него, но все замужние, и ненадолго. Он и жениться-то не рвался, он со своей филологией в законном браке состоял. Ну вот, а в эвакуации его совсем быт заел. В Москве-то у него домработница была, он горя не знал, всегда все начищено, намыто, наготовлено, а в Оренбурге Христофорыч наш лиха хлебнул — будьте-нате! Там же не просто уметь надо, а именно уметь в условиях войны, а это ж совсем другое искусство. Мыла нет, хлеба нет, мяса-рыбы нет, то есть все это есть, но очень мало, микроскопическими дозами, карточная система, про масло и шоколад и речь не идет. Как прокормиться, как еду приготовить, если не знаешь, с какой стороны к керосинке подойти? Как постирать, если мыла — крохотный кусочек на месяц, едва хватает, чтобы руки помыть? В общем, скис наш Евгений Христофорович, про Михаила Чулкова главу в учебник пишет, а сам грязью зарос и желудком мается. Тут и подвернулась ему секретарша Клара, в университете-то она на другой кафедре работала, он ее и не замечал никогда, она подсуетилась, в комнате прибралась, суп сготовила, травки какие-то от желудка стала ему заваривать, одним словом — туда-сюда, он и понял, наконец, что такое женская рука в доме. Она сильно моложе была, ему сорок два стукнуло, когда они сошлись, ей — двадцать шесть, но ничего, поженились, и он даже вроде счастлив был, приосанился, плечи распрямились, улыбаться начал, а то ведь ходил бирюк бирюком. Значит, поженились они в сорок третьем, а в сорок четвертом, стало быть, Родик родился. Клара в сыне души не чаяла, баловала его изо всех сил. А Христофорыч, по-моему, до сих пор не понял, что у него сынишка растет. Он вообще к детям равнодушен, ему с ними скучно, с ребенком же про Державина и Радищева не поговоришь, а ему больше ни про что не интересно. Папашка сына пока за человека не считает. Ну и мамане, Кларе то есть, с таким мужем скучно стало. Статус замужней дамы она получила, сына родила, а мужа как будто и нет вовсе, какой-то этот Христофорыч не от мира сего. Вот Клара и ушла в сына вся, с головой и потрохами. И самый-то он у нее красивый, и самый умный, и самый любимый, и самый чудесный. Вот такой у нас мальчик Родик и вырос. Ну что, есть у тебя вопросы? Давай задавай, я про них еще много чего знаю, — гордо закончил Ворон экскурс в историю семьи Романовых.

— Пока вроде все ясно. Потом, может, еще что-нибудь спрошу.

Ворону стало обидно. Столько времени потратил на изыскания, а Камень ничего не спрашивает. Вот всегда так: когда не знаешь чего-нибудь, этот каменный бирюк непременно спросит, а когда все знаешь, так ему вроде и не надо ничего. Несправедливо.

— А с этим эпизодом ты закончил? Все рассказал, или еще что-то осталось?

— А на чем я остановился?

— На том, что Люба и Родислав попрощались, и мальчик ушел. Дальше было что-нибудь?

— Да почти все уже. На другой день мамашка, Клара эта, сыну говорит, дескать, девочка потратила на нас целый день, так много для нас сделала, ты должен ее чем-нибудь отблагодарить. Например, возьми ее с собой на озеро, познакомь с ребятами, пусть она поиграет с вами, искупается, повеселится.

— Ну, а он что?

— А что он? Согласился, конечно, он же маменькин сынок. А дальше я не досмотрел.

— Ну ты даешь, Ворон! — возмутился Камень. — Это же так важно, так интересно! Как же ты не понимаешь? И как ты теперь смотреть будешь? Ты же не попадешь точно в тот день, когда Родик ее к ребятам поведет, а ведь нам обязательно нужно знать, как это было, как ее приняли в компании...

— Чего это я не попаду? — обиделся Ворон. — Очень даже попаду. Я там еловую шишку положил, место отметил. Думаешь, я совсем из ума выжил, что таких элементарных вещей не понимаю? Да я бы сразу и досмотрел, но очень жрать захотелось, а ты меня сам учил, что там нельзя ничего брать, даже мушку поймать нельзя, и носить туда ничего нельзя. Вот и пришлось вернуться, чтобы пообедать. Сейчас мелочь какую-нибудь пузатую склюю на лету и полезу смотреть. И нечего на меня набрасываться почем зря.

— Ладно, извини, — примирительно сказал Камень. — Я погорячился.

* * *

Весь следующий день Люба думала о Родике, вспоминала в деталях все, что произошло, каждое движение, каждое слово, каждый взгляд, и, когда дело доходило до их прощального разговора, щеки отчего-то начинали гореть, а сердце — колотиться. Каким тоном он произнес: «Ты молодец», — мягким, добрым и немного восхищенным. Ни один мальчик так с Любой никогда не разговаривал, а уж с такими чудесными, красивыми и умными, как ее новый знакомый, ей и вовсе общаться не приходилось. Люба все ждала, когда же Тамара оторвется от книжки и спросит ее, что там такое вчера произошло у соседей, тогда можно было бы рассказать все в подробностях и как бы заново пережить, но Тамара занималась своими делами и ни о чем не спрашивала. Зато спросила, конечно же, Бабаня. Но рассказывать Бабане — это совсем не то, что рассказывать сестре. Бабаню Люба все-таки побаивалась и не посмела бы признаться ни в своем волнении, ни в смущении. Другое дело — Тамара. Люба занималась привычными делами по хозяйству, помогала бабушке и все косилась в сторону веранды, где с книжкой в руках свернулась на топчане калачиком старшая сестра, но Тамара, казалось, не замечала Любиного присутствия не то что в доме — вообще на этом свете.

Девочка резала капусту на начинку для кулебяки, когда послышался голос Тамары:

— Любань! А, Любань!

Ну вот, наконец-то! Тамара закончила читать и сейчас

спросит... Люба быстро обтерла руки о фартук и выскочила из кухни на веранду.

— Что, Томочка?

— Тебя тут спрашивают, — ответила сестра, не поднимая головы от книги.

— Кто?

Люба повертела головой и увидела на крыльце Родика. Горло перехватило, и ей пришлось откашляться, прежде чем она смогла поздороваться.

— Привет, — безоблачно улыбнулся Родик. — Ты занята?

— Нет... то есть да... немного... а что?

— Пошли с нами на озеро. Искупаемся, в волейбол поиграем. Ребята картошку взяли, будем печь в костре. Пошли?

Люба растерянно оглянулась на дверь, ведущую в кухню. Отпустит ли Бабаня? Ведь ей надо помочь, одна она не справится. Но пойти так хотелось!

— Иди, Любаша, иди, — бабушка вышла из кухни и приветливо посмотрела на Родика. — Здравствуйте, молодой человек. Меня зовут Анной Серафимовной. А вы, наверное, и есть тот самый Родислав?

Родик молча кивнул.

— Спасибо, что забираете Любашу, а то она совсем дома засиделась, у нее в поселке нет друзей, и она скучает. Идите погуляйте и приходите к нам ужинать. Родислав, я вас приглашаю.

— Спасибо, — пробормотал паренек.

Люба пулей метнулась в кухню, скинула фартук, сполоснула руки и выскочила из дома. Надо же, как интересно сбываются мечты! Она так хотела, чтобы ее заметила та черноволосая красивая девочка, главная в поселковой компании, а ее заметил самый лучший, самый умный и красивый мальчик на свете. И сейчас она войдет в тот вожделенный круг избранных и начнет вместе с ними жить настоящей дачной жизнью, наполненной приключениями и радостным весельем.

К озеру они подошли последними, вся компания уже была в сборе. Ребята, разделившись на две команды, играли в волейбол, и еще издалека Люба заметила, что та черноволосая девочка играет лучше всех, выше всех прыгает и точнее всех бьет по мячу. При их приближении игра остановилась, все уставились на Любу как на чудо заморское.

— Это Люба с улицы Котовского, — уверенно произнес Родик. — Моя соседка.

— В волейбол играешь? — спросила черноволосая красавица.

Теперь Люба видела ее совсем близко, и оказалось, что девочка старше, чем казалась издалека.

— Нет, — смешалась Люба. — То есть плохо.

— Тогда посиди. Родька, становись к нам, — скомандовала девочка. — А то у Андрюхи рука болит.

Родик немедленно встал рядом с ней, а от группы играющих отделился невысокий парнишка и подошел к Любе.

— Пошли в тень, — спокойно сказал он ей, будто старой знакомой. — Мы тут на солнце совсем изжаримся.

Они отошли и уселись на траву в тени раскидистого дерева.

— У тебя правда рука болит? — сочувственно спросила Люба.

— Конечно, правда. С велика навернулся, упал неудачно. А ты откуда? Что-то я тебя раньше не видел.

— С улицы Котовского. А я тебя видела много раз. Я часто сюда прихожу, смотрю, как вы играете.

— Чего ж не подошла? — удивился Андрей.

— Да так... Неудобно. У вас своя компания. Я вам никто.

— Люди все друг другу никто, пока не познакомятся, —

изрек он непонятную фразу. — А теперь мы знакомы. Я — Андрей.

— А я — Люба.

— Да я уж слышал, — усмехнулся мальчик. — Ты из Москвы или местная?

— Из Москвы. А ты?

— Тоже. Да мы тут все из Москвы, кроме Алки.

— Алка — это кто? — спросила Люба.

— А вон та, которая всеми командует, в полосатой футболке, — Андрей показал на черноволосую девочку. — Вообще-то она Аэлла, смотри не назови ее Аллой, а то обидится.

— Аэлла? — изумилась Люба. — Первый раз в жизни такое имя слышу.

— Она из Греции, ее отец — греческий коммунист, прогрессивный журналист, сторонник ДАГ, их семья бежала от монархистов и эмигрировала в СССР. Они здесь, в поселке, постоянно живут.

Люба почти ничего не поняла из его слов, кроме того, что девочку зовут как-то удивительно, что она живет здесь постоянно и обижается, если назвать ее неправильным именем. Кто такие греческие коммунисты, кто такие монархисты и сторонники таинственного ДАГа и почему надо было эмигрировать? Кстати, что такое эмигрировать, она тоже не очень поняла, но догадалась, что это вроде как уехать или сбежать.

— У вас дача своя или снимаете? — спросил мальчик.

— Снимаем. А у вас своя, да?

Люба почувствовала себя неуютно, словно ее уличили в том, что она не такая, как все: у всех свои дачи, а у нее — нет. А вдруг ее из-за этого не примут в компанию?

— Да ты что, у моих родителей дачи сроду не было! — рассмеялся Андрей. — Я с Сашкой приехал, мы с ним в одном классе учимся, вот его родители и берут меня на лето сюда. Сашка — вон тот, который сейчас подает. Родьку давно знаешь?

Люба снова испугалась: вот сейчас она скажет, что только вчера познакомилась с Родиком, и ее не возьмут играть и сидеть у костра. Вдруг им не нужны такие, с которыми мало знакомы? Но солгать она побоялась.

— Со вчерашнего дня, — коротко ответила она.

— Тогда понятно, — кивнул Андрей, — а то я смотрю, он тебя раньше не приводил. Ты что, правда в волейбол не играешь?

— Я плохо умею, — призналась девочка.

В школе на уроках физкультуры они, разумеется, играли и в волейбол, и в баскетбол, и у Любы даже неплохо получалось, но, глядя на этих ребят и особенно на Аэллу, она понимала, что с ними ей не тягаться, лучше и не пробовать.

— А плавать умеешь?

— Конечно, — Люба радостно улыбнулась.

Уж в чем в чем, а в плавании она многим фору даст, тут она была спокойна.

— А в шахматы играть?

— Ну... меня папа учил.

— Лады, завтра принесу доску, сыграем.

У Любы даже дыхание перехватило: завтра! Значит, ее и завтра позовут сюда, значит, ее пока никто не выгоняет за то, что она не умеет играть в волейбол. Да, но... Главная здесь — Аэлла, та красивая черненькая девочка, а она пока своего слова не сказала. Или, может быть, все не так и главный здесь Андрей?

— Ты сказал, Аэлла не любит, когда ее неправильно называют, — осторожно заметила она. — А ты ее Алкой называешь. Значит, никому нельзя, а тебе можно?

— Мне тоже нельзя, но я на это плюю, — спокойно заявил мальчик.

— Как это?

— А молча. Плюю — и все. Мало ли что ей не нравится. А мне удобнее ее Алкой называть.

— Она, наверное, обижается.

— Она не обижается, а сердится, — поправил ее Андрей. — Да мне-то что? Посердится и перестанет. Кто ее боится, тот пусть называет, как ей нравится.

— А ты, значит, не боишься? — улыбнулась Люба.

— Не-а, — Андрей беззаботно тряхнул головой.

— Почему?

— Я вообще никого не боюсь. А чего людей бояться? Ну, я понимаю, медведей там бояться или волков в лесу, они ж дурные, нападут, загрызут, а людей чего бояться? Что они мне сделают? Не убьют же. Если могут убить — тогда, конечно, страшно, а так...

— А вдруг она с тобой из-за этого поссорится?

— Кто? Алка? Да и пусть ссорится, жалко, что ли? Как поссорится, так и помирится. Она со мной почти каждый день ссорится. Эка невидаль.

Этого Люба понять не могла и умолкла. Для нее самой любая ссора превращалась в страшную трагедию, она переживала, плакала и думала, что жизнь кончилась и уже ничего хорошего не будет. С мамой и Бабаней она вообще никогда не ссорилась, была послушной и вежливой, а вот с сестрой Тамарой — случалось, и с подружками по школе и по двору тоже, и воспоминания об этом были тяжкими. Люба готова была уступить всем и во всем, только бы не ссориться. И конечно же, эту красивую девочку, которая лучше всех играет в волейбол и звонче всех смеется, она будет называть только так, как той нравится, — Аэллой.

Игра закончилась, ребята бережно уложили мяч под куст и стали сбрасывать с себя штаны, футболки и платья.

— Андрюха, — раздался громкий крик Аэллы, — бери новенькую и айда купаться!

Люба вскочила на ноги и мысленно порадовалась

тому, что с утра, собирая смородину, надела купальник, а потом поленилась его снять и просто накинула платьице сверху. Как знала, что пригодится! Она бежала к озеру и видела, как впереди всех вдвоем в воду входят Родик и Аэлла, и Родик даже не оглянулся на нее. Стало немного обидно. И Андрей тоже как будто забыл, что они только что сидели рядышком и разговаривали, быстро разделся и помчался к воде. Люба вроде и в компании, а вроде и опять одна... Глотая слезы, она ступила в прохладную воду и быстро окунулась, потом поплыла, не видя ничего вокруг. «Ну и что, — твердила она себе в такт мощным гребкам, — ну и пусть, зато искупаюсь, зато я теперь знаю не только Родика, но и Аэллу, и Андрея, и если встречу их на улице, могу поздороваться и даже заговорить, а там уж как-нибудь сложится. Ну и пусть меня не замечают. Наверное, я и в самом деле какая-то не такая, как они, может, я глупая, или некрасивая, или маленькая. Хотя я видела, там были ребята и младше меня. Ну и что, ну и пусть...»

Она вынырнула из воды, вышла на отмель и принялась отжимать мокрую косу, которая стала тяжеленной и тянула голову назад.

— Классно плаваешь, — одобрительно сказала Аэлла, которая, прищурившись, внимательно наблюдала за Любой. — Училась где-нибудь?

— В бассейн ходила, в секцию.

Люба отчего-то постеснялась сказать, что в секцию плавания ходила с шести лет и даже сдала норматив на юношеский разряд. Правда, она уже целый год не занимается — в школе стали задавать больше уроков, и папа сказал, что плавание — это не профессия и нечего тратить на него время, пусть Люба лучше за учебниками лишний час посидит. Любе было жаль бросать секцию, ей нравилось плавать и нравились ребята, с которыми она вместе занималась, но папа же сказал — значит, так и должно быть, так и правильно. Папа лучше знает, как надо.

Она оглянулась, ища глазами Родика: видел ли он, как сама Аэлла ее похвалила? Но Родик ничего не видел, он стоял к ней спиной и о чем-то оживленно разговаривал с Андреем.

— Еще что умеешь? — продолжала допрашивать ее Аэлла.

— Не знаю, — растерялась Люба. — А что нужно уметь?

Она снова испугалась: если она так мало умеет, то ее, наверное, не примут в эту чудесную компанию. Подумаешь, всего-навсего плавает хорошо! Этого мало, чтобы заслужить право находиться среди ребят.

— Ну, я, например, греческий язык знаю, — высокомерно произнесла Аэлла, — Андрюха в шахматы лучше всех играет, Танька на скрипке может, она в музыкальной школе учится, Сашка лобзиком выпиливает и по дереву выжигает, он мне даже целую картину подарил. А ты?

— А я умею пироги печь с чем угодно, вкусные, — неожиданно выпалила Люба и тут же залилась краской.

Ну что она за дура такая! При чем тут пироги? Да любая девчонка наверняка умеет их печь не хуже Любы. Нашла чем удивить. Права Тамара, дурища она.

— Слышали?! — весело закричала Аэлла. — Новенькая умеет пироги печь! Говорит, что вкусные! Проверим?

— А то! Проверим! А как же! — раздалось с разных сторон.

Родик наконец обернулся и ободряюще улыбнулся Любе.

— Решено, завтра новенькая... как там тебя?

— Люба, — сдавленно пробормотала Люба.

— Ага, Люба завтра нам приносит пироги, пойдем в лес, на нашу поляну, разведем костер и будем пироги трескать.

— Мы же сегодня хотели костер, — жалобно проныла девочка с огненно-рыжими волосами.

— Ничего не отменяется! — объявила Аэлла. — Сегодня у нас костер с картошкой, а завтра будет с пирогами. Картошку принесли?

— Да! — дружно ответили ей.

— Тогда вперед! — скомандовала Аэлла.

Костер разожгли быстро и умело и уселись вокруг в ожидании, когда можно будет закапывать картошку в золу. Люба очень хотела сесть рядом с Родиком, но не получилось, его усадила рядом с собой Аэлла, а с другой стороны к Родику подсел Андрей, так что Любе пришлось довольствоваться скромным местом напротив этой троицы, рядом с той самой рыжей девочкой.

— А давайте завтра в лес не пойдем, — предложил кто-то, — если новенькая пироги принесет, то их можно и здесь съесть, на озере.

— С чего это мы не пойдем в лес? — строго спросила Аэлла. — Ты что, боишься, что ли, Борька?

Люба повернулась туда, куда смотрела Аэлла, и увидела вихрастого мальчишку лет девяти с темными перепуганными глазенками.

— Ничего я не боюсь, — дрожащим голоском ответил Боря. — А только все равно страшно. Вдруг она опять придет? Она страшная такая — ужас!

— Ух ты! — весело воскликнула Аэлла. — Ну, признавайтесь, кто еще боится? Сашка, ты боишься? А ты, Танька? А ты, новенькая? Боишься или нет?

— Я не знаю, — робко ответила Люба. — Я часто с бабушкой в лес ходила за грибами и никогда не боялась. А чего надо бояться?

— Так ты не знаешь?! Ой, ребята, она же темная совсем! — закричал мальчик, которого назвали Сашкой. — Она про черную старуху не знает! Надо ей рассказать, а то так и будет жить в темноте.

— Танька, давай ты рассказывай, у тебя хорошо получается, — распорядилась Аэлла.

Поднялась хорошенькая белокурая девочка в красивом купальнике, и Люба вдруг совсем некстати подумала о том, что у нее самой купальник самый обычный, ни в какое сравнение не идет с купальником этой Тани. Конечно, разве могут Любу принять в такую компанию, когда здесь такие девочки! Аэлла знает греческий язык, Таня играет на скрипке, эта рыженькая, наверное, тоже какая-нибудь необыкновенная, и все красавицы — одна другой краше! А она, Люба Головина, такая обыкновенная...

— По черному, черному лесу ходит черная, черная старуха, — начала заунывным голосом белокурая Таня. — На голове у нее черные, черные волосы, она одета в черное, черное платье, черные, черные глаза горят страшным огнем, она ищет маленьких мальчиков, хватает их, впивается им в горло черными, черными ногтями...

Байка была длинной и совсем не страшной, и Люба даже успела заскучать. Они с подружками в Москве давно уже такими глупостями не занимались, раньше, конечно, рассказывали, и про черную руку, и про желтую руку, и про гробик на колесиках, и Люба, когда была помладше, всегда вздрагивала и вскрикивала, когда в самый драматический момент после долгой усыпляюще-заунывной присказки рассказчик громко и резко произносил: «Отдай мое сердце!» — или еще что-нибудь соответствующее сюжету. Но это было давно.

— Не понимаю, почему Танька всегда рассказывает, — сердито прошептала рыженькая девочка. — Она же старуху сама не видела, а рассказывает.

— Так ее, наверное, никто и не видел, — осторожно предположила Люба, обрадовавшись, что с ней хоть кто-то заговорил. — Это же просто страшная история, мы в детстве такие часто рассказывали.

— Ты что! — горячо зашептала рыжая. — Борька сам ее видел, он потому и боится в лес ходить. Я тоже боюсь. У нас еще в прошлом году мальчик был, Сеня, так он тоже ее видел. Примчался из леса весь белый, даже говорить неделю не мог. В этом году он не приехал, жалко, а то бы он тебе рассказал.

Люба благодарно улыбнулась соседке и стала прислушиваться с интересом. По Таниному рассказу выходило, что в здешнем лесу, разделяющем их дачный поселок и деревню Мишино, ходит какая-то страшная черная старуха, которая, когда видит мальчика, бросается к нему, кричит: «Павлик! Павлик!» — и тянет к нему руки, пытаясь схватить. Никому из взрослых увидеть эту старуху не удавалось, потому что она прячется и выходит только тогда, когда видит мальчика, притом одного. Ничего подобного Люба никогда не слыхала, Бабаня ни про какую старуху не рассказывала, и Тамара тоже, но, с другой стороны, откуда им знать? Старуха же перед взрослыми не появляется, а Тамара вообще ни с кем в поселке не дружит, так что ей никто из ребят рассказать не мог. Интересно, это правда или нет?

— Ты что, не веришь? — снова раздался шепот рыжей девочки.

— Да я не знаю, — неуверенно ответила Люба.

Она очень боялась ответить «не так», сказать что-нибудь невпопад, из-за чего ее больше не позовут в компанию.

— А ты у Борьки спроси. Борь, Боря, скажи ей, — рыженькая обернулась назад и дернула за руку вихрастого мальчугана, — а то она не верит. Скажи, что ты видел старуху.

— Видел, — дрожащим голосом подтвердил Боря.

Люба хотела расспросить его о подробностях, но в это время сольный номер белокурой Танечки закончился, и пришел черед картошки. Первоначальная рассадка оказалась нарушенной, и рядом с Любой уселся Андрей.

— Ну, как тебе сказка про старуху? — спросил он. — Поверила? Испугалась?

— А что, это правда?

— Да ну, брехня, — он пренебрежительно махнул рукой.

— Ты точно знаешь? — недоверчиво уточнила Люба. — А мне сказали, что Боря ее видел. И еще в прошлом году был один мальчик, Сеня, он тоже видел.

— Ну, кто видел, тот пусть и верит. А я не видел. А чего я своими глазами не видел, тому я не верю, поняла?

— Поняла, — послушно кивнула Люба. — А ты в Америке был?

— Не был. А что?

— Значит, в то, что Америка существует, ты тоже не веришь?

Андрей пытливо посмотрел на нее и одобрительно улыбнулся:

— Молодец, соображаешь хорошо, уела меня. Я фотографии видел, кино про Америку видел. Если бы не видел, не поверил бы. А у тебя мозги есть, завтра с тобой в шахматы сыграем, лады?

Снова услышав про шахматы, Люба не на шутку перепугалась. Ведь Аэлла сказала, что Андрей лучше всех играет! Завтра выяснится, что она — игрок никудышный, и ее выгонят. Лучше сразу признаться, а то позора потом не оберешься.

— Я плохо играю, — честно сказала она, не глядя на Андрея. — Только иногда с папой, но я всегда проигрываю. Тебе со мной неинтересно будет, ты сразу выиграешь.

— А ты уже заранее готова сдаться? — насмешливо спросил Андрей. — Может, твой папа игрок на уровне гроссмейстеров, тогда понятно, что ты у него никогда не выиграешь, а у меня — запросто. Ну что, заметано? Играем?

— Мой папа не гроссмейстер, он в милиции служит.

— Да ну?! — Андрей явно заинтересовался. — Бандитов ловит? Или шпионов?

— Наверное, только бандитов. Про шпионов он никогда не рассказывал.

— А кино про шпионов любишь?

Вообще-то Любе больше нравилось кино про любовь, например, «Сердца четырех», которые она смотрела раз, наверное, десять. Но и про шпионов тоже ничего, интересно, особенно если про пограничников, там почти всегда хоть немножко, но любовь есть.

— «Над Тиссой» смотрела?

— Да.

— А «Заставу в горах»?

— Тоже.

— А «Тень у пирса»?

— Нет.

— Посмотри обязательно, — со знанием дела посоветовал Андрей. — В клубе как раз завтра будут показывать, я афишу видел. Классное кино! Я на него три раза ходил и завтра, наверное, тоже пойду.

Любе в этот момент показалось, что Андрей собирается пригласить ее в кино, и она уже заранее (а она всегда все делала заранее!) испугалась: а вдруг Родику это не понравится? Вдруг он сам собирался позвать ее, а она уже согласилась идти с Андреем? Или, может быть, он позовет ее на костер с пирогами, а ей придется отказаться, потому что она обещала Андрею пойти с ним в кино. Неудобно получится! Тем более пойти с Родиком на костер ей хотелось куда сильнее, чем смотреть кино про шпионов.

Но Андрей и не собирался ее приглашать, и Люба с облегчением перевела дух. Однако следующие его слова поставили девочку в тупик:

— Если завтра сходишь в клуб на «Тень у пирса», мы с тобой его обсудим. С тобой интересно будет обсудить, у тебя мозги работают.

Слышать такое было, конечно, очень приятно, что и говорить. Мало того, что ее похвалили, так еще и ясно дали понять, что не собираются выгонять из компании. Но, с другой стороны, если он собирается обсуждать с ней кинофильм, то его обязательно надо посмотреть, а когда? Завтра ей придется испечь пироги, а то вдруг они не передумают и позовут ее в лес на костер, а пирогов нет, и они будут считать ее пустой болтушкой и глупой хвастунишкой, а Бабаня всегда учила, что попусту болтать и хвастаться нехорошо, дал слово — держи . А вдруг Бабаня в кино не отпустит? А вдруг... И этих «вдруг», появившихся, как всегда, заранее, у Любы в голове возникало все больше и больше, и она совсем растерялась, плохо слушала, что говорил ей Андрей, и отвечала невпопад. К счастью, он, кажется, этого не замечал и увлеченно продолжал что-то говорить ей.

Родик так и не подошел к ней, все время сидел возле Аэллы, пока не собрались расходиться. Солнце катилось к закату, и Люба отчаянно мерзла в одном купальнике, но одеться не решилась — все ребята сидели вокруг костра в том, в чем купались в озере, и почему-то никому не было холодно, только у нее одной мурашки по коже бегали.

Наконец костер погасили, и вся ватага дружно потянулась к тропинке, огибающей озеро. От тропинки отходили улицы, ведущие в разные концы расположенного вокруг озера дачного поселка, по этим улицам и рассыпалась компания. Люба и Родислав пошли вместе, им нужно было в одну сторону.

— Тебя бабушка пригласила к нам на ужин, — робко напомнила Люба Родику. — Пойдем?

— Наверное, неудобно, — заколебался мальчик.

— Удобно, она же сама пригласила, — горячо заговорила она. — Ну пойдем, Родик.

— Ладно, — согласился тот, — пошли.

Люба сперва обрадовалась, но потом снова начала переживать: а вдруг маме Родик не понравится? А вдруг он не понравится папе? А вдруг несдержанная на язык Тома чем-нибудь обидит его, и он тогда больше никогда не подойдет к Любе, и все закончится, и не будет больше ни новых друзей, ни всей этой веселой компании, ни купания на озере, ни костров? Ей только-только удалось прикоснуться к той самой чудесной, необыкновенной дачной жизни, узнать которую она так мечтала, — и все закончится, едва начавшись. Чем ближе подходили они к дому на улице Котовского, тем сильнее Люба волновалась.

Но все оказалось совсем не страшно, наоборот, просто чудесно! Мамы и папы еще не было, и Бабаня усадила ребят и Тамару ужинать на веранде. Тамара, как обычно, поставила перед тарелкой книжку и ела, не отрываясь от страниц. Вообще-то бабушка всегда ее за это ругала, но сегодня промолчала, и Люба была ей благодарна: в присутствии Родика ей не хотелось семейных конфликтов, даже таких незначительных.

— Родик, а ты смотрел кино «Тень у пирса»? — спросила она.

— Ясное дело, смотрел. А что?

— Жалко, — вздохнула Люба, — а я не смотрела. Хотела завтра сходить, говорят, завтра в клубе его будут показывать. Хорошее кино?

— Хорошее, мне понравилось. Я его уже два раза смотрел. Ты сходи обязательно, тебе понравится.

— Да мне скучно одной...

Тут Тамара совершенно неожиданно подняла глаза и посмотрела на сестру поверх книжки:

— Завтра вместе пойдем, — коротко проинформировала она. — Если хорошее кино, я тоже хочу посмотреть.

Люба опешила. Тамара в Москве ходила в кино постоянно и смотрела все подряд, но только для того, чтобы изучить одежду и прически актеров и потом дома тщательно зарисовать все, что увидела и сумела запомнить.

Не было такого кинофильма, который Тамара не видела бы, и уж «Тень у пирса» она тоже наверняка смотрела, ведь если Родик видел эту картину два раза, а Андрей — целых три, значит, она не совсем новая. Как же так? Почему Тома вызвалась пойти с ней? Это на нее совсем не похоже.

— Конечно, девочки, сходите, — оживленно заговорила Анна Серафимовна, — а то вы у меня все дома сидите, света белого не видите. Знаешь, Родик, Люба с Тамарой мне целыми днями по хозяйству помогают, а ведь у них каникулы, надо, чтобы они хоть как-то развлекались, отдыхали. Верно?

И снова Люба чуть не поперхнулась от удивления: это Тамара-то целыми днями по хозяйству помогает? Да она или рисует, или читает, или в Москву в библиотеку ездит. И еще странно, что бабушка вдруг заговорила про отдых и развлечения, раньше она всегда повторяла, что домашнее хозяйство — прекрасный отдых от школы, потому что любой отдых состоит в том, чтобы перестать делать то, от чего ты устал, и заняться чем-нибудь другим. А про развлечения и речи не было. Конечно, Бабаня никогда не возражала, если Люба отпрашивалась в кино, и денег давала на билет и на мороженое, но Люба старалась не злоупотреблять бабушкиной добротой, потому что понимала: хлопот по дому действительно множество, и кто же поможет Бабане, если не она? Тем более домашние работы Любе нравились, ей нравилось и наводить чистоту, и готовить, и главное — учиться Бабаниным премудростям.

После голубцов со сметаной пришел черед чая с кулебякой — с той самой кулебякой, начинку для которой Люба днем не успела доделать и побежала с Родиком на озеро.

— Кушай, Родик, — ласково приговаривала Анна Серафимовна, — кушай, это Любаша пекла, правда, вкусно?

Люба зарделась и уткнулась в свою чашку. Ну зачем

Бабаня так ее нахваливает? Ведь это же неправда, что Люба пекла кулебяку, она только тесто успела сделать и половину капусты для начинки нарезать, а уж все остальное делала бабушка — тушила капусту с луком и яйцами, раскатывала тесто, смазывала его маслом и — самое главное — не упустила момент, когда кулебяку пора было вытаскивать из духовки. Люба этот момент всегда боялась упустить и пока училась — столько раз не угадывала, то раньше вытащит, то запоздает. А ведь, если момент правильно не угадать, вкус совсем не тот будет.

— Правда, очень вкусно, — ответил Родик с набитым ртом. — А знаете, Анна Серафимовна, Люба обещала завтра нас всех пирогами угостить. Мы в лес пойдем, у нас там такая поляна есть, очень красивая, мы на ней всегда костер разжигаем. Вы Любу отпустите?

И снова Люба испугалась, что сейчас что-нибудь пойдет не так. Она собиралась потом, когда Родик уйдет, осторожно поговорить с бабушкой, рассказать ей про новых друзей и попросить разрешения — только попросить разрешения! — угостить их завтра пирогами собственного изготовления, а уж если бабушка не разрешит, тогда спросить ее совета, как поступить, чтобы ребята не посчитали ее пустой болтушкой и хвастуньей. Люба даже некоторые фразы заранее заготовила. И вот на тебе — Родик вывалил все разом, не подготовив Бабаню, да еще в присутствии Тамары. Что теперь будет?!

— Значит, у тебя, Любаша, завтра и костер, и кино в клубе? — задумчиво произнесла Анна Серафимовна, и Любе показалось, что бабушка недовольно нахмурилась.

— Я все успею, бабулечка, — торопливо заговорила девочка, — я завтра пораньше встану и все-все по дому переделаю, что ты скажешь, и пироги успею, я же все равно буду тебе на кухне помогать. Ты меня только на костер отпусти и в кино.

— Ладно, — согласилась Анна Серафимовна, — идите.

Но в другой раз ты меня предупреждай, пожалуйста, заранее о своих планах, мне ведь тоже надо планы строить по хозяйству, и я должна знать загодя, кто из вас и в чем будет мне помогать.

После ужина Родислав собрался уходить, и Люба вышла на крыльцо проводить его.

— Строгая у тебя бабушка, — заметил Родик. — Ладно, я пошел.

Он ничего не сказал про завтра, и Люба не поняла, как ей быть: то ли ждать, пока он за ней зайдет, то ли самой приходить, но куда и в котором часу? Как-то по-дурацки все получается. И она тоже хороша, ничего не спросила, не уточнила, постеснялась. Правильно Тома говорит, дурища она.

Люба отправилась мыть посуду, до маминого возвращения с работы она успела еще салфетки перестирать и накрахмалить и вымыть крыльцо. Бабушка всегда говорит, что уютный дом начинается с чистого крыльца и что если на крыльце грязь и мусор, то никакая чистота и красота внутри дома уже не спасает, все равно остается впечатление неопрятности и запущенности.

Дальше вечер покатился по привычной колее: приехала мама, Бабаня кормила ее ужином, потом все собрались на веранде за самоваром и ждали папу. Отец, Николай Дмитриевич, приехал поздно, девочки уже умылись, почистили зубы и собирались спать. Прямо с порога он спросил, чем закончилась вчерашняя история с сердечным приступом у соседа-профессора, и Люба доложила, что все в порядке, врач больше не понадобился, и сегодня она с сыном профессора Родиком ходила на озеро, где познакомилась с ребятами, среди которых есть даже греческая девочка с удивительным именем Аэлла.

— А, знаю, — кивнул Николай Дмитриевич, — Александриди. Ее отец хороший мужик, крепкий, настоящий коммунист.

— Папа, а почему они здесь живут? — не сдержала любопытства Люба.

— Потому что в сорок девятом году из Греции в нашу страну приехали тринадцать тысяч эмигрантов, и Александриди в их числе. Правда, все они в основном осели в Ташкенте, но дяде Константиносу разрешили жить рядом с Москвой, потому что он настоящий коммунист и прогрессивный журналист, он дружит с Твардовским и Борисом Полевым, — объяснил отец.

Про Василия Теркина Люба знала, в школе проходили, и «Повесть о настоящем человеке» она тоже читала, имена знаменитых писателей были ей знакомы, поэтому ничего удивительного не было для нее в том, что человек, который с ними дружит, имеет большие привилегии. Вот, значит, из какой семьи Аэлла! Понятно, почему она так задается.

— А что, его дочка хорошо говорит по-русски? — поинтересовался отец.

Хорошо ли? Люба растерялась. Аэлла говорила точно так же, как сама Люба, да как все вокруг, ничего особенного девочка в ее речи не заметила. А как еще она должна говорить?

— Она же гречанка, родилась в Греции и жила там до пяти лет, — пояснил Николай Дмитриевич, — русский язык только здесь выучила, а родной для нее — греческий. Вот я и спрашиваю: она хорошо русский выучила?

— Наверное, — пожала плечами Люба, — она разговаривает, как все.

— И без акцента? — недоверчиво прищурился отец.

— Без акцента.

— Вот молодец девчонка! — искренне восхитился он. — Вот же редкостная умница! Вам бы с Томкой так иностранным языком овладеть, как она!

Люба загрустила. Надо же, даже папа, который Аэллу совсем не знает, и то восхищается ею и ставит дочерям в пример. Конечно, такая замечательная девочка должна быть самой главной в любой компании, и любая другая девчонка будет рядом с ней выглядеть серой и неприметной.

— Пошли спать, — сердито зашипела Тамара, дергая Любу за рукав. — Поздно уже. Дай папе поесть спокойно.

Люба уныло поплелась следом за сестрой в их общую комнату. Однако едва они закрыли за собой дверь, Тамара обернулась к ней с горящими любопытством глазами:

— Ну, давай рассказывай, как там все было. С кем познакомилась, какие они, чем вы там занимались.

— Тебе что, правда интересно? — изумилась Люба.

— Ну конечно!

Люба подробно и с удовольствием рассказала про игру в волейбол, про купание в озере, про костер, про страшную черную старуху, про Андрея, Аэллу, белокурую скрипачку Танечку и рыженькую девочку, которую звали Ниной.

— Аэлла эта — полное барахло, — непререкаемым тоном изрекла Тамара, — один сплошной гонор, на чужом горбу хочет в рай въехать.

— Почему это? — не поняла Люба.

— Да потому что всех ее заслуг — только то, что она в волейбол хорошо играет. А все остальное ей за так досталось. Только потому, что она в Греции родилась и ее папа — большой человек. А вот Андрей — это личность. Если хочешь чему-то полезному научиться, ты лучше с ним дружи, а не с Родиком своим. С Родика твоего пользы — как с козла молока.

Люба немедленно обиделась, но постаралась виду не показывать.

— Хочешь, завтра вместе на костер пойдем, — миролюбиво предложила она.

— Вот еще! Делать мне больше нечего.

— Ты же сказала, что тебе интересно.

— Так мне тебя послушать интересно, дурища! — рассмеялась Тамара. — Ты мне за десять минут все и рассказала, а так мне пришлось бы полдня на это тратить, чтобы самой увидеть. Я лучше что-нибудь полезное поделаю в это время.

— А как же кино в клубе? — растерялась Люба. — Ты же обещала со мной сходить. Значит, не пойдешь?

— Ну почему же? Пойду, раз обещала. Я, правда, эту картину уже видела, но с удовольствием еще раз посмотрю, там одна актриса есть — прелесть как одета, я не все запомнила, надо еще разок взглянуть. У нее там такой костюмчик — узкая юбка с ремнем, свободный жакет без пуговиц...

Тамара села на своего конька и с упоением принялась описывать невероятные наряды одной из героинь. Люба слушала сестру и молча раздевалась, аккуратно вешала на спинку стула платье, сверху складывала маечку и трусики, носочки повесила на перекладину между ножек стула.

— А вообще-то, Любка, ты дурища, — неожиданно закончила свои мысли вслух Тамара. — Я потому и согласилась с тобой в кино пойти, что видела: ты ужасно хочешь картину посмотреть, а Родик твой не мычит — не телится.

Засыпая, Люба все думала о том, какая Тамара взрослая и умная, и ей, Любе, никогда ее до конца не понять. Вот зачем она согласилась в клуб пойти: то ли сестру пожалела, то ли ей и вправду надо какой-то там костюмчик получше разглядеть? И Аэлла такая же взрослая, и Родик, и Андрей, и никогда Любе не встать с ними вровень, она так и будет для них маленькой и глупой.

На следующий день Люба с Тамарой отправились в кино. Картину показывали всего один день, зато целых три раза: в двенадцать, в пять часов вечера и в десять. Они долго решали, на какой сеанс пойти, но Бабаня, как обычно, сразу внесла ясность, дескать, в десять вечера они не пойдут, это однозначно, а в пять, пожалуй, неудобно, потому что если Люба собирается угощать ребят пирогами, то самое подходящее для этого время — между обедом и ужином. Лучше всего девочкам пойти на двенадцать часов и вернуться домой к обеду. Они выстояли длинную очередь — в их клуб собирались со всех окрестных деревушек, купили себе по мороженому, которое продавали только перед киносеансами, и заняли места в зрительном зале. Через несколько рядов впереди Люба заметила Андрея и Родика, и ей стало немножко обидно: он собирался идти в кино, но вчера об этом не сказал и Любу с собой не позвал.

Картина ей понравилась. Конечно, насчет шпионов она не все поняла, но про любовь — все-все. Ей очень понравился актер Олег Жаков, который играл главного «нашего», а шпион, которого так сильно любила героиня по имени Таня, не понравился совсем. И насчет сломанной расчески вместо пароля — это было здорово придумано! Еще Люба внимательно смотрела на актрису, игравшую Клаву, официантку из ресторана, которая продалась шпионам, и старалась запомнить, как она одета и причесана, потому что эта Клава больше всего интересовала Тамару, это именно ее костюмчики и шляпки так внимательно рассматривала сестра, чтобы потом зарисовать в своем альбоме. Если Тамара опять что-то не заметит или забудет, Люба ей подскажет.

После сеанса сестры на улице прямо перед клубом столкнулись с Андреем и Родиславом и пошли вместе.

— Любка, ты можешь у своего отца одну вещь спросить? — обратился к ней Андрей.

— Какую?

— Помнишь, приезжает милиция осматривать комнату Клавы, ну там, где труп нашли, и один милиционер другому говорит: «Посмотри отпечатки»?

— Помню, и что?

— А то, что этот другой милиционер открывает свой

чемоданчик, а дальше нам не показывают. Вот мне и интересно узнать, что там, в этом чемоданчике, и что он потом делает. Спросишь?

— Спрошу, — обрадовалась Люба. Ей очень хотелось оказаться полезной, пусть даже и благодаря папе.

Мальчики обсуждали что-то насчет шпионов, Люба напряженно вслушивалась в их разговор и боялась, что сейчас они спросят ее о чем-нибудь, а она не будет знать, что ответить, потому что не все поняла. Ей хотелось перевести разговор на те материи, которые были ей более понятны.

— А мне Таня очень понравилась, — вступила она в разговор, уловив, что Андрей назвал имя героини. — Мне ее так жалко было! Она вот все время вспоминала, как он говорит ей: «Я всегда буду любить тебя, Таня», а сама его тоже очень любила и ждала.

— Ой, ну ты выдумаешь тоже! — поморщился Родик. — Любила, любила, а что получилось? Она же сама и говорит: «Все эти годы я любила не того». Вот тебе и вся любовь. Не, любовь — это мура.

Люба замолчала, ругая себя последними словами. Опять она что-то не то сказала, и теперь мальчишки будут ее презирать. Она с утра уже успела испечь пироги со смородиновой начинкой, а вдруг они ее не позовут на костер, раз она такая глупая? Но положение совершенно неожиданно спасла Тамара.

— Кто сказал, что любовь — это мура? — строго спросила она. — Да что вы понимаете, сопляки! Вы просто еще маленькие, вот будете в школе «Войну и мир» проходить, тогда и поговорим, мура любовь или нет.

— Да уж не младше тебя, — ехидно заметил Андрей, — мы же ровесники, а ты задаешься, как будто тебе сто лет.

— Может, и ровесники, — загадочно ответила Тамара, — только я «Войну и мир» уже прочитала, а ты еще нет.

— Откуда ты знаешь? Может, я тоже читал.

— Ну прямо-таки, читал ты! — фыркнула Тамара. — Если бы читал, ты бы такие глупости не говорил.

Родику такой поворот в разговоре не понравился, и он поспешил заговорить о другом:

— Люба, так мы с Андрюхой зайдем за тобой, когда в лес соберемся, а то ты одна нашу поляну не найдешь.

— Ладно, — радостно сказала Люба. — А во сколько? После обеда?

— Ну да, примерно, — неопределенно ответил Родик.

— Не забудь, мы с тобой в шахматы сегодня играем, — напомнил Андрей.

Ой, про шахматы-то Люба совсем забыла! Ну как же так, она же предупреждала его, что играет плохо!

— Может, не надо? — жалобно произнесла она. — Ты все равно выиграешь, тебе со мной играть неинтересно будет.

Андрей внимательно посмотрел на нее и, кажется, сжалился.

— Ладно, уговорила. Жалко, конечно. Никто из ребят в шахматы не играет, я так надеялся, что хоть с тобой сыграю. А ты молодец, честная, сама призналась, что играть не можешь. А то другие начинают фасон давить, строить из себя невесть чего, а как до дела доходит, не знают, за какую фигуру взяться, на два хода вперед просчитать не могут.

Тамара больше в разговор не вступала, и по ее сосредоточенному лицу и ускорившемуся шагу Люба поняла, что сестра торопится домой, чтобы скорее схватить свой альбом и начать зарисовывать все, что она увидела в кино. За две улицы до дома, где жил Родик, Андрей повернул направо, потом и Родик ушел к себе домой.

— Я тебе точно говорю, — Тамара начала говорить так, будто продолжала непрерывавшуюся беседу, — тебе надо с Андреем дружить. Родик этот — ни рыба ни мясо, а Андрей — личность, характер.

— Вот сама с ним и дружи, — огрызнулась Люба.

— Да больно надо! Мне вообще друзья не нужны, никакие, мне и так хорошо. А ты у нас, Любка, существо общественное, ты одна не можешь, тебе обязательно компания нужна, вот я и говорю: выбирай Андрея, не прогадаешь, ума-разума у него наберешься. А от Родика пользы никакой.

Про пользу Тамара говорила уже во второй раз, и Люба не могла решить, что ей делать: обижаться на сестру не хотелось, но и справиться с обидой было нелегко. Почему от человека обязательно должна быть польза? Разве нельзя просто дружить с кем-то, без всякой пользы? Андрей, конечно, очень умный, тут Тамара права, но он такой умный, что с ним даже разговаривать страшно, и понятно не все, и не знаешь, как ответить. А Родик — он такой красивый... И добрый. А Андрей злой, сердитый и совсем, ну ни капельки не красивый. Нет, Люба готова уважать его и немножко бояться, но дружить с ним она не сможет. Она хочет дружить с Родиком.

* * *

— Ну а дальше там все не очень интересное. Это ж середина августа, до конца каникул всего две недели осталось.

— Как не интересное? — возмутился Камень. — А костер с пирогами? Как там все прошло?

— Да нормально прошло, ничего особенного. Пироги стрескали в один момент, всем понравилось, Люба довольна. До конца каникул она еще раз пять с ними встречалась, костры, картошка, купание в озере. Я же говорю, ничего особенного. Так и расстались на весь учебный год.

— Это что же выходит, Люба с Родиком до следующего лета ни разу не виделись?

— Так а я о чем? Только в июне следующего года и

встретились. Ей двенадцать, ему — четырнадцать. И опять все по новой: костры, волейбол, плавание, картошка... Скукотища. Они даже за руки пока не держатся. Родик вообще больше к Аэлле льнет, ну это и понятно, она там первая красотка на деревне. Я уже и в пятьдесят девятый год заглянул — все то же самое, только они в кино начали вместе ходить. Слушай, я состариться успею, пока у них до дела дойдет, может, сразу на свадьбу рвануть, а?

— Ты меня не путай, — строго нахмурился Камень. — Кто с кем в кино начал ходить?

— Родик с Любой.

— А свадьба чья?

— Родика с Аэллой, я же тебе рассказывал.

— Так что ж ты мне голову морочишь! — Камень не на шутку рассердился. — В кино он с Любой ходит, а женится на Аэлле. А в промежутке что? Как так вышло? Ты давай не филонь, а смотри все как следует, по порядку.

Ворон надулся.

— В пятьдесят девятый не полезу, — капризно заявил он. — Я туда уже в четырех местах лазил, все бока ободрал, там не дыры, а сплошная колючая проволока. Четыре ходки за три летних месяца — тебе мало, да? Я лучше сразу в шестидесятый нырну, там те, кто для историков подрабатывает, хороший лаз проделали, просторный, там же хрущевские реформы пошли, деноминация, ликвидация МВД СССР...

— Ладно, — смилостивился Камень, — давай шестидесятый год, но не позже, не халтурь.

Дождавшись, когда Ворон отлетит подальше, Камень негромко позвал:

— Змей, ты здесь?

— Здесь я, здесь, куда ж мне деваться. Я уже давно приполз, лежал и слушал, как твой пернатый лазутчик соловьем разливается.

— Просьба у меня к тебе, — начал было Камень, но Змей прервал его:

— Что, в пятьдесят девятый год смотаться? Не доверяешь своему летучему разведчику?

— Ну ты же все понимаешь, — вздохнул Камень.

— Понимаю, понимаю, — прошептал Змей. — Жди, скоро вернусь.

Камень беспокоился, как бы старые соперники не столкнулись, но волновался он напрасно: мастерство Змея было столь велико, что на добывание информации у него ушло совсем мало времени.

— В целом наш милый птенчик не соврал, — сообщил он Камню, — за все лето пятьдесят девятого почти ничего значительного не случилось. Но два эпизодика я тебе нарыл, может, пригодятся. Во-первых, Аэлла побывала дома у Родислава. Рассказывать?

— Конечно, рассказывай, — заволновался Камень. — Как это было?

— Родик обмолвился, что у них большая библиотека и даже на даче очень много книг, и Аэлла попросила разрешения прийти и выбрать что-нибудь почитать. Конечно, она это сделала с дальним прицелом, ей же наш Родька нравится, из всех москвичей, которых она знает, он в ее глазах является самым достойным ее неземной красоты. Ну вот, значит, приходит она к нему домой, знакомится с папой, Евгением Христофоровичем, и начинает его окучивать своим знанием греческой истории и мифологии. Папа в полном восторге, разговаривает с ней как со взрослой, с ровней, Аэлла выбирает почитать какую-то заумную книжку и тем самым еще приобретает очки в свою пользу, а потом целую неделю поет Родику о том, какой замечательный у него папа. В общем, все делает по науке. Папа, натурально, делится своими впечатлениями с супругой, и наша Клара Степановна начинает сыну мозги долбать насчет того, какая хорошая девочка Аэллочка и надо почаще приглашать ее в гости и вообще познакомиться с ее родителями. Ну, Клару-то можно понять...

— Это почему? — не понял Камень.

— Ну а как же? Семейка Александриди — те еще фрукты. Папаша Костас — лицо, приближенное к императору, его сам Твардовский в «Новом мире» печатает, это тогда журнал такой был, жутко престижный. А мамаша Асклепиада — лицо, приближенное к императрице, точнее, к ее лицу. А еще точнее — к лицам жен сильных мира сего. Она, видишь ли, специалист в области челюстно-лицевой хирургии и, пока не эмигрировала в СССР, успела поучиться и постажироваться в лучших клиниках Америки и Европы. Главная ее специальность — носы, она их очень ловко переделывает. Ну и подбородки, если кому надо, тоже облагораживает. Представляешь, какие у нее связи и возможности?

— Да-а, — протянул Камень. — А что Родик?

— А ничего. Ему Аэлла нравится, потому что она красивая, но он себя с ней неуютно чувствует. Понимаешь, она сама про себя думает, что она такая-растакая — ну просто дальше некуда, и что тот, кого она удостоит чести быть рядом, тоже должен этой высокой планке соответствовать. А Родик соответствовать не хочет, у него вообще с честолюбием не очень-то, он парень мирный, покладистый, не борец. Ему с Любой куда спокойнее, с ней он чувствует себя уверенно: он старше, он умнее, он сильнее, Люба глаз с него не сводит и в рот заглядывает. А рядом с Аэллой ему все время приходится напрягаться, а напрягаться он не большой любитель. Знаешь, такой сибарит-романтик. И вот тут мы, друг мой Камень, подходим к еще одному эпизоду, который, как мне кажется, будет не лишним. Наш Родик уговорил Любу пойти в лес посмотреть на разрушенное молнией дерево. И дорогу-то он знает, и места-то там красивые, и само дерево, в которое молния ударила, тоже совершенно сказочное. Ну, пошли они. До дерева дошли, но Родик не учел, что это место уже у самой опушки, а за опушкой — деревня, а в деревне свои пацаны и свои нравы. И еще он не учел, что Люба уже... ну как тебе объяснить... короче, она уже девушка по всем статьям, и бедра у нее, и попа, и грудь — все в наличии. Он-то привык ее маленькой считать, потому ничего и не замечал. Только они в обратный путь двинулись — тут как тут местные парни нарисовались, поддатые, здоровенные, лет по семнадцати. Родик к земле прирос, его затошнило от страха, замутило, голова закружилась, язык к нёбу присох — ну, ты уже знаешь, с ним это бывает, есть у него такая особенность, в стрессовых ситуациях он теряется и ничего не соображает. А парни на Любу наступают, наступают... Ужас! И она — представляешь, какая молодец! — начала с ними разговаривать. Мол, как вас зовут, да вы откуда, да есть ли у вас в деревне такая тетя Маруся, у которой самый лучший яблоневый сад во всей округе, у нее бабушка всегда яблоки берет и нахвалиться не может. А еще у этой тети Маруси есть внук Виталик, второгодник, которому в прошлом году на все лето дали задание упражнения по русскому языку делать, а он справиться не мог, и ее, Любина то есть, бабушка ему два раза помогала. Ах, это ты и есть тот самый Виталик? Ну надо же, какие встречи бывают! Ты тете Марусе привет от меня передавай, скажи, от Любы Головиной и ее бабушки поклон, ладно? Парням деваться некуда, раз такой разговор пошел — получается, они вроде как бы знакомы уже, не приставать же к знакомой девчонке. Но над Родиком они, конечно, поизмывались всласть, дескать, чего стоишь, защитничек, хвост поджал, если уж с такой девкой гуляешь, так держи фасон, за ее спину не прячься. Одним словом, девочка — молодчинка, никто ведь не учил ее, как надо в таких ситуациях себя вести, она чисто интуитивно угадала.

— Да, — задумчиво подтвердил Камень, — интуиция у нее мощнейшая, это мы уже и раньше замечали. Сердцем чует и мысли читает. Но я не понял, а что такого интересного в этом эпизоде?

— Так я до интересного еще не дошел, — хмыкнул

Змей. — Самое интересное-то потом началось, когда парни ушли. Берет, значит, наша Любаша нашего Родислава за руку и ведет по тропинке домой и приговаривает, мол, какой ты молодец, что стоял молчал, ничего не делал и в драку не лез. Видишь, как все хорошо обошлось, а если бы ты сглупил и начал за меня заступаться, то дело неминуемо закончилось бы дракой. Парни взрослые, пьяные, они ведь и убить могли, забили бы тебя до смерти, а так все хорошо закончилось. Родик идет понурый, в землю смотрит, ты, говорит, наверное, думаешь, что я трус, я и повел себя как трус, а Люба вокруг него вьется, в глаза заглядывает и уговаривает, что все совсем наоборот, что он повел себя правильно и только так и надо было себя повести, чтобы не спровоцировать кровопролитную драку, и она якобы все время, пока с парнями лясы точила, боялась, что Родик не выдержит и влезет в разговор, начнет за нее заступаться и все испортит. Но он молодец, все сделал правильно и до беды ситуацию не довел. Во как!

— И что, — с нескрываемым ужасом спросил Камень, — неужели он ей поверил?

— А то! Конечно, поверил. Как же не поверить, когда так хочется поверить? Ой, а она-то перепуталась, бедняжка! Я же видел, она с теми парнями разговаривает мирно так, почти даже ласково, а у самой поджилки трясутся, она-то отлично понимала, что может из всего этого получиться, ее и бабушка предупреждала, чтобы была осторожнее, и сестра Тамара просветительскую работу проводила. Люба-то у нас крупная, видная, не скажешь, что всего тринадцать лет.

— Ну ты подумай, — Камень горестно вздохнул, — опять она его уговорила. Интересно, она сама-то верит в то, что говорит? Тебе как показалось?

— Она верит в то, что ведет себя правильно и говорит то, что нужно, — уверенно ответил Змей. — Вот это я тебе могу гарантировать. А все остальное — это уж больно тонкая материя, тут легко ошибиться. Я тебе из своего опыта скажу: такие ситуации никогда нельзя разрешать силой, их можно только разруливать разговорами.

— Но ведь заступиться за девушку, не дать ее в обиду, защитить — это благородно, это делается с добрыми намерениями. Разве это может закончиться плохо?

— Еще как может, — Змей издал тихое шипение, обозначавшее громкий хохот. — Ты рассуждаешь как кондовый философ, который оперирует категориями этики. Подумаешь, добрые намерения и благородные побуждения! Да чтоб ты знал, благими намерениями вымощена дорога в ад. Забыл небось? Очень часто благие намерения ведут к разрушительным и даже гибельным последствиям, и наш случай как раз тому пример.

— Ты хочешь сказать, что этика — это пустая болтовня и никому не нужная наука? — возмутился Камень.

— Я хочу сказать, что этика не является единственным критерием для разрешения жизненных ситуаций, вот и все, — спокойно парировал Змей. — Жизнь во всем многообразии ее проявлений постоянно вступает в непримиримое противоречие с категориями этики как науки. И не надо по этому поводу драматизировать. Противоречия — неотъемлемая часть нашего существования, без противоречий не было бы движения вперед. Да перестань ты дуться, в конце концов! — прикрикнул он на угрюмо молчащего Камня. — Давай лучше прощаться, а то сейчас наш монстр разведки явится и опять начнет клювом туда-сюда ворочать, соперников вынюхивать. Я подальше отползу, чтобы он меня не учуял, и послушаю издалека, какие новости он тебе притащит. Если что — зови на помощь, я всегда готов.

— Спасибо, — Камень уже понял, что был не совсем прав, наехав на Змея, и от умиления даже прослезился. — Извини, если я был не прав. Что-то у меня с нервами в последнее время...

* * *

К лету 1960 года расстановка сил в дачной компании сформировалась окончательно. Главной оставалась Аэлла Александриди, первенство которой и ее право принимать обязательные для исполнения решения основывалось на нескольких фундаментальных обстоятельствах: она была местной, что по каким-то непонятным ребячьим соображениям давало ей неоспоримые преимущества; она была гречанкой по происхождению, и это делало ее необыкновенной; она знала греческий язык, греческую историю и мифологию, и это подразумевало, что она априори знает больше других; она была красивой и на этом основании обладала всеми бесспорными правами красавицы. Одним словом, Аэлла считалась первой среди всех и лучшей во всем, и никто из дачной компании не смел в этом усомниться.

На втором месте, образно говоря — ошую и одесную от первой красавицы, стояли Родислав Романов и Андрей Бегорский. Сие почетное положение они заняли по разным причинам. Родислава Аэлла приблизила к себе, поскольку он ей очень нравился, а вот Андрей оказался на позиции приближенного просто потому, что никакого другого места и не мог занять. Он категорически не хотел быть первым, ибо до самозабвения любил шахматы и частенько пропускал коллективные мероприятия, предпочитая посидеть над доской и сборником гроссмейстерских этюдов, тогда как место лидера обязывало бы его возглавлять компанию всегда и во всем. Но и быть третьим или даже пятым он не мог бы по определению: Андрей много читал и знал явно больше самой Аэллы, и хотя он специально этого не демонстрировал, все равно было понятно, что он умный и суждения его нетривиальны, не похожи на суждения других его ровесников.

И еще на втором месте, даже как бы на втором с половиной, была Люба Головина, не обладавшая никакими выдающимися достоинствами, во всяком случае в глазах ребят, но являвшаяся неотъемлемым приложением к Родику Романову. На место сбора компании они приходили вместе, вместе же и уходили, частенько ходили в кино вдвоем или втроем с Андреем Бегорским, и все как-то привыкли воспринимать их как неразлучную пару, при этом никому и в голову не приходило дразнить их «тили-тили-тестом-женихом-и-невестой», просто все помнили, что это именно Родик когда-то привел Любу в компанию, и знали, что они живут на соседних улицах, поэтому совершенно естественно, что они приходят и уходят вместе. Аэлла в Любе соперницу не видела, да это и понятно: младше на два года, совсем сопля зеленая, и ничего в этой малявке нет особенного, а если Родику так нравится изображать из себя старшего брата и покровителя малолеток — так ради бога, пусть тешится. После визита в дом Романовых и знакомства с Евгением Христофоровичем Аэлла полагала, что теперь между нею и Родиславом есть «нечто», что составляет их общую тайну и делает их ближе друг к другу. Ходить в гости в этом поселке было почему-то не принято, по крайней мере среди ребят, и факт пребывания в доме у Романовых выглядел для Аэллы более чем просто значительным. О том, что Родик и Люба регулярно бывают друг у друга, девушка, конечно, знала, но ни малейшего значения этому обстоятельству не придавала: подумаешь, возится Родислав с этой малышкой — да и пусть себе возится. А того, что «эта малышка» ростом уже обогнала невысокую Аэллу, надменная красавица даже и не замечала.

Каникулы шли к концу, наступила середина августа, пошли грибы, и Бабаня Анна Серафимовна приступила к очередному этапу заготовок, для которого требовались боровики, маслята и опята. Боровики сушились на длинных снизках, опята и маслята солились и мариновались. Походы в лес стали почти ежедневными, и Николай

Дмитриевич Головин с удовольствием участвовал в грибных мероприятиях, если был выходной.

В это воскресенье он отправился за грибами с Любой и Родиславом. Мама Родика Клара Степановна заготовками не занималась, то ли не умела, то ли не любила, то ли времени у нее не было, и Анна Серафимовна вызвалась обработать и заготовить на зиму все, что Родику удастся собрать.

Они ушли уже довольно далеко в лес, когда Николай Дмитриевич опытным ухом уловил что-то похожее на выстрелы. Прислушавшись, он велел детям оставаться на месте, а сам осторожно стал пробираться туда, откуда донеслись подозрительные звуки. Минут через пятнадцать он появился снова, лицо его было сердитым и сосредоточенным.

— Родислав, уводи отсюда Любашу, — отрывисто приказал он. — Быстро возвращайтесь в поселок, бегите к дяде Пете, нашему участковому, и скажите, чтобы ехал сюда. Я буду его ждать возле песчаных карьеров. И оружие пусть берет, про это не забудьте. Родислав, сможешь объяснить ему, где я нахожусь?

Люба бросила на Родика быстрый взгляд и поняла, что с ним опять случилось «это». Нет, конечно же, Родик самый лучший мальчик на свете, и он никак, ну никак не может быть трусом, просто он так устроен, что, когда нужно быстро что-то решать, на него нападает оцепенение и его начинает тошнить. Он же в этом не виноват, правда?

— Мы все объясним, — торопливо ответила Люба за них обоих. — Пап, а что случилось? Кто там стреляет? А как же грибы? Мы столько уже набрали, что же их, бросить тут?

Но Николай Дмитриевич словно и не слышал вопросов дочери и продолжал обращаться только к ее товарищу.

— Родислав, я на тебя надеюсь, ты парень взрослый, дорогу обратно найдешь, уводи быстро Любу, здесь опасно. И дома никому ни слова, скажете, что я встретил знакомого, пошел к нему в гости, а грибы сам принесу. Все понял? Давайте, бегом марш.

— Мы все поняли, папа, — снова ответила Люба за двоих.

Головин исчез, двигаясь осторожно и бесшумно. Люба, добросовестно выполняя указание отца, побежала, но через несколько шагов остановилась и оглянулась. Родик, бледный и покрытый испариной, стоял на прежнем месте, привалившись к дереву, будто врос в него. Девочка вернулась и потянула его за руку.

— Родик, давай, побежали. Давай же, подними ногу, сделай шаг, ну?

Родика начало рвать. Люба заботливо поддерживала его за плечи, потом нагнулась, сорвала большой лист лопуха, вытерла ему лицо и перепачканную на груди клетчатую ковбойку.

— Не волнуйся, все в порядке, — приговаривала она, — ничего страшного не случилось, подыши глубоко, и пойдем.

Она все говорила и говорила, стараясь, чтобы голос звучал ровно и спокойно, а сама тянула парня за руку, вынуждая сделать первый шаг. Мало-помалу он пришел в себя и пошел, потом побежал. Они бежали быстро, изо всех сил, обдирая лица и руки о колючие ветки, спотыкаясь о коряги, падая, поднимаясь, не видя ничего вокруг и думая только о том, как бы поскорее домчаться до участкового дяди Пети, который возьмет пистолет, сядет на свой трехколесный мотоцикл и в считаные минуты окажется у окраины леса, а там уж ногами добежит и поможет Любиному папе, оставшемуся один на один со страшными вооруженными бандитами.

Добежав до дома участкового, они, с трудом отдышавшись, довольно толково объяснили, где ждет Николай Дмитриевич, и Родик даже на карте сумел место показать, за что удостоился похвалы дяди Пети, который, не размышляя, схватил оружие и бросился к мотоциклу. И только тут Любу начало трясти.

— Как там папа? — без конца повторяла она, глотая слезы. — А вдруг с ним что-нибудь случится? Надо же идти домой и что-то врать маме, Бабане и Томе, а я не могу, у меня голос будет дрожать, они сразу догадаются, что я неправду говорю.

Родик остановился, обнял ее, прислонив заплаканное Любино личико к широкому плечу, погладил по голове.

— Не бойся, — сказал он, — все будет хорошо с твоим папой, я тебе обещаю. Ему и дядя Петя поможет, и вообще, твой папа настоящий герой, не побоялся один с бандитами остаться, а ведь у них там оружие. А с героями ничего плохого никогда не случается. Успокойся, и пойдем домой. Или хочешь, на озеро пойдем?

— Нет, — прорыдала Люба ему в плечо, — не надо на озеро, там, наверное, ребята, они сразу заметят, что с нами что-то не так. Надо будет с ними вместе играть, а я не смогу.

— Ну хочешь, к нам домой пойдем, — продолжал уговаривать Родислав. — Мой папа ничего не заметит, он вообще ничего вокруг не замечает, когда работает. Пойдем, а?

— Нет, — снова отказалась Люба, — а вдруг папа вернется? Он же велел нам с тобой домой идти. Знаешь, как он будет ругаться, если узнает, что мы не сделали, как он велел?

— Ладно, пойдем к тебе. Я с тобой пойду, хочешь?

— Хочу. — И Люба заплакала еще горше. — Бабаня обязательно заметит, что я ревела. Что я ей скажу?

— И не бойся ничего, я буду рядом.

Он внезапно отстранил ее и присел перед Любой на корточки.

— Ты что? — испугалась девочка.

— Смотри, ты коленку сильно расшибла, когда упала, и кровь течет. Больно?

— Да нет. — Люба перестала плакать и уставилась на разбитую коленку, словно не могла понять, что это такое. — Вроде не больно. Я не знаю... Я и не заметила даже...

— Давай твоей бабушке скажем, что ты упала, тебе очень больно и ты поэтому плачешь, — предложил Родик.

Люба улыбнулась:

— Давай. Это ты здорово придумал! Спасибо.

Все-таки Родик не только самый красивый, но еще и самый умный и самый добрый мальчик на свете!

Дома их встретили бабушка, мама и сестра Тамара. Впрочем, на самом деле их встретила только Анна Серафимовна, которая спокойно выслушала рассказ о каком-то папином знакомом, который тоже собирал в тех местах грибы и к которому Николай Дмитриевич отправился в гости. Тамара, по обыкновению, сидела на веранде с книжкой, а Зинаида Васильевна, или просто мама Зина, крутилась перед зеркалом с накрученными на бигуди волосами и примеряла наряды, выбирая, в каком завтра отправиться на работу. Услышав краем уха, что муж пошел куда-то в гости, мама Зина только недовольно наморщила носик, но тут же, поймав полный упрека взгляд свекрови, стушевалась и коротко сказала:

— Ладно, хорошо, — и снова занялась собой.

Анна Серафимовна обработала Любину коленку, замазала зеленкой, напоила ребят чаем с булкой, намазанной маслом и вареньем, и отправила в сад чистить песком кастрюли и сковородки. Потом подошло время обеда, все поели, Люба вымыла посуду, постелила на столе на веранде старенькое одеяло и принялась гладить накрахмаленные пододеяльники, наволочки, простыни, скатерти и салфетки, Тамара по-прежнему читала, а Родик помогал Любе — носил из кухни раскаленные на плите тяжелые чугунные утюги.

— Томка, и не стыдно тебе! — сердито заговорила Зинаида, появившись на веранде в красивом атласном халате и с уже наведенными кудрями на голове. — Смотри, Люба делом занята, даже Родик ей помогает, а ты сидишь и бездельничаешь. Совести у тебя нет. Взрослая девка вымахала, а ничего по дому делать не хочешь! Лень вперед тебя родилась.

— Да я отлично справляюсь, — тут же заступилась за сестру Люба. — Мы с Родиком все сделаем, пусть Тома читает, им на лето в школе знаешь сколько задали прочитать? Ужас! Я список видела.

Конечно, Тамара читала вовсе не то, что задали в школе на лето, и Люба прекрасно это знала, но ей было ужасно неловко за мать, которая затевала семейный скандал в присутствии Родика. Бабушка всегда учила: гость в доме — это святое, какие бы у тебя ни были планы, чем бы ты ни занимался — брось все и уделяй все внимание только своему гостю. Тогда он не почувствует себя лишним, тогда он не почувствует себя нежеланной помехой, и он всегда будет с радостью приходить к тебе. И уж конечно, ни в коем случае нельзя при госте затевать ссоры и разбирательства. С чисткой кастрюль и глажкой Люба затеялась только потому, что Родик сам предложил: давай что-нибудь делать по дому, я буду тебе помогать, так и время быстрее пройдет, и никто не обратит внимания, что я у вас так долго сижу.

— А то если мы с тобой будем бездельничать, твоя бабушка станет сердиться, что ты из-за меня ей по хозяйству не помогаешь.

Довод показался Любе вполне разумным, и она нарушила бабушкину заповедь и вместе с гостем занялась домашними делами. Когда все белье оказалось переглаженным, наступила очередь штопки носков. Люба рукодельничала, сидя на крылечке, а расположившийся рядом Родик читал ей вслух одну из Тамариных книжек, что-то историческое, про времена Анны Иоанновны. Родику книжка нравилась, а Любе было скучно, никакой любви, никаких страстей, одна сплошная политика, но разве это важно? Важно только то, что Родик, самый лучший мальчик на свете, сидит рядом с ней, что он не ушел, не бросил ее в такой трудный день, а пришел к ней домой, готовый ее поддержать и защитить. Вот это действительно важно. И пусть он хоть расписание электричек до Москвы вслух читает — все равно жизнь прекрасна! Только бы с папой все было хорошо, только бы с ним ничего не случилось... И почему его так долго нет?

Сели ужинать, но Любе кусок в горло не лез. Все, кроме нее и Родика, думали, что Николай Дмитриевич засиделся у приятеля, и никто по этому поводу не волновался, но они-то двое знали, где на самом деле Головин, и ужасно переживали. Вернее, теперь они уже и не знали, где Любин отец, ведь столько времени прошло. А вдруг случилось самое плохое?

Когда за окном послышался стрекот мотоцикла, Люба, уронив вилку, вскочила из-за стола и бросилась на крыльцо. Родик помчался за ней следом. С мотоцикла слез участковый дядя Петя, и вид у него был одновременно довольный, озабоченный и почему-то смущенный. Дядя Петя поднялся в дом и рассказал, что они с Николаем Дмитриевичем вдвоем задержали троих бандитов, которые в карьере отстреливали оружие, проверяя его. В перестрелке Николай Дмитриевич был ранен, ранение не опасное, потому что бандиты отстреливали дробовики, но он потерял много крови и сейчас находится в районной больнице.

Анна Серафимовна побледнела и будто окаменела, а

Зинаида всплеснула руками и немедленно начала причитать, словно по покойнику:

— Господи, да что ж это такое делается! В мирное-то время! Коленька, на кого ж ты нас с детками, сиротинушек, оставил!

— Помолчи! — резко оборвала невестку Анна Серафимовна и стала задавать дяде Пете вопросы: в сознании ли сын, в какую часть тела ранение, может ли Николай разговаривать, если может, то не просил ли что-нибудь передать, где находится больница, как туда добраться и что можно привезти. Дядя Петя бодро ответил, что все в порядке, Николай Дмитриевич в сознании и просил передать семье, что ранение ерундовое и пусть никто не беспокоится.

Зинаида, похоже, ничего из этого разговора не слышала, потому что продолжала причитать, заламывать руки и убиваться. Любу снова затрясло, но, увидев бабушкино хладнокровие и собранность, девочка взяла себя в руки. Может быть, и в самом деле все не так уж страшно, раз Бабаня задает всякие вопросы, а не бьется в истерике, как мама.

— Бабаня, — Тамара встала со своего места и подошла к Анне Серафимовне, — давай собираться, поедем в больницу к папе.

— Да, деточка, да, — кивнула бабушка, — давай будем собираться. Пойди найди папину зубную щетку, коробочку зубного порошка, мыло в мыльницу положи, чистое белье возьми в шкафу. Любаша, собери в холщовый мешочек пироги и найди маленькую баночку, пол-литровую, мы туда варенье нальем.

Началась суета, все кинулись выполнять бабушкины распоряжения и собирать передачу для Николая Дмитриевича. Все, кроме Зинаиды, которая прошла в комнату, рухнула на старый кожаный диван с высокой спинкой и завыла.

— Ба, — негромко произнесла Тамара, подходя к Анне Серафимовне с аккуратным пакетом в руках, — вот, я собрала, что ты сказала. Знаешь, я думаю, мне лучше дома остаться, а с тобой пусть Любка и Родик поедут. Если их дома оставить, они с маманей не справятся. Ну смотри, она ревет как белуга, как будто папа уж умер, ничего слушать не хочет. Эдак она до сердечного приступа доревется, у нее же форменная истерика.

— А ты, выходит, справишься? — недоверчиво спросила Бабаня.

— Да не вопрос, — хмыкнула Тамара. — В два счета. Так вы поезжайте, ладно? А я эту курицу в чувство приводить буду.

— Тамара! — с упреком воскликнула Анна Серафимовна. — Последи за языком, ты все-таки говоришь о своей матери. Откуда такое неуважение?

— Ой, да ладно, ба, — Тамара пренебрежительно махнула рукой, — курица — она и есть курица, ничего, кроме своего насеста, не знает. Ты же не будешь мне доказывать, что наша мама Зина — светоч ума и знаний, правда? Ну, уж какая есть — такая есть, мы ее и такую будем любить.

— Ох, Тамарка, пороть тебя надо за такие слова, — рассердилась Бабаня. — Твое счастье, что мне сейчас не до этого. Но я с тобой еще поговорю.

Пока собирали все необходимое в маленький фибровый рыжий чемоданчик, Родик успел сбегать домой предупредить родителей, что вернется поздно. До больницы их вызвался отвезти дядя Петя: Родик уселся позади участкового, а Анна Серафимовна с Любой поместились в коляску.

По дороге бабушка тихонько спросила Любу:

— Ну, теперь признавайся: ты знала?

Люба молча кивнула.

— Почему ничего не сказала?

— Папа запретил. Он сам велел, чтобы мы с Родиком

возвращались домой и всем сказали, будто он знакомого встретил. Бабаня, я не виновата, я же сделала так, как папа приказал.

— Никто тебя и не винит. Ты послушная девочка и очень сильная. Я тобой горжусь.

— Почему я сильная? — удивилась Люба.

— Потому что ты целый день все знала и молчала. И Родислав молодец, не выдал тебя, а, наоборот, помог, поддержал в трудную минуту. Настоящий товарищ. Очень хороший мальчик.

Всю оставшуюся дорогу Анна Серафимовна молчала, но прижавшаяся к ней Люба чувствовала, что бабушка напряжена, как натянутая струна. Возле больницы дядя Петя с ними распрощался — ему нужно было ехать в райотдел милиции продолжать оформлять бумаги на задержанных бандитов. К ним вышел дежурный врач — толстый и совсем еще нестарый дяденька с пышными усами, который сказал, что беспокоиться о больном Головине не нужно, ничего особенно страшного не произошло, больной в сознании, состояние средней тяжести и все это не опасно. Часы посещений уже закончились, но, учитывая героизм больного и то, что к нему приехали мать и дети, он разрешит им ненадолго зайти в палату.

К сыну Анна Серафимовна пошла одна, велев Любе и Родику тихонько сидеть в коридоре и не шуметь. Николай Дмитриевич лежал на койке бледный до синевы, но, увидев мать, обрадовался, и Анна Серафимовна отметила, что глаза у него блестят живым и отнюдь не лихорадочным огнем.

— Как ты, сыночек?

— Да я в порядке, мам, — бодро ответил Николай Дмитриевич и с азартом принялся рассказывать матери о том, что произошло. Разумеется, без подробностей, коротко, скупо, как и положено настоящему офицеру.

Анна Серафимовна слушала и одновременно ужасалась — ведь могла сына потерять! — и гордилась своим ненаглядным Николенькой. Она выложила в его тумбочку туалетные принадлежности, белье и продукты и предложила:

— Хочешь, я останусь с тобой? Я договорюсь с врачом, он разрешит.

— Да ну что ты, мама, не надо, — с улыбкой отказался Головин. — У меня все есть, и врачи здесь отличные, и медсестры внимательные, я без присмотра не останусь.

— Тогда мы поедем, поздно уже, нам бы на последнюю электричку не опоздать.

— Нам? — вздернул брови Головин. — Ты с Зиной, что ли, приехала?

— Что ты, Зина дома осталась с Томочкой, она плачет и причитает, куда ее с собой тащить. Со мной Любаша приехала и Родик.

— О! — радостно воскликнул он. — Так ребята с тобой? Чего ж они не заходят? Позови-ка их, пусть зайдут ко мне.

Ребята робко вошли в палату. Люба ожидала увидеть картину, похожую на ту, которую она видела в кино про войну, когда показывали раненых в госпитале, и уже заранее испугалась, но все оказалось совсем не так и вообще не страшно. Отец лежал в палате один, все его ранения были скрыты под одеялом, а лицо веселое и оживленное, хотя, конечно, бледноватое.

— Ну, герои, выражаю вам устную благодарность, молодцы, не подкачали. А тебе, Родислав, отдельное спасибо за дочку. Я знал, что могу тебе Любашу доверить, и ты мое доверие оправдал. Кстати, Петр Семенович, участковый, очень вас хвалил, говорил, что вы толково все объяснили и место на карте очень точно указали, ему даже искать не пришлось. Одним словом, молодцы, ребята!

Потом он спросил, как там дома, как мама, как Тамара, передал всем привет и велел побыстрее возвращаться, а то и правда последняя электричка уйдет, как потом до поселка добираться?

На обратном пути Анна Серафимовна была уже куда спокойнее насчет сына, ведь она своими глазами видела, что ничего страшного не произошло, зато теперь начала волноваться насчет невестки и внучки.

— Ох, не надо было мне Тамару с матерью оставлять, — расстроенно приговаривала она. — Зина у нас такая взрывная, чуть что — сразу в крик, в панику, а Томочка к матери совсем без уважения относится, да и грубовата она. Скажет что-нибудь не так — и все, конец, Зина с собой не справится, не дай бог еще ударит Тамару, а та ведь ни за что на свете не простит. А то и ответить может. Господи, не передрались бы они там одни-то!

Бабушкина нервозность передалась и Любе, которая куда лучше Анны Серафимовны знала, до какой степени неуважительно относилась сестра к их маме. Тамара за глаза могла назвать Зинаиду Васильевну не то что курицей безмозглой, а даже и дурищей безграмотной и постоянно подчеркивала мамину нелюбовь к чтению и вообще к приобретению каких бы то ни было знаний помимо тех, которые у нее уже были.

— Ну ты посмотри, — насмешливо говорила Тамара Любе, когда мама, придя с работы, надевала красивый атласный халат, бледно-голубой с драконами, и ложилась на диван с компрессом на лбу, обрамленном заботливо наверченными кудрями, — можно подумать, что у нее голова болит. Чему там болеть-то? Мозгу — как у бабочки. Это она папу так ждет, лежит, как Даная на картине, изображает интересную бледность и благородную мигрень. Ну елки-палки, если ей заняться нечем, если время свободное есть, так лучше бы книжку почитала, все больше пользы, чем так-то валяться. Вот дурища-то!

— Ты что, Тома, — каждый раз пугалась Люба, — разве можно так про маму говорить?

— А что я такого говорю? — искренне удивлялась каждый раз Тома. — Я же не говорю, что мамка у нас плохая, она очень хорошая, добрая, жалостливая. И красивая к тому же. И папу любит, и нас с тобой. И Бабаню. А то, что она глупая и необразованная курица, — так это же правда. Разве нет?

И Люба не находила что ответить. Да, Бабаня, пожалуй, права, Тамара с такими взглядами может не вынести маминых истерических причитаний и вывалить ей прямо в лицо все, что думает. Вот ужас-то будет!

Они вышли из электрички, которая с прошлого года ходила аж до самой Калуги и делала остановку прямо возле поселка, и чем ближе подходили к дому на улице Котовского, тем ярче картины одна другой страшнее рисовались Любе. То ей чудилось, что вот-вот навстречу им из-за угла выбежит разъяренная Тамара, скажет, что мама ее ударила или, того хуже, избила и она, Тамара, навсегда уходит из дома. То виделось, что мама заперла нагрубившую ей дочь в сарае, и теперь их ссора — это уже на всю оставшуюся жизнь, и никогда больше мать и дочь слова друг другу не скажут, и в семье навсегда повиснет тяжелое молчание. То Люба вдруг начинала бояться, что Тамара не сможет успокоить маму, и мама все это время, пока они ездили в районную больницу и обратно, плакала и убивалась, и ей стало плохо с сердцем, а Тамара проглядела приступ, посчитав, что мама опять притворяется, как с мигренью, и теперь, когда они вернутся, окажется, что мама... Ой, даже мысленно произнести это слово Любе страшно. Пока Родик шел рядом, она еще держалась, но как только он попрощался и свернул к себе на улицу Щорса, Любе показалось, что у нее из-под плеча выдернули опору, и если что-то плохое случится, она ни за что не выдержит и просто умрет от горя.

Но никто не выбежал им навстречу, и из сарая не доносилось ни звука, и кареты «Скорой помощи» рядом с домом не наблюдалось. В окнах горел свет, и со стороны дом Головиных выглядел абсолютно мирным и спокойным. Люба с колотящимся сердцем первой взбежала на крыльцо, распахнула дверь, влетела в комнату и замерла на пороге.

Мама и Тамара играли в лото. Мама не плакала, наоборот, улыбалась и двигала фишки по своим карточкам, Тамара доставала из мешочка бочонки с номерами. Волосы мамы были причесаны как-то необычно, Зинаида раньше таких причесок не носила. На плечах матери новая шаль, которую папа подарил ей на 8 Марта, на столе чайник, чашки и блюдо с домашним печеньем, пахнет выпечкой и почему-то мамиными духами. Так обычно пахло в доме, когда мама собиралась на работу и прыскала на себя из красивого пузатого флакона с сине-золотой этикеткой, но ведь сегодня воскресенье, и уже поздний вечер, даже ночь, куда же она собиралась в такое время? Однако больше всего Любу поразил тот факт, что Тамара играет в лото. Тамара — и лото? Этого не может быть, потому что не может быть никогда! Тамара ненавидела любые настольные игры, хоть лото, хоть карты, хоть домино, она признавала только шахматы, и хотя сама не играла, но говорила, что шахматы развивают интеллект и играть в них очень полезно. Каждый раз, когда мама, Бабаня и Люба садились играть в лото, Тамара презрительно фыркала и говорила, что ни один уважающий себя человек не станет тратить время на такую дребедень и что когда-нибудь она просто-напросто выбросит это лото на помойку, чтобы в доме не было такого пошлого мещанства. Иногда, правда, она называла лото и карты мещанской пошлостью, но сути это не меняло.

Зина услышала шаги, подняла голову, вскочила, уронив на пол несколько карточек вместе с фишками, и бросилась к Анне Серафимовне:

— Ну что? Как там Коля? Вы его видели?

Бабаня, изумленная не меньше Любы, неторопливо села за стол, расставила чашки, налила всем чаю и рассказала Зине, что там и как. Зинаида слушала, открыв рот от напряжения, и только когда свекровь дошла до приветов, которые Николай Дмитриевич передавал домашним, прослезилась и облегченно всхлипнула:

— Ну, слава тебе господи.

— А вы тут как? — осторожно спросила Анна Серафимовна.

— А мы тут отлично, — отрапортовала Тамара. — Когда вы уехали, мы с мамой поплакали всласть, знаете, обнялись и поревели вдвоем, все-таки папу жалко, да и страшно за него было. Потом решили чем-нибудь заняться, чтобы успокоиться, и помыли маме голову, я ей прическу сделала красивую, она у нас молодец, хорошо держалась, хотя я видела, что она за папу ужасно переживает, но виду не показывает. В общем, причесала я ее, правда, красиво получилось?

— Правда! — восторженно подтвердила Люба, и Бабаня согласно кивнула, дескать, да, действительно красиво. Тамара начесала матери волосы и подняла их вверх, так, что они образовали корону, из-за чего лицо Зинаиды стало изящным и как будто даже благородным. — А дальше что?

— Ну а что дальше? Раз у мамы такая головка чудесная, надо и все остальное в соответствие привести, а то гармонии не будет, верно? Вот мы шаль нашли подходящую, духами побрызгались, и получилась у нас не мама Зина, а просто писаная картина, — закончила Тамара в рифму и сама улыбнулась невольному каламбуру. — Сели, чайку попили, в лото поиграли, вас ждали. Мама у нас мастерица по части лото, все время у меня выигрывала.

И тут произошло чудо, которого до той поры никогда не видели ни Анна Серафимовна, ни Люба: Зинаида обняла Тамару, поцеловала, прижала к себе и сказала:

— Хорошая ты у меня девочка выросла, доченька.

Тамара вырвалась и отвернулась, но Люба успела заметить, что сестра залилась румянцем.

Девочек отправили спать, и Люба с трудом могла дождаться, когда они с сестрой останутся вдвоем в своей комнате. Вопросы жгли ей язык и готовы были сорваться раньше времени, но ей все-таки удалось удержаться и дотерпеть до того момента, когда за ними закрылась дверь.

— Ты что, правда плакала вместе с мамой? — выпалила Люба.

Тамара насмешливо посмотрела на нее и тряхнула головой.

— Ну прям-таки! Делать мне больше нечего, — последовал обычный для нее ответ.

— Но ты же сама сказала... — растерялась Люба.

— Ну, сказала. Ты понимаешь, — Тамара повернулась к ней лицом и опустила руки, которые уже было подняла, чтобы стянуть платье, — вы уехали, она плакать перестала, молчит, бьется вся, трясется, посинела, и я испугалась: вдруг с ней что-нибудь случится, припадок какой-нибудь. Вот я и начала выть.

— Как же это? Я в жизни не слыхала, чтобы ты плакала. Ты же всегда такая... ну, не знаю... губы сожмешь, глаза злые, дверью хлопнешь и уйдешь. Неужели ты действительно плакала и выла?

— Ой, Любка, какая ты все-таки... — Тамара ласково покачала головой. — Ну конечно, я не плакала, и выла только для вида, даже не выла, а так, подвывала. Важно было, чтобы мать заплакала.

— Почему?

— Да потому, что иначе ее разорвет изнутри, понимаешь? Она вся трясется, глаза безумные, я хотела ее уложить на диван — она не ложится, хотела, чтобы она переоделась — она расстегнуться не может. А как начала плакать — и успокоилась, и все у нее изнутри вышло. Ну, понимаешь теперь?

— Не очень, — призналась Люба.

Что такое у мамы изнутри вышло? О чем говорит Тамара?

— Все плохое должно из человека выходить. Ужас, страх, волнение — все должно выйти слезами, ну как гной выходит из раны вместе с кровью. Вот оно так и вышло из нее.

— Том, ну подожди, — Люба все никак не могла успокоиться, — что же получается? Мама думала, что ты плачешь, а ты на самом деле притворялась?

— Конечно, притворялась, — пожала плечами Тамара и начала раздеваться.

— Разве так можно? Получается, что ты врала, ты маму обманула?

— Ну и обманула, что такого-то? Я же ее обманула, чтобы ей легче стало. Мне ее знаешь как жалко было — прямо сердце чуть не разорвалось.

— Тебе? — Люба опешила. — Тебе было жалко маму? А я думала, ты ее совсем не любишь.

— Ну здрасьте, — возмутилась Тамара. — Как это я ее не люблю? С чего ты это взяла?

— Ты ее всегда дурой называешь или психичкой ненормальной.

— Во-первых, не дурой, а дурищей, — строго поправила сестренку Тамара, — а во-вторых, это же совершенно разные вещи. Да, она действительно дурища, необразованная и малограмотная, и психичка ненормальная, это тоже есть, но она же моя мама, и я ее люблю, и жалею ее. Ну да, она у нас немножко с придурью, и мысли у нее бывают бредовые, и не знает она ничего и знать не хочет, но за что же ее не любить-то? Конечно, я ее люблю.

— Том, но ты с ней всегда так ссоришься, она тебя все время наказывает, ты обижаешься, уходишь, не разговариваешь с ней, и она с тобой не разговаривает, и ругает тебя. Знаешь, я думала, что и она тебя не любит.

— Да ну что ты! — рассмеялась Тамара. — То, из-за чего мы ругаемся, — это неважно! Мы же ругаемся из-за ерунды. Вот когда она заставляет меня какой-то мутью мещанской заниматься — тогда, конечно, я встаю на дыбы и говорю, что делать этого не буду. Из-за этого я готова и поругаться, и поссориться, потому что это все несерьезно. А вот сегодня, когда нам всем было очень трудно и страшно, мне было важно помочь маме, потому что рядом с ней больше никого не было, была только я одна, и, кроме меня, помочь было некому, а помочь нужно было обязательно. Улавливаешь разницу? Я готова была даже пойти салфетки эти ваши кружевные крахмалить, если бы это помогло ей успокоиться.

— Получается, когда ты с ней в лото играла, ты тоже притворялась?

— Ну а то! Неужели ты думаешь, что мне интересно это мещанское лото? Любаша, пойми же, есть вещи важные, а есть вещи неважные. Протирать Бабанину коллекцию или отрезать носики у смородины — это не важно и не нужно, я так считаю. А сделать так, чтобы мама благополучно пережила тяжелую ситуацию с папой, — вот это мне действительно важно, и ради этого мне не жалко времени, и я готова была играть с ней во что угодно, хоть в лото, хоть в домино, хоть в подкидного дурака.

Люба задумалась и присела на краешек Тамариной кровати. Сестра уже забралась под одеяло и теперь подвинулась, чтобы Любе было удобнее. В целом то, что говорила Тамара, было понятно, но ее слова порождали у Любы новые и новые вопросы.

— Том, тогда получается, что для того, что действительно важно, можно и соврать?

— Конечно, — убежденно ответила Тамара. — И соврать можно, и притвориться, и отступиться от своих принципов.

— А как ты узнаешь, когда можно отступить, а когда нельзя? Разве можно сразу определить, что важное, а что — нет? Ради чего можно наврать, а ради чего нельзя?

Тамара вздохнула, повернулась на бок и взяла Любу за руку.

— У тебя должна быть цель, — она провела кончиком пальца вдоль Любиной руки от запястья до локтя и в конечной точке нажала посильнее. — Когда есть цель, то есть путь к этой цели, и все вокруг этого пути выстраивается. Для того чтобы добиться своей цели, есть вещи главные и неглавные, важные и неважные. Вот, например, семья: мы с тобой еще несамостоятельные, живем на иждивении родителей и нуждаемся в них, мы их любим, они любят нас и делают для нас очень много хорошего, так что сейчас наша семья — это важное, понимаешь? Мама с папой и Бабаня для нас сейчас самые главные люди на свете, и для нас с тобой важно, чтобы им было хорошо.

— Не знаю, Том, что-то мне непонятно, — с сомнением произнесла Люба, забираясь на кровать Тамары с ногами, — вот ты говоришь, что Бабаня для тебя важна, а все равно ты ведь ей не помогаешь и не слушаешься ее. И папу ты не слушаешься, он запрещал тебе ездить смотреть фестиваль, а ты все равно ездила, только тайком. Как же получается, что Бабаня для тебя важная, а ты не делаешь то, что она велит?

— Да это же совершенно разные вещи! — Тамара даже голос повысила, раздраженная бестолковостью младшей сестры. — Считать человека важным для себя — это значит стремиться сделать так, чтобы ему было хорошо, а вовсе не стараться выполнить все, что он велит. Уловила? Бабаня заставляет нас делать то, что считается важным по ее правилам, а у меня правила другие, и по моим правилам важны совсем другие вещи. Каждый человек должен определить для себя правила своей жизни: что для него честно, что нечестно, что хорошо, а что плохо. Вот есть, например, воры, и для них украсть кошелек — это правильно, у них такое правило, и они друг друга за это не презирают, они не перестают друг с другом общаться из-за этого. У них так принято. А у другого человека — другие правила, как у нашего папы, например.

— А у тебя какие правила? — с нескрываемым интересом спросила Люба.

— У меня одно главное правило: я должна сохранить себя.

— Как это? — опешила Люба.

— Я хочу жить своей жизнью, своими мозгами, своим умом, по моим собственным правилам. Я не хочу жить той жизнью, которую для меня придумают родители, хотя я их очень люблю и уважаю, но не хочу, понимаешь? Я не хочу жить маминым или Бабаниным умом и по их правилам, у меня есть свои мозги, и даже если они мне подсказывают неправильно, даже если я буду совершать ошибки, это будут мои собственные неправильности и мои собственные ошибки, а не чьи-то чужие. Вот это я и называю «сохранить себя». У меня есть цель, и я хочу идти к ней своим собственным путем, а не достигать цели, которую мне придумает папа, и идти дорогой, которую мне посоветует мама. Поняла?

— Поняла, — с облегчением произнесла Люба.

Ну вот, теперь все встало на свои места. Все-таки Тамара умеет очень хорошо объяснять, когда хочет, конечно. Жалко, что ей не всегда хочется тратить время на то, чтобы что-то объяснять Любе.

— Том, а какая у тебя цель?

— Я хочу быть парикмахером, но не цирюльником, а настоящим мастером, художником. Я хочу, чтобы мир стал лучше, а все женщины в нем были красивыми и счастливыми.

— Разве ты сможешь сделать женщину красивой и счастливой, если она некрасивая и ее никто не любит и замуж не берет? — недоверчиво спросила Люба.

— Вот что ты повторяешь мамины бредни, а? — рассердилась Тамара. — Мама наша мелет, что ни попадя, а ты слушаешь и всему веришь. Ну нельзя же так, Любаня, тебе четырнадцать лет, пора уже иметь собственное мнение и собственные суждения. Что такое, по-твоему, некрасивая женщина? Вот, например, по вашим правилам, особенно по маминым, я — некрасивая, страшная, одним словом, стопроцентная дурнушка...

— Ну что ты, Тома, — испугалась не на шутку Люба, — никто не говорит, что ты некрасивая.

— Да мама постоянно говорит, — усмехнулась Тамара, — думает, что я не слышу. По маминым и Бабаниным представлениям, я — некрасивая, но есть люди, которые считают и будут считать меня красивой, потому что у них другие правила, другие эталоны красоты. У всех разные взгляды, у всех разные цели, и все живут по разным правилам. Нужно только определиться и, как говорит наша Бабаня, уважать свое решение.

Вот здесь Любе тоже все было более или менее понятно, особенно про Бабаню. Анна Серафимовна всегда говорила: «Составь заранее план, сама составь, я не буду тебе ничего навязывать, но уж если составила — выполняй от первого до последнего пункта. Это было твое собственное решение, и будь любезна уважать его, если ты уважаешь себя как личность». Люба не была до конца уверена, уважает ли она сама себя как личность, но планы добросовестно составляла заранее и старалась их выполнять.

— Вот ты, Любаня, всех слушаешься: маму, папу, Бабаню, — продолжала между тем Тамара. — И поэтому постоянно делаешь не то, что хочешь.

— А как же не слушаться? — удивилась Люба. — Они же

старше, они — родители, и потом, если не слушаться, они же накажут...

— Ну, накажут, и что?

— Как — что? Я не люблю, когда меня наказывают. Мне легче сделать, как заставляют, потому что потом в кино не пустят, с Родиком не пустят гулять, а мне так не хочется. И потом, меня не так уж много и заставляют делать такого, чего мне не хочется. Бабушке я с удовольствием помогаю, мне нравится.

— Ну так и помогай на здоровье! А вот когда тебе мама купила кофточку в горошек и с бантом, тебе же бант не понравился, помнишь? Ты спросила у мамы, можно ли его отрезать, а мама не разрешила, и ты так и носишь эту кофточку с абсолютно дурацким бантом, хотя он там ни к селу ни к городу и уродует тебя. Да возьми ты ножницы и отрежь его! Сделай хоть раз так, как ты сама считаешь правильным! Выскажи ты хоть раз свое мнение! Прояви себя как личность! Любань, ты ведь никакая, ты это понимаешь?

— Ну почему ты говоришь, что я никакая? — огорчилась Люба. — Так не бывает. Все люди какие-нибудь.

— Хорошо, поспорь со мной, хотя бы постарайся мне показать, какая ты.

— Я... — Люба задумалась. — Не знаю. Наверное, ты права, Тома. Вот про тебя мне легко было бы сказать, какая ты: ты строптивая, резкая, своевольная, целеустремленная. Про тебя много чего можно сказать. А про меня, кроме того, что у меня коса длинная, и сказать-то нечего.

— Вот! — торжествующе воскликнула Тамара. — Ты думаешь, что, пока ты маленькая, ты можешь быть никакой и всех слушаться, и всем потакать, а как только ты вырастешь, то сразу же станешь «какая»? Да не станешь, если уже сейчас не начнешь над собой работать. Ты должна определить, Любаша, что для тебя главное, и выработать правила для себя и следовать им до конца. Ты должна определить, что ты считаешь нужным, а что ненужным, на что тебе жалко времени, а на что не жалко. Вот ты скажи мне, у тебя есть цель?

— А ты никому не скажешь? — Люба понизила голос.

— Конечно, нет, что я, трепло базарное, что ли?

— Честно-честно? Поклянись! — потребовала Люба.

— Честное слово, под салютом всех вождей, никому не скажу.

Люба помолчала, собираясь с духом.

— Том, для меня самое главное в жизни — это Родик, только ты не смейся, пожалуйста. Я его так люблю — невозможно даже объяснить. Мне так хочется, чтобы он был со мной не просто как с подружкой, с которой только летом встречается, а чтобы в городе с ним встречаться, чтоб в кино вместе ходить, чтоб он меня за руку держал... только ты, Тома, не говори никому, ладно? Мне так стыдно.

— Почему это тебе стыдно? — нахмурилась Тамара.

— Потому что я еще маленькая. Бабаня говорит, что в моем возрасте думать о мальчиках еще рано.

— Ой, я тебя умоляю! — Тамара выразительно закатила глаза. — Да в твоем возрасте самое время думать о мальчиках. Тем более что Родик прекрасный парень, умный, начитанный, добрый, к тебе хорошо относится. Вполне достойная цель. Только ты определи, чего ты хочешь? Чтобы он был счастливым и здоровым, чтобы он хорошо учился или чтобы он на тебе женился. Ты сама чего хочешь?

— Ой, Том, ты такое скажешь... — смутилась Люба.

— Ну ладно, пусть не женился, пусть только влюбился.

— Конечно, хочу, чтобы влюбился, а потом женился, — призналась Люба. — Только мне сейчас рано об этом думать, надо сперва школу закончить.

— Ничего не рано, — безапелляционно заявила старшая сестра. — Самое время об этом думать, потому что потом поздно будет. Ты скажи-ка мне, курица, ты когда последний раз книжку читала не по программе?

— Не по программе? Ты что, я даже то, что по программе задают, не все успеваю.

— Вот именно. А Родик твой?

— Ой, Том, он столько книжек прочитал! У него же папа профессор, у них в доме столько книг — ужас! Родик их все, наверное, прочитал. Он мне все время их рассказывает, каждый день какую-то новую книжку. Он так здорово рассказывает — заслушаться можно, как будто я эту книжку сама прочитала.

— И тебе интересно?

— Конечно.

— А ты ему что рассказываешь?

— А я ему... — Люба снова растерялась, настолько неожиданным оказался для нее вопрос Тамары. — Да мне нечего особенно рассказывать, я только слушаю, что он мне рассказывает.

— Ага, сидишь или рядом идешь, молчишь и киваешь, как курица.

— Ну, Том, ну что ты меня все курицей обзываешь?

— Ну хорошо, не киваешь и не как курица. Сидишь молча, как умная.

— Конечно, я сижу и киваю, ну и что такого? Посмотри на маму с папой: если папа что-то рассказывает, то мама сидит, смотрит на него и кивает. Наверное, так нужно, так и правильно.

— Нет, Любаня, это правильно для них, для мамы и папы.

— Ты хочешь сказать, что у мамы с папой одни правила для любви, а у меня с Родиком другие должны быть?

— Конечно! А у меня будут еще какие-то другие, и вообще у каждой пары правила свои. И если нашему папе хорошо с нашей мамой, то это совсем не значит, что Родику будет хорошо с такой женой, как наша мама, потому что Родик — это Родислав Романов, а не Николай Головин, уловила? Быть такой, как наша мама, — это совсем не гарантия того, что мужу будет с тобой хорошо. Родик твой — очень начитанный мальчик, он из профессорской семьи, а ты двух слов связать не можешь. Тебе бы надо побольше читать, подруга, и ты бы приходила и говорила: «Родик, я прочитала такую-то книжку, там написано то-то и то-то», а он сидел бы, раскрыв рот, и тебя слушал.

— Ой, как было бы здорово! — мечтательно протянула Люба.

— А ты бы ему большую книжку рассказывала, — продолжала рисовать радужную картину Тамара, — один вечер, другой, как Шехерезада, и тогда он захотел бы лишний раз тебя увидеть. Поэтому много читать — это для тебя правило, которое пойдет на пользу твоей главной цели. Чем еще ты можешь его привлечь? Красотой? Да, ты симпатичная, но этого мало. Вон у мамы подружки тетя Соня и тетя Капа, красавицы — одна лучше другой, а ведь обе незамужние, так их никто и не выбрал, несмотря на их красоту.

— Да ну, — протянула Люба, — какие же они красавицы? По-моему, они страшнее войны. Ты шутишь, да?

— Да нет, я не шучу. Просто мы с тобой имеем право думать по-разному. С чего ты взяла, что мы непременно должны думать одинаково?

— Но мы же с тобой сестры, у нас одни и те же родители, нас одна и та же бабушка воспитывала, и растем мы вместе, как же мы можем думать по-разному? Мы должны думать одинаково, я так считаю.

— Кому мы должны? — задала Тамара очередной трудный вопрос, поставивший Любу в тупик.

Та ненадолго задумалась, потом пнула сестру ногой через одеяло.

— Да ну тебя, Томка, вот ты всегда так повернешь разговор, что я не знаю, как тебе и отвечать.

— Зато я знаю, — тихо, почти шепотом ответила Тамара, — не должны мы с тобой одинаково думать. Мы с тобой два разных человека, хоть и родные сестры. Ты с одним характером, я — с другим, ты с одними волосами, я — с другими, мы совершенно разные с тобой, поэтому жить мы будем по-разному, да мы уже живем по-разному и жизнь проживем совсем неодинаковую, поняла? Если у меня все получится, я стану знаменитым модельером причесок и буду делать из женщин счастливых красавиц, и они все у меня с кресла будут вставать королевами и улыбаться, потому что в этом — моя цель. А если у тебя все получится, если ты по своему плану будешь двигаться, то выйдешь замуж за своего Родика, будешь его любить и родишь от него кучу детишек.

— Ой, То-о-ом, — недоверчиво протянула Люба, — ты правда считаешь, что это возможно?

— А почему нет? И дети у вас будут, и ты будешь хорошей мамой и отличной хозяйкой, как наша Бабаня, она же тебя всему научила.

— Это да, — обрадовалась Люба, — мамой я, наверное, буду хорошей, я детишек люблю. И готовить умею, и шить, я по дому все-все умею, я бы Родику была такой хорошей женой, он бы у меня как сыр в масле катался, я бы его самым вкусным кормила бы с утра до вечера, по дому бы все делала, чтобы все блестело, сверкало, дети ухожены, рубашечки наглажены. Только, Тома, я не знаю... Наверное, он все-таки не захочет со мной встречаться как-то по-другому, не по-дачному.

— Это еще почему? — вздернула реденькие бровки Тамара.

— Мне кажется, ему Аэлла очень нравится, она такая красивая.

— Да видела я эту вашу девочку, врушка она и воображала. Вот она-то уж наверняка рассказывает вам всякие байки и истории, а вы уши и развесили.

— Ну зачем ты так? Она про Грецию очень много знает и рассказывает так увлекательно. Про море, про небо, про пляжи, про апельсиновые рощи...

— Ой, я тебя умоляю! Откуда она может знать про море и про апельсиновые рощи? Она небось с чужих слов рассказывает или вообще выдумывает. Врет, одним словом.

— Но она же родилась в Греции и все это своими глазами видела! — кинулась защищать подругу Люба.

— И что она там видела? Сколько ей было лет, когда она оттуда уехала? Четыре? Пять? Вот ты помнишь, что с тобой было в пять лет?

— Я? — Люба наморщила лоб, старательно вспоминая. Почему-то вспоминался разбитый локоть — она упала с велосипеда, но это было уже в первом классе. И еще вспоминалось, как в старшей группе детского сада, когда Любе было шесть лет, их уложили днем спать и велели без разрешения не вставать, а Любе очень захотелось в туалет, но она не вставала, терпела, потому что воспитательница куда-то ушла и не у кого было спросить разрешения выйти. А раньше... Да, Тамара права, какие-то события вспоминаются как факты, и переживания свои вспоминаются, а вот пейзажи, небо, погода, еда, одежда — ничего этого Любе не запомнилось. Неужели правда, что Аэлла все выдумывает?

— Вот именно, — удовлетворенно констатировала Тамара, правильно истолковав ее молчание. — И она ничего этого не помнит. Просто она хочет быть первой среди вас, главной и самой лучшей и делает все, чтобы этого добиться. И тебе нужно придумать себе дело, которым ты хочешь заниматься, и поставить две цели: Родик и это дело. И все этому подчинить. Тогда сама увидишь, как изменится твоя жизнь.

— Ты думаешь, я тоже могу быть лучшей и первой?

— Конечно, — горячо и убежденно произнесла Тамара. — Можешь и обязательно будешь, если правильно выберешь свой путь.

— А правильно — это как?

— Ой, ну что ж ты у меня такая дурища, Любка! — вздохнула Тамара. — Объясняю тебе, объясняю — как об стенку горох. Правильно — это своим умом, а не чужими примерами. Вот ты что лучше всего делаешь?

— Мне нравится пирожки вместе с бабушкой печь, и еще я люблю считать, математику люблю. Но я же, наверное, не смогу стать как Софья Ковалевская...

— Ну, дорогая, считать — это не только математика, есть очень много профессий, связанных с цифрами. Ты можешь стать, например, бухгалтером, это самый главный человек на производстве, который все подсчитывает: сколько чего нужно, сколько продукции, сколько денег, что сколько стоит. Это очень важная профессия, и ты можешь стать самым главным бухгалтером на самом большом заводе. Будешь лучшей и первой. А если ты любишь заниматься выпечкой, ты можешь стать самым лучшим кондитером, и твои пирожки будут продаваться только в Елисеевском гастрономе, и за ними будут приезжать со всей Москвы и часами стоять в очереди. И снова ты будешь первой и лучшей. Разве плохо?

— Как ты думаешь, если я захочу учиться на бухгалтера, мне папа разрешит?

— Опять двадцать пять! — с досадой сказала Тамара. — Да при чем тут папа-то? Ты выберешь себе профессию по душе — и все! И тебя не должно интересовать, что скажет папа. Вот ты помнишь, какой был скандал, когда я сказала, что хочу быть парикмахером? Как папа орал, а мама плакала? Как он потом со мной два месяца не разговаривал? И что? Я все равно буду тем, кем хочу стать, и папа тут совершенно ни при чем. И вообще, еще неизвестно, что он скажет, а ты уже заранее боишься. Ты попробуй хоть раз озвучить свое мнение, свое желание, а не загадывай, кому что понравится.

— Да я боюсь как-то, — уныло призналась Люба. — Не хочу, чтобы он ругался.

— Почему он обязательно должен ругаться? Разве стыдно быть бухгалтером?

— А все девчонки хотят стать актрисами, геологами, или Братскую ГЭС строить, или инженерами по космосу работать, ракеты проектировать, в общем, всякое такое героическое...

— И какая тебе разница, что хотят эти твои девчонки?

— Надо мной будут смеяться.

— Кто будет смеяться?

— Да все! Представляешь, я прихожу в школу, а на меня все пальцем показывают и смеются, что, мол, все хотят героических профессий, а Люба Головина хочет быть бухгалтером. Стыд и позор.

— Не выдумывай. Никакого стыда и позора. Есть единственный путь — твой собственный, и тебе нужно им идти. Все хотят быть геологами или артистками, а Люба Головина будет экономистом, вот так! И вот тут начнет проявляться твоя личность. Про тебя будут говорить: «Вот идет Люба Головина, которая хочет стать экономистом», а не просто «симпатичная Люба с косой». Улавливаешь разницу?

— Кажется...

— Ну все, Любаша, — Тамара повернулась на другой бок и вытянула ноги, — выключай свет и давай спать, а то уже вставать скоро, мы с тобой полночи проговорили. Хорошо еще, что нас Бабаня не застукала, а то нагорело бы нам по первое число.

Люба послушно улеглась в свою кровать, натянула одеяло до подбородка и попыталась заснуть, но заснуть никак не получалось, в ушах стоял голос сестры, которая говорила ей такие сложные и непривычные вещи, в которые верилось с трудом. И откуда она берет такие мысли? И дело не в том, что она старше, ведь и Родик, и Андрей Бегорский, и Аэлла — ровесники Тамары, но они таких вещей не говорят. Люба вспомнила, с каким азартом Та-

мара говорила о том, как сделает всех женщин королевами, и как вдруг засветилось ее вмиг ставшее одухотворен-
ным лицо. Точно такой же азарт был в глазах у отца, когда
он, лежа на больничной койке, говорил: «Как мы с дядей
Петей их сделали! Нас двое, и один пистолет на двоих, а
их трое, и все с ружьями. Я горжусь тем, что мы сегодня
сделали, даже больше, чем своими военными медалями».
И такая в его голосе была удовлетворенность от хорошо
сделанной работы! Люба вдруг представила себе, как Тамара будет делать женщин счастливыми и они будут уходить от нее стройными шеренгами Любовей Орловых,
Марин Ладыниных, Валентин Серовых и Татьян Окунев-
ских, а у них за спиной будет стоять Тамара, щелкая ножницами.

Люба не выдержала и тихонько засмеялась своему за-
бавному видению.

— Ты чего? — недовольно прошептала Тамара. — Почему до сих пор не спишь?

— Том, я хотела спросить, можно?

Тамара зевнула.

— Ну валяй, только быстро.

— Откуда ты такие мысли взяла? Неужели сама додумалась? Или в книжках прочитала?

— И в книжках тоже прочитала... ну ладно, раз уж у нас
с тобой вышел сегодня такой разговор, я тебе тоже от-
крою один секрет. Только обещай, что никому не скажешь.

Люба села на кровати, спустила ноги на пол и стала
напряженно всматриваться в ту сторону, где стояла кровать сестры. В комнате было совсем темно, но девочке казалось, что если она будет смотреть в сторону Тамары, то
обязательно поймет что-то очень важное.

— Да ты что, Тома?! Я никому, честное слово!

— У меня в Москве есть друг, очень умный, который
меня всему этому научил.

— Ой, Тома, — Люба прижала ладони ко рту, словно пыталась удержать внутри себя какие-то слова, — у тебя мальчик есть, да? Ты с ним встречаешься? Тайком, да?

— Я же сказала: это друг. А никакой не мальчик.

— Он что, старый? — испугалась Люба.

Сколько раз она видела в кино истории про то, как молоденькие девушки влюблялись в мужчин старше себя, и эти мужчины всегда оказывались женатыми, и ничего хорошего из этих историй не получалось. Неужели с Тамарой произошло то же самое? Какой ужас!

— Старый, — подтвердила Тамара ее самые худшие предположения, — даже старше Бабани, ему, наверное, лет семьдесят пять, а то и больше.

— И что, ты собираешься за него замуж? — дрожащим шепотом спросила Люба.

— Ой, дурища ты, дурища, — засмеялась Тамара, — у тебя одно на уме. Его зовут Михал Михалыч, он работает в библиотеке, на выдаче, и мы с ним дружим. Я ему немножко помогаю по хозяйству, раз в неделю прихожу к нему домой убираться, а то он старенький уже совсем, плохо видит, и вообще... А он меня уму-разуму учит и хорошие книжки дает читать. Уловила? Только смотри, Любка, если проболтаешься — поссорюсь с тобой на всю жизнь.

— Чем хочешь поклянусь, — искренне пообещала Люба.

— Ладно, тогда давай спать.

* * *

— Ну ты даешь! — восхитился Камень. — Как у тебя терпения хватило весь разговор прослушать? С твоей-то непоседливостью...

— Да я понял, что тут каждое слово важно. Сначала я, конечно, хотел слинять, когда у них этот ночной девичник начался, ну что, думаю, эти две соплюшки интересного могут на ночь глядя сказать? И что-то засиделся, задумался, а потом прислушался — батюшки мои! Прям натурально семинар не то по психологии, не то по философии, не то еще по какой мудреной науке. Тут уж я начал каждое слово ловить и запоминать, чтобы тебе, неблагодарному старому пню, пересказать. Ну что, молодец я?

— Молодец, ничего не скажешь, — согласился Камень. — А что там с Михал Михалычем? Что за фрукт?

— А я знал, я знал, что ты спросишь! — радостно закаркал Ворон. — И все вызнал, все разведал. Рассказывать?

— Валяй. — Камень чуть-чуть поерзал на месте, нашел удобное положение, при котором больной сустав не так ныл, и приготовился слушать.

Михаил Михайлович Бобневич родился в семье этнографа и исследователя, специалиста по странам Востока. Отец с самого раннего детства, которое пришлось на 80—90-е годы девятнадцатого века, возил жену и сына с собой во все экспедиции по Китаю и Японии, где изучал философию, нравы, обычаи и быт. Поэтому маленький мальчик Миша, проявивший недюжинные способности, хорошо знал не только языки, но и культуру и философию этих стран. Он сохранил личные отношения со многими людьми, с которыми там познакомился, продолжал после революции поддерживать с ними научные и личные связи, переписывался и вполне успешно занимался этнографией, пойдя по стопам отца. За эти самые связи он и был в 30-е годы репрессирован по обвинению в шпионаже в пользу Японии, отсидел 12 лет, потерял семью и на свободе оказался немолодым, очень больным, одиноким человеком. Единственное место, куда он смог после освобождения устроиться на работу, была одна из московских детских библиотек.

Еще до революции он был знаком с очень красивой и весьма светской особой — актрисой Юлией Марковной Венявской, много лет любил ее, продолжал любить и пока состоял в браке со своей женой, и когда жена ушла от него, и пока сидел в лагерях, и когда вышел. Такая вот случилась у него любовь всей жизни. Юлия Марковна в романтическом плане на его чувства никогда не отвечала, меняла мужей и любовников, но дружбу с Михаилом Михайловичем поддерживала и очень дорожила ею. Эта самая Юлия Марковна Венявская, став старой и беспомощной, перестала пользоваться своей большой дачей и стала сдавать ее на лето семейству Головиных, которых знала уже давно, с тех самых пор, как Николай Дмитриевич поймал воров, обокравших ее московскую квартиру, и вернул украденное в целости и сохранности. Именно Юлия Марковна порекомендовала в свое время Тамаре пользоваться библиотекой, где работал Бобневич: девочка растет книгочеем, а Михаил Михайлович — человек образованный и всегда подскажет, какую книгу выбрать и как ее найти.

Между прочим, именно актриса Венявская зародила в Тамаре первые сомнения по поводу правильности позиции Анны Серафимовны и Зинаиды, которые полагали, что для женщины главное — быть привлекательной для мужчин.

— Вот смотри, Тамарочка, — говорила она не раз, — меня мужчины любили всю жизнь, я была такой красавицей — глаз не оторвать! Поклонники, цветы, подарки, четыре мужа — ну и что толку? Я — старая, одинокая, больная и не очень счастливая женщина.

И по поводу внешних данных Юлия Марковна высказывалась весьма и весьма скептически:

— Мне в двадцать пять лет тоже казалось, что моя красота и мой успех у мужчин будут вечно и никогда не пройдут и что внешность — мое самое главное богатство, а сейчас я даже не могу вспомнить некоторые имена и лица. Да, были мужчины, но где я с ними познакомилась, как это случилось, что за отношения у нас были, как их зовут, чем они занимались — забыла. А ведь я потратила на это большую часть своей жизни. В моей жизни были только романы и работа, бесконечные романы и постоянная работа. Так вот работу я помню очень хорошо. Как в первый раз вышла на сцену и играла Офелию, как я дрожала от страха и волнения, какое платье на мне было, какой парик, в каком месте я сбилась, как мне помогали партнеры на этом первом спектакле — все я помню до мелочей. А мужчин — нет. Они слились в какую-то безликую череду. Да, мне было с ними хорошо, мне повезло с поклонниками и любовниками, меня никто не обидел и не оскорбил, но вспомнить каждого в отдельности я не могу. И сейчас я не могу понять, почему тогда это было для меня так важно? Все ушло, осталась только профессия, которая хоть что-то мне принесла и пока еще живет в моих воспоминаниях.

И вот Тамара приехала в библиотеку, спросила Михаила Михайловича, и ей указали на очень старого человека, худого, седого, морщинистого, который напомнил ей Кощея Бессмертного. Тамара вежливо поздоровалась и сказала, что ее прислала Юлия Марковна.

— А кем ты приходишься Юлии Марковне? — неприветливо спросил Кощей.

— Мы ей помогаем... немножко... я с ней дружу.

— Я не понял, — Кощей строго посмотрел на Тамару, — так ты с ней дружишь или помогаешь ей хлеб покупать и полы мыть?

Тамара задумалась и ответила, что она с Юлией Марковной все же дружит. Вот бабушка и сестра Любаша — те старой актрисе помогают, а она, Тамара, с ней дружит.

— Так и говори, — пробурчал Кощей, — что ж ты тут темнишь, толком не объясняешь. Ну и зачем ты пришла ко мне, подруга Юлии Марковны?

Тамара неуверенно пробормотала, что хочет книги, потому что дома и в школьной библиотеке она уже все прочитала. Наверное, в школьной библиотеке есть и еще интересные книги, но ей не дают, а дают про Тома Сойера и Васька Трубачева, но ей неинтересно.

— Ну а про что же ты хочешь почитать? — спросил Кощей совсем другим тоном.

Тамара смело посмотрела ему прямо в глаза, полуприкрытые морщинистыми темно-коричневыми веками, и твердо ответила:

— Я хочу про то, как человеку нужно жить. Я не знаю, как мне жить. Я хочу быть мастером по прическам, парикмахером, это моя мечта, самая заветная, а меня дома за это все ругают и говорят, что это не профессия, что это стыдно — мыть грязные волосы в каморке при банно-прачечном комбинате, что профессия должна быть красивой, достойной, чтобы ею можно было гордиться. А я думаю, что если я стану настоящим художником по прическам, то я тоже смогу своей работой гордиться. Папа сильно ругается и даже не разговаривает со мной из-за этого. А мама говорит, если я буду парикмахером, то никогда не выйду замуж, потому что я некрасивая, и профессия у меня будет совсем простая, неинтересная, и в парикмахерских мужчин не бывает, и мне негде будет с ними знакомиться. Мама считает, что я должна выбрать такую профессию, чтобы работать там, где будет много мужчин, и тогда, может быть, кто-нибудь на мне женится.

— А ты хочешь, чтобы на тебе обязательно кто-нибудь женился? — Узкие губы Михаила Михайловича тронула едва заметная улыбка, и взгляд у него стал добрее и мягче.

— Больше всего на свете я хочу быть парикмахером, а про то, чтобы выйти замуж, я вообще не думаю. Мне все равно.

— Ладно, так какую же книжку ты хочешь взять? Про парикмахеров, что ли?

В его голосе Тамаре почудилась едва уловимая насмешка. Но она твердо знала, зачем пришла, и отступать не собиралась.

— Я хочу книгу про человека, которому навязывают, как он должен поступать, а он все равно делает по-своему, и чтобы в этой книжке было написано: это правильно или нет — поступать по-своему?

— Ну хорошо, — согласился Михаил Михайлович, — идем посмотрим, что я могу предложить.

Тамара пошла следом за ним между высокими стеллажами, вокруг было столько книг — протягивай руку, снимай с полки и читай, и ей все время хотелось остановиться, когда глаза натыкались на интересное название, но она боялась отстать и потеряться. Михаил Михайлович выбрал для нее две книги.

— Попробуй прочесть вот это, — сказал он, — может быть, тебе понравится. Если возникнут вопросы, можем их обсудить, когда будешь книги сдавать.

Бобневич произвел на девочку двоякое впечатление: с одной стороны, она все еще побаивалась его, но с другой, Кощей ей очень понравился, он разговаривал с ней как со взрослой, не считая заведомо глупым маленьким ребенком, хотя ей было тогда всего двенадцать лет.

Книги, которые выбрал Михаил Михайлович, Тамара прочитала с интересом. Конечно, они не отвечали впрямую на поставленный ею вопрос, но это было, по крайней мере, не про Тома Сойера, а про взрослую заграничную жизнь, где герои попадали в трудную ситуацию и должны были делать выбор между собственными убеждениями и желаниями окружающих. Она, конечно, не могла в то время сформулировать это именно таким образом и про себя говорила, что это выбор между тем, чтобы другим было хорошо и спокойно, и тем, чего самому хочется. В первый момент, когда она только начала читать первую книгу, у нее возникло ощущение, что Кощей над ней посмеялся и дал ей почитать совсем не про то, про что она хотела. А когда дочитала обе книги, то поняла, что они все же «про то». Они по-другому, но все-таки отвечали на вопросы, которые так волновали Тамару, или хотя бы поднимали их.

Через неделю Тамара приехала в библиотеку сдавать книги, и Михаил Михайлович попросил ее пересказать содержание, на что девочка страшно обиделась: она решила, что старый библиотекарь ее проверяет, но Кощей сказал, что он не проверяет ее, а хочет понять, что именно она увидела в этих книгах.

— Что написано, то и увидела, — дерзко ответила Тамара. — Я же не могу прочитать в книге то, чего там нет.

— О, вот тут ты ошибаешься, — рассмеялся Бобневич. — Ты ведь уже взрослая и должна понимать, что все люди разные, и все читают книги разными глазами.

— Как это? — не поняла Тамара.

— Деточка, твои глаза — это не твои глазные яблоки как анатомический орган, а весь твой жизненный опыт, вся твоя личность, все, что ты пережила, перечувствовала, передумала. Вся твоя жизнь — в глазах, которыми ты читаешь книгу или, к примеру, кино смотришь. Поэтому каждый человек в книге или в кинофильме видит разное, видит что-то свое. Вот ты посмотрела фильм «Цирк» и увидела в нем историю про любовь, а кто-то другой увидит там историю про расовую ненависть и наш советский интернационализм, а третий человек увидит историю про технический прогресс и наши достижения в области инженерии. Каждому — свое. Понимаешь? Поэтому я прошу тебя пересказать книги, которые ты прочла: мне важно понять, какими глазами ты их читала и что из них вынесла.

Это был первый из многочисленных уроков, преподнесенных Тамаре старым библиотекарем Михаилом Михайловичем Бобневичем. Постепенно он проникался нежностью и уважением к этой любознательной и неординарной девочке и по мере ее взросления посвящал ее во все более сложные и тонкие философские вопросы, щедро делился своими знаниями, при этом умел просто и доходчиво объяснять достаточно непростые вещи. Политических вопросов он благоразумно не затрагивал, а вот о христианстве, заповедях и гуманитарных ценностях разговаривал много и охотно. Познакомил он Тамару и с основами восточной философии.

Одной из тем их разговоров стала внешность Тамары. Михаил Михайлович долго смеялся, когда она назвала себя дурнушкой, и заявил, что красивее девочки не встречал. Тамара перечисляла свои недостатки — невысокий рост, худоба, слишком длинный нос, слишком тонкие губы, слишком маленькие глаза, реденькие брови и ресницы, а Бобневич в ответ объяснял ей, что каждая историческая эпоха несет определенные эталоны красоты, которые меняются часто и неожиданно. Он листал альбомы с репродукциями, показывая Тамаре портреты женщин, считавшихся красивыми, и подчеркивал, что были времена, когда красивым считалось крупное мясистое тело с толстыми ногами и жирными складками на животе, но были и времена, когда эталоном считались плоскогрудые худышки; когда-то красивыми считались безбровые тонкогубые лица, а в иные времена им на смену приходили щекастые пухлогубые красавицы. Красота — это не истина, а просто мода, и придет время, когда будет мода на худышек с тонкими ручками и ножками, и тогда Тамара окажется первой красавицей не только для него, Михаила Михайловича, но и для всех окружающих. Тамара не очень в это верила, но Михаил Михайлович не уставал ее убеждать.

— Даже твои глаза — это образец совершенства, — повторял он, — потому что они светятся мыслью. И вообще, ты очень красивая девочка. Да все люди красивые, нет некрасивых, их не бывает. Все зависит от того, какими глазами на них смотреть. Если человек нравится тебе как личность, если ты его уважаешь, любишь, то он обязательно будет для тебя красивым. Есть старинная мудрость, которая гласит: «Красота в глазах смотрящего». Понимаешь, что это означает? Если человек смотрит на тебя глазами, полными любви и нежности, то ты непременно будешь в его глазах красавицей, и не имеет никакого значения, какой у тебя нос или брови.

Тамара хорошо помнила свое первое впечатление от библиотекаря, который тогда показался ей чудовищно некрасивым, даже страшным и похожим на Кощея Бессмертного, но точно так же она помнила, что после первого же разговора с ним внешность Бобневича показалась ей совершенно нормальной и даже приятной.

Тамаре было пятнадцать, когда она, заметив, что Михаил Михайлович сильно оброс, предложила постричь его. До этого стричь людей ей не приходилось, но она, с разрешения Юлии Марковны, долго тренировалась на старых париках, которые во множестве обнаружились на дачном чердаке. Старик долго не соглашался, ворчливо отнекивался, говоря, что важно, какой он человек, а не сколько волос у него на голове, в носу и в ушах, но в конце концов разрешил Тамаре приехать к себе домой и осуществить задуманное. Впервые переступив порог его комнаты, девочка сделала вывод: очень много книг, все остальное — грязь. В комнате было неряшливо, грязные окна почти не пропускали дневной свет, на столе, покрытом липкой клеенкой, стояли немытые чашки и тарелки. Тамара решила пока промолчать и взялась за дело, ради которого приехала. Стригла она Михаила Михайловича неторопливо и тщательно, два раза переделывала работу, добиваясь того, чтобы подчеркнуть красоту его глаз, выражение лица, одухотворенность. И когда закончила, увидела перед собой совершенно другого человека — красивого благородного старца. Бобневич долго разглядывал себя в зеркале, улыбался и, казалось, что-то вспоминал, а потом поблагодарил Тамару и сказал, что у нее большой талант, настоящий, не просто умелые ловкие руки, а именно большой талант.

— Я узнаю это лицо, — сказал он, — примерно так я выглядел в двадцать восьмом году, когда Юленька похоронила второго мужа, вдовствовала и приняла мое приглашение пойти на концерт итальянского баритона.

Много лет до этого она отказывала мне, куда бы я ее ни звал, а тут — согласилась! Я был так счастлив! Ну, морщин и седины, конечно, прибавилось, но лицо я узнаю. Мне казалось, что я его утратил навсегда, а ты сотворила чудо: разглядела его и вернула мне. Твой талант, деточка, не в том, что ты аккуратно стрижешь, а в том, что ты умеешь возвращать людям красоту их лиц.

Тамара и сама видела разительную перемену, произошедшую с Бобневичем, и была счастлива оттого, что впервые получила оценку своей работы от другого человека и подтверждение реальности своей самой заветной мечты.

— А давайте-ка я у вас приберусь, — осмелела Тамара, — а то живете в грязи, как свинья. И буду теперь приезжать раз в неделю и наводить у вас порядок.

Михаил Михайлович ее порыв одобрил, поблагодарил, но убедительно попросил бумаги и книги на письменном столе не трогать: он работает, и перекладывать и путать ничего нельзя.

Так и сложилась их дружба, во многом сформировавшая Тамарину отнюдь не детскую систему взглядов. Девочка не боялась спорить с Бобневичем, пыталась доказывать ему свою правоту, но внимательно вникнув в его объяснения, обычно в конце концов сдавалась и принимала его точку зрения.

* * *

— Н-да, — Камень слегка поерзал на промокшей земле, что в переводе должно было означать покачивание головой, — повезло девчонке. Вот уж повезло так повезло. Сначала Юлия Марковна, потом этот Кощей Бобневич. Мало кому в детстве так везет, чтобы рядом оказались два умных, да что там умных — мудрых человека, которым не жаль времени и сил на то, чтобы вкладывать в детский умишко вполне взрослые рассуждения. Обидно, понимаешь.

— Чего тебе обидно? — недоуменно спросил Ворон, изрядно притомившийся от длинного и подробного пересказа и мечтающий о чем-нибудь жирненьком для смазки горловых связок.

— Да то и обидно, что Тамаре-то эти учителя не больно и нужны, у нее свои мозги отлично работают, и от природы она не склонна доверять общепринятым суждениям, любит до всего своим умом доходить. Она и так не пропадет. А вот Любаше мудрые наставники очень пригодились бы. Жаль, ей-крест. И почему всегда так: кому не очень нужно — тот обязательно получает, а кому действительно надо — тому не достается.

— Деньги к деньгам, — многозначительно изрек Ворон. — Так, кажется, у людей принято говорить? Между прочим, я там еще одну интересную вещь высмотрел, но, если ты меня немедленно не отпустишь питаться, я тебе не расскажу.

— Расскажи — и лети за питанием.

— Нет, — заупрямился Ворон, — у меня в горле першит, и клюв пересох. Я тебе что, бесплатное радио — часами вещать без подзаправки? Хотя что я говорю, ты ж радио в глаза не видел. Короче, нет питания — нет рассказа, вот тебе мое последнее слово.

Ворон обожал всяческие ультиматумы, они делали его сильнее и могущественнее в собственных глазах.

— Хорошо, — вздохнул Камень, — лети, набивай свою ненасытную утробу. А я потерплю, что мне еще остается? Я старый больной Камень, никому не нужный, всеми брошенный, всеми забытый, и помыкают мной все, кому не лень, пользуются моей беспомощностью и покладистостью. Лети, лети, оставляй меня одного в тоске и печали, давай, лети, эгоист несчастный.

Это был проверенный способ увильнуть от ультиматума и пробудить в Вороне жалость и чувство вины. Требуемый эффект был достигнут — Ворон смутился и стушевался.

— Да я быстренько, перехвачу чего-нибудь на лету — и сразу назад, ладно? Ты и соскучиться не успеешь, как я вернусь. Хорошо?

Он слетел с ветки, приземлился рядом с Камнем и просительно заглянул ему в глаза, словно прощение вымаливал.

— Ладно, — пробурчал Камень, ужасно довольный тем, что снова удалось одержать верх над старческими капризами друга.

Стоило Ворону отлететь метров на сто, как рядом послышалось знакомое шипение:

— А я знаю, что он тебе хочет рассказать.

— Змей, дружище! — обрадовался Камень. — Я уж боялся, что ты наши края покинул.

— Не покинул пока, как видишь. Что-то мне неможется в последнее время, хворь какая-то одолела, что ли? Так я тут лежу под гнилым дубом и слушаю байки нашего крылатого вестника с полей и огородов. Слух у меня, слава богу, отличный, так что лежу я достаточно далеко, чтобы он меня не учуял. А когда хвороба отпускает маленько, я уж ползу за дополнениями и уточнениями. Ну что, рассказать тебе, какой секрет наш Штирлиц припас?

— Штирлиц? Это кто ж такой будет?

— Кино такое было про шпионов, Штирлиц — советский разведчик, работал в тылу у немцев во время Второй мировой войны. Я однажды куда-то в семидесятые годы в СССР залез, не помню уж, чего мне там было надо, а вся страна по телевизору про Штирлица смотрит. Ну и я посмотрел, целых пять серий, на большее у меня терпения не хватило, ты же знаешь, я не любитель сериалов, не то что этот твой добытчик информации, он-то как попадет куда-нибудь, где сериал показывают, так его за хвост не оттянешь, так и будет торчать на ветке или на подоконнике, пока все сто пятьдесят серий до конца не досмотрит. А потом к тебе возвращается и пересказывает, дурень лапчатый. В настоящей жизни столько всего интересного можно увидеть — а он кино смотрит, балбесина пернатая. Ну так я не понял, рассказывать или нет?

— Ну конечно, рассказывай, только быстрее, не тяни, а то Ворон вот-вот вернется. Тебя учует — скандалить начнет.

— Так вот, — торжественно прошептал Змей, — черная старуха в самом деле существует.

— Какая черная старуха?

— Да ты забыл, что ли? Черная старуха, про которую ребята у костра любят рассказывать, ну, которая в лесу за маленькими мальчиками гоняется. Аэлла-то всех пугает, особенно малышей, а Андрей Бегорский только смеется и говорит, что черная старуха — это нелепая детская страшилка и никакой такой старухи в лесу и в помине нет. А она есть! Вот.

— Да ты что! — изумился Камень. — Как же так? Не может быть. Ты меня разыгрываешь, что ли?

— Да чтоб я пропал! Век лягушек не видать, жабой буду, — побожился Змей. — Натуральная старуха, вся в черном, страшная. Ну, дети, конечно, кое-чего поднаврали, волосы у нее никакие не черные, а совершенно седые, но она всегда в черном платке ходит, поэтому если издалека смотреть, то можно и напутать. И ногти у нее не черные вовсе, а просто грязные, с траурной каемкой. Ну и в горло она, само собой, никому не вцеплялась. А вот то, что по лесу шастала и за мальчиками бегала, — это святая правда.

— Да не тяни ты!

— Поздно, — едва слышно произнес Змей, приподнимая голову повыше, — летит твой ревнивый надсмотрщик. Ладно, пусть сам рассказывает, а я издалека послушаю, ежели он чего забудет или переврет, я тебе потом сообщу. Пока, друг мой сердечный.

Камень быстро закрыл глаза и притворился спящим.

— Ну, правда же, я быстро? — затараторил Ворон, усаживаясь Камню на макушку. — Я же обещал, что ты соскучиться не успеешь. Теперь слушай: Николай Дмитриевич Головин поправлялся быстро, Люба с Родиком его часто навещали, почти каждый день ездили в райцентр на электричке, и вот однажды папаша говорит, что, мол, ты, Родик, мне дочку спас и показал себя настоящим героем, поэтому ты имеешь право знать, каких таких бандитов мы с твоей помощью задержали. Конечно, рассказывать об этом не положено, но тебе я расскажу, потому как ты есть настоящий комсомолец, и Любаше тоже расскажу, потому что вы близкие друзья и у вас не должно быть друг от друга секретов. Только вы двое будете знать, и больше чтобы никому ни слова, особенно вашим друзьям. Я вам доверяю, надеюсь, что вы умеете держать язык за зубами, а если вы мое доверие обманете, то я вас уважать не буду.

Рассказ Ворона никакого отношения к жизни главных героев истории не имел, но был, по мнению Камня, весьма любопытен в качестве жизненной зарисовки.

В деревне, расположенной примерно в 10 километрах от дачного поселка, жила до войны семья: местный совхозный ветеринар Подрезков с матерью, молодой женой Верочкой и маленьким ребенком лет трех-четырех. Перед самой войной, в начале июня 1941 года, этот Подрезков в составе группы специалистов-животноводов — ветеринаров и зоотехников — был отправлен в Западную Украину, где после подписания пакта Молотова — Риббентропа происходило разделение Польши на польскую и советскую части. В советской части началось раскулачивание и массовое строительство колхозов, и нужны были идеологически подкованные специалисты для оценки состояния поголовья скота. Когда начались бомбежки, погибли все, кто приехал вместе с Подрезковым, он один уцелел. Ему было очень страшно, и, поскольку бомбежки были массированные и интенсивные, у него, как довольно у многих, сложилось впечатление, что эта война ненадолго, она скоро закончится, причем отнюдь не нашей победой, и мысль у нашего ветеринара была только одна: любой ценой как можно скорее добраться домой. Он боялся, что не успеет до окончания войны оказаться вместе со своей семьей, и кто знает, как потом сложится, смогут ли они найти друг друга и соединиться.

Добирался он долго, то пешком, то попутками, то, если удавалось, поездом. Когда ловили патрули, показывал документ об откомандировании в Западную Украину и говорил, что возвращается домой, чтобы по месту жительства пойти в военкомат и отправиться на фронт воевать. Дома в деревне он оказался через три месяца, война к этому моменту не только не кончилась, но стало понятно, что закончится она еще очень не скоро. С одной стороны, немцы продвинулись достаточно далеко и дошли почти до самой Москвы, но с другой — они нас пока все-таки не победили. Этих трех месяцев хождения по тыловым районам, по которым бесконечной чередой шли эшелоны с ранеными, Подрезкову хватило, чтобы понять: воевать он не хочет. Он боялся смерти, он боялся боли, он просто струсил. Добравшись до своей деревни глубокой ночью, он постучал в окошко. Жена и мать считали, что он погиб, потому что пришло сообщение, что погибла вся группа животноводов, отправленных на Украину, хотя официального извещения о смерти пока не приходило. Матери и сынишки в деревне не было, в самом начале лета они уехали к родственникам в Новосибирскую область и после начала войны там и остались. Жена, уже оплакавшая Подрезкова, несказанно обрадовалась, что муж жив, и когда он признался ей, что не хочет идти на фронт, Вера зарыдала, прижалась к нему, заголосила, тем самым утвердив его в решении остаться дома. И самому страшно воевать, и жена не хочет, чтобы он уходил на войну. Таким образом ветеринар Подрезков превратился в дезертира. Вера спрятала мужа в подполе и никому не сказала, что он вернулся, благо дело было ночью и никто его не видел. На все вопросы она отвечала одно и то же: вы сами мне сказали, что он погиб, дайте мне официальную бумагу, или я буду считать его живым и ждать.

За все четыре года войны никому и в голову не пришло, что Подрезков на самом деле жив и давно вернулся, никто его и не искал.

Война закончилась, из Новосибирска вернулась мать Подрезкова, но... одна, без внука Павлика. Случилось ужасное. Бабушка с внуком и другими сельчанами отправилась в лес за грибами, и ребенок потерялся, причем никто не мог сказать точно, как это произошло. Кинулись искать — не нашли. Потом искали всем селом, искали долго, дней десять, но Павлик как в воду канул. Спустя месяц бабушку вызвали в милицию и сказали, что нашли останки ребенка, которого можно опознать только по одежде: несчастный малыш стал жертвой диких зверей. Бабушка тронулась умом, она никак не могла поверить в то, что ее внучек погиб, что его съели волки. И хотя ей показывали обрывки одежды, найденной рядом с останками, и одежда эта в целом совпадала с той, в которую мальчик был одет в тот злосчастный день, бабушка упорно стояла на своем: подумаешь, зелененький беретик, подумаешь, беленькая маечка, да все дети ходят в таких маечках и таких беретиках, потому что в местном сельмаге ничего другого не продается, не может Павлик погибнуть, он просто куда-то ушел и потерялся, его подобрали добрые люди, может быть, он живет в ските, но он жив-здоров. Когда женщина вернулась в Подмосковье к невестке и сыну-дезертиру, помешательство приобрело форму идефикса: мальчик здесь, в лесу, он спрятался за березкой и ждет, когда его найдут, надо только найти ту березку. Одолеваемая бредовой идеей, бабушка постоянно бродила по лесу, высматривая внука, забиралась бог знает куда, пропадала на несколько дней, потом как-то выбиралась и прибредала домой, уставшая, изголодавшаяся и обессиленная. Скрыть от старухи, что в доме находится сын-дезертир, конечно, не удалось бы, но она так ничего и не поняла, находясь во власти одного-единственного стремления: найти внука Павлика.

Да, война закончилась, но, как оказалось, самое страшное для Веры Подрезковой только началось. Дезертиры были объявлены военными преступниками без срока давности. Стало понятно, что ветеринар и его жена попали в ловушку. У него был выбор: или выйти на свет божий и сесть в тюрьму, из которой рано или поздно, если повезет, он освободится, или остаться в тюрьме домашней, из которой выхода не будет никогда. У Веры тоже был выбор: продолжать прятать мужа и считаться вдовой или выдать его и стать в глазах всех женой дезертира, пособницей, укрывавшей преступника. А ведь в каждой избе были солдатские вдовы или осиротевшие матери, которые считали Веру «своей» и жалели ее, и начали возвращаться мужики, кто с ранениями, кто с боевыми наградами, и в такой ситуации признаться, что ты укрывала у себя в подполе молодого здорового труса... Невыносимо. Вера, стыдясь себя самой, все чаще думала о том, что, может, лучше бы ее муж вернулся с войны калекой или не вернулся вовсе.

Кроме того, прятавшегося в подполе мужа было трудно кормить. С продуктами тяжело, и добывать еду в количествах, превышающих нужды двух женщин, да так, чтобы никто ничего не заподозрил, было ой как нелегко.

А тут и брат Веры нарисовался, грудь в медалях, левой руки по локоть нет. Узнав, что зять на войне не был, а просидел все четыре года в подполе под юбкой у жены и теперь тоже продолжает прятаться, ослабевший, рыхлый, бледный, болезненный, брат страшно возмутился, но быстро сообразил, что может использовать положение сестры к собственной выгоде. Дело в том, что был он человеком из криминальных кругов, до войны пробавлялся грабежами и разбоями и теперь отыскал старых дружков и снова принялся за старое. Понимая, что Вере деваться некуда, он шантажом заставлял ее передерживать у себя краденые вещи, хранить оружие, давать приют бандитам, скрывающимся от милиции. Он знал, что свекровь сестры полоумная, ничего не соображает и ни о чем не догадывается, а сама сестра не сдаст ни его, ни его людей, иначе он немедленно расскажет всем про дезертира. Для всех жителей деревни была придумана легенда о том, что брат Веры завербовался на какие-то работы где-то очень далеко, на Севере, иногда он приезжает в отпуск или в командировку с тюками, потом снова уезжает, а люди, которые приходят вместе с ним, — это его товарищи по работе, едущие к своим семьям через Москву и останавливающиеся в гостеприимном доме Подрезковых переночевать и отдохнуть.

Так оно и шло из года в год. Бывший ветсринар слабел и болел, Вера старилась буквально на глазах, безумная мать бродила по лесу, пугая случайно оказавшихся в чаще мальчишек из окрестных деревень и поселков, брат к бандитским налетам добавил еще торговлю оружием. И однажды он привез в деревню двоих покупателей, желавших приобрести дробовики, которые, как и все незаконно добытое, хранились у Веры. Покупатели оказались людьми недоверчивыми, приобретать кота в мешке не желали и потребовали, чтобы ружья непременно были отстреляны. Втроем они отправились в карьер проверять качество товара, где и были застигнуты бдительным милиционером Головиным, который, рассказывая эту эпопею дочери и ее товарищу, специально предупредил, что про бандитов говорить можно, в этом никакого секрета нет, а вот про дезертира, его жену и маму лучше помолчать, потому что Веру жалко, ей и так несладко теперь придется, и незачем делать так, чтобы вся округа об этом знала.

— И ты знаешь, что отмочил наш милый Родислав? — голос Ворона стал томным и загадочным, из чего можно было сделать вывод, что самое сладкое он приберег, как говорится, «на третье». — Ни в жизнь не догадаешься. Такой тихий, мирный, трусоватый мальчик, профессорский сынок, и вдруг говорит Головину: я, дескать, дядя Коля, хочу стать милиционером и быть таким же героем, как вы. А? Каково?

— Круто, — согласился Камень. — А Головин что на это ответил?

— Да ничего он не ответил, по плечу Родика потрепал и улыбнулся, но видно было, конечно, что ему приятно, что он даже как будто польщен. И, между прочим, из-за всей этой истории с дезертиром Люба и Родик поссорились в первый раз.

— О, — оживился Камень, — у них возникли разногласия по этическим вопросам? Это хорошо, потому что проблема действительно тонкая, деликатная, неоднозначная, и было бы любопытно узнать, как послевоенная молодежь на нее смотрит...

— Щас, — презрительно каркнул Ворон, — разбежались они этические проблемы обсуждать, делать им больше нечего, как сказала бы наша дорогая Тамара. Нет, там все дело в Аэлле. Видишь ли, когда Люба и Родик рассказали ребятам про бандитов, Аэлла осталась вроде как не при делах. Представляешь, какое это для нее оскорбление: происходит нечто важное и интересное, а она, местная жительница, об этом ничего не знает, зато знают двое приезжих москвичей. Это непорядок! Тем паче она же всегда все лучше всех знает, и все слушают ее, разинув рты, а тут мало того, что она не знает, так еще и рассказывает не она, и слушают, разинув рты, вовсе не ее, а Любу и Родислава. Разве она могла с этим смириться? И вот она погнала первое, что ей в голову пришло: коль разговор зашел о происшествии в лесу, она про лес и вспомнила, то есть про черную старуху, и начала снова всех пугать, особенно новеньких, которые только в этом году вошли в компанию, а чтобы придать себе побольше веса, стала говорить, что знает старинное греческое заклинание, при помощи которого черную старуху можно извести на корню, и она в ближайшее время собирается пойти в лес и совершить страшный, но интересный обряд. В общем, все вроде бы опять только на нее смотрят и все просят разрешения пойти вместе с ней в лес посмотреть на обряд. Все, кроме Любы, Родика и Андрея. Люба-то с Родиком про старуху все знают, но молчат, поскольку папаня не разрешил о ней распространяться, а Андрей вообще ни в какую мистику не верит. Надо сказать, что он и Родику с Любой не очень-то поверил, он такой: все подвергает сомнению. И еще у него есть одна слабость: он влюблен в Аэллу, представляешь?

— Да ты что! — ахнул Камень. — Не может быть!

Ворон попрыгал у Камня на макушке, весьма довольный произведенным эффектом.

— Может, еще как может.

— Ты же уверял меня, что Андрей умный и неординарный, а Аэлла — пустоголовая врушка, как же он мог в нее влюбиться?

— Вот и видно, что ты философ, а не романтик, — Ворон с досадой ткнул клювом в мох, растущий у Камня на макушке, отчего Камень крякнул и взвыл. — При чем тут ум-то? Она же красивая, вот тебе и вся причина. Им же по шестнадцать лет всего, они только-только в десятый класс перешли, чего они в любви понимают-то? В их возрасте гормон знаешь как играет? Он им все мозги затуманивает. Короче, ты меня не отвлекай, а то я собьюсь. Видит, значит, наш мальчик Андрюша, что Аэлла вся испереживалась из-за того, что Люба с Родиком имеют среди ребят такой успех, и предлагает ей: давай, мол, сходим к участковому дяде Пете да проверим, правду ли они рассказывали. Может, они все выдумали, да еще себя героями выставили. Аэлла обрадовалась, и пошли они к дядя Пете, а дядя Петя им все подтвердил, да еще добавил от себя кое-что, из чего выходило, что участие Родика и Любы в истории с бандитами оказалось еще более героическим, чем они сами рассказывали. Люба-то у нас скромница, к тому же хорошо воспитанная, и Родик ей под стать, тоже не хвастун, вот они про себя сдержанно так и рассказали, свои заслуги не выпячивали, а уж дядя Петя вовсю расстарался. Андрей только усмехнулся, а Аэлла прямо сама не своя стала. Но дядя Петя, как и договорился с Головиным, про дезертира и его мать ни слова не сказал, потому Аэлла и попалась. Она же не знала, что сумасшедшую старуху выловили и отправили в психбольницу, и вот начала делать вид, что она ночью ходила в лес и провела там какой-то жуткий обряд, и теперь никакой черной старухи в лесу больше никогда не будет, и дети могут гулять там спокойно. Конечно, она страшно рисковала, а вдруг старуха все-таки есть и кто-нибудь ее там увидит? Но на то она и Аэлла Александриди: ради желанного результата готова рисковать и кидаться очертя голову, на авось. Люба с Родиком как услышали, что Аэлла у костра вещает, как она в лес ходила, как чего-то там в кружок раскладывала, как птицу поймала и зарезала, как ее кровью чего-то поливала и произносила заклинание, и как перед ней появилась черная старуха, которая тянула к ней страшные черные когтистые руки, и как растаяла прямо на глазах у заклинательницы, так чуть со смеху не лопнули. А когда домой возвращались, Люба предложила вывести Аэллу на чистую воду и рассказать всем правду про старуху.

— Разумно, — согласился Камень. — Давно пора. Лгунов надо разоблачать, чтобы людям головы не морочили.

— Это ты так думаешь, и Люба тоже так думает, а Родик думает иначе, из-за этого они с Любашей и поссорились. Ну не хочет Родик с Аэллой ссориться, понимаешь? Ну разоблачат они Аэллу, ну узнают все ребята, что она все время привирает, ну отвернутся от нее, ну обидится она на них, и что? Что хорошего из этого выйдет?

— Правда, — убежденно произнес Камень, — истина. Из всего этого выйдет истина, которая дороже всего, даже испорченных отношений.

— Ну все, завел свою философскую шарманку! — Ворон снова долбанул его клювом по мшистой макушке. — Правда, истина... Где ты этого всего набрался-то? Тихий мирный мальчик не выносит конфликтов и не хочет ни с кем ссориться, это тебе понятно?

— Но Люба тоже не выносит конфликтов и тоже не любит ссориться, однако она же предложила вывести Аэллу на чистую воду, даже ценой испорченных отношений.

— Ничего-то ты не понимаешь, — вздохнул Ворон.

— Чего это я не понимаю?

— Да в любви ты ничего не смыслишь, булыжник ты неотесанный, обломок оружия пролетариата! — закричал Ворон. — Ты что же думаешь, Люба совсем маленькая дурочка и ничего не понимает? Думаешь, она не чувствует в Аэлле соперницу, которая тянет жадные ручонки к Родиславу и готова при первой же возможности ухватить его? Да, конечно, Люба не подлая и не хитрая, не коварная, она ни за что не стала бы специально плести интригу, чтобы обезвредить соперницу, но ведь ей и самой обидно, что ее принимают за идиотку и врут ей прямо в глаза, да еще на полном серьезе. Она так Родиславу и сказала. И за Родика ей обидно, потому что его тоже обманывают. И ссора с Аэллой ее нисколько не пугает, потому что самое главное в ее жизни — это Родислав, а никакая не Аэлла, общением с которой она спокойно может пожертвовать. И видишь, что получается? Предложив разоблачить Аэллу, Люба невольно поставила Родика перед выбором: или я, которую обидели, или она, которая обидела. Родик отказался выводить Аэллу на чистую воду, мол, да ладно, чего нам с тобой, больше всех надо, что ли, да зачем, да к чему эти свары и ссоры, да надо быть снисходительными к чужим слабостям. Короче, ни в какую. И вышло, что он таким образом выбрал Аэллу, а не Любу. То есть не в полном смысле слова выбрал, а отдал предпочтение психологическому комфорту именно Аэллы, а Люба пусть так и остается обманутой и обиженной. Она не стерпела, слово за слово — в общем, поссорились они. Разошлись по домам, даже не попрощавшись. Ну и угадай с трех раз, чем дело кончилось?

— Да я тебе с одного раза угадаю, — фыркнул Камень. — На следующий же день Родик пришел к Любе извиняться и мириться, а она выскочила ему навстречу и первая заговорила о том, что он, конечно же, прав, заступившись за Аэллу, и никак иначе он поступить не мог, и она бы перестала его уважать, если бы он поступил как-нибудь иначе, и выдвинула такие неоспоримые доводы его правоты, что он и сам в них поверил. Ну, угадал?

— Если ты такой умный, я больше ничего не буду тебе рассказывать, — обиделся Ворон, которого прозорливый Камень лишил триумфального выхода. — Сам добывай истории, сам ищи дураков, которые будут сновать туда-сюда, во все дыры лезть, чтобы тебе, пню замшелому, не скучно было на земле валяться.

— Да ладно, не гони волну, — добродушно ухмыльнулся Камень. — Ты же знаешь, я тебя люблю, старого дурака, а если я что и угадываю, то только потому, что ты хорошо собираешь информацию и хорошо мне ее излагаешь. На самом деле я не угадываю, а только делаю выводы из того, что ты рассказываешь. Как говорится, каков учитель, таков и ученик. Каков рассказчик, таков и слушатель. Это я тебе комплимент сказал, если ты не понял.

Ворон комплиментом вполне удовлетворился и предложил продолжить просмотр сериала.

— Куда теперь двинемся? Еще через год, когда они снова на даче соберутся, или попозже? — с готовностью спросил он.

— Нет, через год — это бессмысленно, Люба в девятый класс перейдет, а Тамара и Родик окончат десятый класс и будут в институт поступать, на даче их не будет, скорее всего. А знаешь что? Посмотри-ка поподробнее этого парнишку, Андрея Бегорского. Очень он мне любопытен. Это его ты на той свадьбе видел?

— Его, — подтвердил Ворон.

— Тогда тем более. Значит, у них дружба продолжилась. Ах, как мне бы хотелось, чтобы они с Тамарой нашли друг друга! Прекрасная пара получилась бы, ты не находишь?

— Ага, оба жутко умные и жутко некрасивые, друг дружке под стать. Ты иногда такое ляпнешь, что уши вянут. Ну какая они пара? Андрею красивые нравятся, а Тамарке вообще никакие пока не нравились, она все прынца какого-то ждет, сама не знает, чего хочет. Ладно уж, так и быть, принесу я тебе в клюве твоего Бегорского, раз ты так просишь. Чего ради старой дружбы не сделаешь!

* * *

Андрей Бегорский был пятым ребенком в семье токаря механического завода. Четыре старших сестры, такие же некрасивые, как и он, оказались похожими на родителей, людей темных, дремучих и злобных, для которых единственным удовольствием была еда и умеренная выпивка, а единственным развлечением — злословие в адрес соседей и знакомых. В доме не было ни одной книги, родители даже в кино не ходили, и если не обсуждали соседей, то говорили только о том, как бы поскорее выдать замуж дебелых туповатых дочерей, и хорошо бы, чтобы Андрюха уже скорее вырос, пошел работать и приносил в дом копеечку.

Учился Андрей неровно, точными науками овладевал на «отлично», к гуманитарным был равнодушен, интереса к ним не испытывал, но если по каким-либо причинам считал, что пора уже получить хорошую оценку по истории или литературе, то получал ее без труда. Школьные учителя всегда отмечали его способности и сожалели, что Андрей направляет их только на некоторые предметы, а не на все, иначе быть бы ему золотым медалистом. Он рос человеком очень рациональным, лишенным всяческих эмоциональных порывов, увлекался шахматами и даже ходил в шахматный кружок при Дворце пионеров.

Шахматы оказали на него большое влияние и сформировали стиль мышления, сделавший Андрея Бегорского непохожим на большинство сверстников. Например, одним из правил Андрея было не принимать очевидное за истинное, а исходя из практики шахматных партий, постараться увидеть, что на самом деле стоит за вполне очевидным фактом, который не является сам по себе конечным результатом, а лишь звеном в длинной цепочке событий. Он проводил аналогию с ситуацией, когда противник жертвует фигуру: он ее жертвует не потому, что дурак и растяпа, а потому, что задумал комбинацию, и его задумку надо просчитать, чтобы посмотреть, чем может закончиться длинная цепочка ходов.

Андрей вообще был крайне недоверчив, он не верил никому на слово, пока не убеждался на собственном опыте или не видел собственными глазами. Подобная недоверчивость стала не только следствием врожденной рациональности, но и оказалась заложена семейным воспитанием, потому что Бегорские-старшие были настолько дремучи, что в своих рассуждениях исходили из единственного принципа: этого не может быть, потому что не может быть никогда, а все, что мы видим, может иметь только одно объяснение — то, которое мы этому даем. Знаний у родителей было совсем мало, да они к ним и не стремились, являя собой яркий образец того, что принято называть «воинствующим невежеством», поэтому любая информация, доходившая до родительских ушей, немедленно наталкивалась на стену недоверия: «Да это все брехня, этого не может быть». Кстати, слово «брехня» стало одним из ведущих в лексиконе подрастающего Андрея.

Недоверчивость вкупе с шахматной практикой породили у него стереотип мышления, в соответствии с которым, что бы ни происходило, он первым делом спрашивал себя: «А зачем это нужно?», затем все проверял и перепроверял, просчитывая множество возможных вариантов развития событий. Второй особенностью его мышления была привычка соотносить характеры людей с шахматными фигурами. Например, Королями он именовал тех, кто мыслит интересно и разнообразно, но в чьем характере нет склонности к риску и азарту и кто не способен сделать неожиданный широкий шаг в сторону. Пешками были люди трудолюбивые, упорные, не опускающие рук и не сдающиеся, двигающиеся маленькими шажками, но только вперед, упорно и постоянно. Ферзями были личности широкие, многогранные, масштабные, а Конями — люди, идущие к своей цели по головам, подлые и хитрые. Третий принцип шахматного мышления Андрея Бегорского выражался постулатом «чудес не бывает». Белопольный слон никогда не станет чернопольным, а ладья не пойдет конем.

Еще одной особенностью юного шахматиста было

умение принимать решения в ситуации цугцванга. Он понимал, что приносить жертву все равно придется и выбор надо делать наиболее рационально, то есть отдавать предпочтение той жертве, которая впоследствии принесет наименьший урон. Огромное количество людей, принимающих решения, каждое из которых имеет свои минусы, пытается этого выбора избежать и найти какое-то третье решение, не имеющее минусов и позволяющее избегать жертв, а поскольку этого третьего решения может и не быть, люди вообще не принимают никаких решений или совершают отчаянные глупости просто потому, что психологически не готовы ни к каким жертвам. Андрей же был к жертвам готов, как готов был и нести связанные с этим тяготы.

В какой-то книге он прочитал, что дети повторяют жизнь своих родителей. Эта мысль привела Андрюшу Бегорского в ужас: стать похожим на своих родителей и прожить такую же беспросветную дремучую жизнь он не хотел. И делал все для того, чтобы этого не случилось.

На дачу он приезжал вместе с семьей одноклассника, родители которого симпатизировали серьезному начитанному пареньку и считали, что он может благотворно повлиять на их оболтуса-сына. Андрей был им благодарен и добросовестно занимался с одноклассником физикой и химией, в которых тот был совсем не силен. Из всей дачной компании он особенно выделял Родислава, который нравился ему своим миролюбием и отсутствием тщеславия, и, конечно, Аэллу, красотой которой он восхищался, но над которой в глубине души посмеивался, считая ее глуповатой и недалекой. С каким удовольствием он бы поцеловал ее, если бы она позволила! Он гладил бы ее иссиня-черные густые локоны, провел бы кончиками пальцев по длинным загибающимся вверх ресницам, держал бы ее за руку... И при этом Андрей искренне сожалел о том, что в такую совершенную, на его взгляд, обо-

лочку природа поместила абсолютно неинтересное содержание. Любу Головину Андрей считал совсем обыкно-
венной и ничем не примечательной и принимал ее
только как подругу Родика, а вот Любину старшую сестру
Тамару уважал за неординарность суждений и количество прочитанных книг, которое намного превышало число книг, прочитанных им самим. Если случалось так, что
они шли в кино вчетвером — Родик, Люба, Тамара и Андрей, — то на обратном пути, когда шло оживленное обсуждение просмотренной кинокартины, Бегорский особенно внимательно прислушивался именно к словам Тамары, полагая, что ни Родик, ни Люба все равно ничего
значимого не скажут. И его ожидания всегда оправдыва-
лись, в высказываниях Тамары обязательно находилось
что-то такое, над чем потом интересно было подумать.

И только когда случилась вся эта история со стрель-
бой в карьере, о которой рассказали Люба и Родик, только когда он сходил вместе с Аэллой к участковому, Андрей впервые подумал, что у Родислава, помимо миролю-
бия и начитанности, есть еще какие-то достоинства, а
Любаша Головина вовсе не так проста и прямолинейна,
как он думал. Узнав от дяди Пети некоторые подробности, которые опустили в своем рассказе ребята и которые
могли бы очень украсить Любу и Родика, Андрей все ждал,
когда же они сами расскажут, но так и не дождался. И стал
еще больше уважать своего товарища и его подругу.

* * *

— Ну, там дальше не очень интересно, опять учебный
год, Родик готовится поступать в университет на юриди-
ческий, Люба учится в девятом классе. В общем, фигня
всякая, — заявил Ворон.

— Так уж и фигня, — усомнился Камень.

— Отвечаю, — поклялся Ворон. — Правда, Любка молодец, сообразила, что на следующее лето Родик будет

сдавать сначала выпускные экзамены, потом вступительные и на даче вряд ли появится. Не знаю, сама она додумалась или Томка подсказала, но она подстраховалась на
всякий случай, перед самым концом летних каникул попросила у Родика какую-то книжку почитать и предупредила, что до отъезда с дачи прочесть не успеет. Ты мне,
говорит, дай свой телефон, я, когда книгу дочитаю, тебе
позвоню, приеду и верну.

— И что, дал он телефон?

— Ну а то! Чего ж не дать-то? И ты представляешь, она
до Нового года мучилась, и хотела позвонить, и стесня-
лась. Вот дурища-то! Права ее сестрица, дурища и есть.

— Но все-таки позвонила?

— Конечно. Охота — она завсегда пуще неволи. И позвонила, и встречу назначила, и явилась туда ни жива ни
мертва от волнения, на час раньше прискакала. Ну, Родик
вроде как тоже ей рад был, книгу взял, предложил прогу-
ляться, мороженого поесть. В общем, стали они встречаться, сначала редко, раз в полтора-два месяца, в кино
ходили, потом лето наступило, у Родика выпускные экзамены начались, у Любы тоже экзамены за восьмой класс,
а потом Родик подал документы и начал готовиться поступать. Вот тут наша Любаша и сделала ход конем. Звонит она Родику, трубку снимает Клара Степановна, и
Люба ей говорит, мол, Евгений Христофорович человек
не очень здоровый, ему нужен покой и свежий воздух, а
вы не едете на дачу, потому что боитесь Родика в такой
ответственный момент без ухода и заботы оставить, правильно? Так вы поезжайте спокойно, я за Родиком при-
смотрю, и еду ему буду готовить, и рубашки стирать, и
квартиру вашу убирать, и следить, чтобы он занимался
как следует и питался как следует.

— А что Клара? Неужели согласилась?

— Нет, конечно, для нее Родик — свет в окошке, разве
она может заботу о нем кому-нибудь доверить. Но Любин

поступок она оценила правильно и стала внимательнее приглядываться к девочке. А что? Семья хорошая, мама Зина, конечно, подкачала — работа у нее непрестижная, нянечка в детском садике, зато папа — на все сто, защитник правопорядка, герой, участник войны, и бабка — всем бабкам фору даст, девочку хорошую вырастила, хозяйственную, заботливую, скромную. Наша Клара столько лет в этом самом университете проработала секретарем-машинисткой, что отлично понимала: ее ненаглядный Родик, если поступит, легко может стать добычей какой-нибудь хищной и оборотистой провинциалки, которая в семью вотрется и полквартиры оттяпает, так лучше Любочку привечать, все-таки москвичка, и отец с жильем со временем поможет. Ты не думай, — торопливо заговорил Ворон, уловив некий скепсис в глазах Камня, — я это не выдумал, я слышал, как Клара с подругой по телефону разговаривала и все эти резоны ей озвучивала. Честно-честно.

— Да верю я тебе, — успокоил его Камень. — И что, поступил Родик в университет?

— Поступил. Любу увезли на дачу, но то лето оказалось ужасно скучным. Аэлла поступала в медицинский институт, Андрей окончил школу и пошел работать на завод, Тамара, вопреки воле родителей, пошла учиться в ПТУ на парикмахера, и отец с ней до самой осени не разговаривал. В общем, дачная компания распалась, сестры рядом нет, Родик в Москве, родители работают, и остались у Любы только Бабаня и домашние хлопоты. Бедная девчонка чуть с ума не сошла от скуки. А когда в Москву вернулась — тут ее новое разочарование ждало: Родик с головой ушел в новую студенческую жизнь, у него лекции, семинары, коллоквиумы, друзья, и нет у него ни минуты свободного времени на какую-то там девятиклассницу. И опять до Нового года все затихло.

— А что в Новый год случилось?

— В сам Новый год — ничего, а вот после него все и завертелось. Клара-то, видать, что-то учуяла, похоже, за Родиком начала увиваться какая-то провинциальная щучка, и Клара Степановна испугалась, как бы она его не охмурила и в постель не затащила. В те времена, знаешь, с этим было строго: переспал — женись, иначе тебя по комсомольско-партийной линии пропесочат, а если до скандала дойдет, то и исключить из университета могут. И спохватилась наша Клара, что давно что-то о Любочке ничего не было слышно, весной-то Родик нет-нет да и встречался с ней, в кино водил, а теперь молчание. И позвонила она маме Зине, а та и рада-радешенька, она ж привыкла о замужестве дочерей с момента их рождения думать и о лучшем женихе, чем Родик Романов, и не мечтала. И красивый, и добрый, и из профессорской семьи, а теперь и вовсе студент университета. А то, что дочка ее всего-навсего в девятый класс ходит, — это, по мнению мамы Зины, ничего не значит, потому что отношения куются годами, и надо все делать вовремя, в том числе и жениха подбирать, чтобы потом, в нужный момент — цоп! — и сделать его мужем. Она и к собственному замужеству в свое время подошла серьезно, и к брачным перспективам дочери отнеслась не легкомысленно. Есть такие мамаши, которые считают, что сначала надо школу окончить и образование получить, а уж потом, лет в двадцать пять, думать о замужестве, Зинаида же Васильевна к таковым не относилась, образованность ценила только у мужчин, а единственным предназначением женщины считала замужество и материнство, для подготовки к которым рано никогда не бывает. И вообще, чем раньше — тем лучше, пока молодая и здоровье есть. К такой штуке, как «девичья честь», она относилась как к оружию, которым надо умело и правильно воспользоваться, то есть не пускать в ход при каждом удобном случае, а применить один раз, но метко.

— Ты не отвлекайся, — сердито оборвал его излияния Камень, — начал про Клару, а теперь на Зине застрял.

— Ничего я не застрял, потому что Клара позвонила Зине, и я же должен тебе объяснить Зинину позицию, — стал оправдываться Ворон, которому эта самая «Зинина позиция» была на самом деле куда интереснее многих других вещей. Ворон, как мы уже знаем, был неисправимым романтиком, поэтому все, что касалось любви и прочих сопредельных с любовью обстоятельств, трогало его до глубины души. — Ну вот, значит, звонит Клара Зине и просит помочь, дескать, у Родика сессия начинается, а у нее так много работы, так много — просто не продохнуть, потому что она как опытная машинистка взяла срочную халтуру, а дома у нее пишущей машинки нет, и она с этой халтурой остается по вечерам на кафедре, и муж и сын у нее совершенно без пригляда остались, а у Любочки все равно зимние каникулы в школе, так не поможет ли она по хозяйству? Приготовить, в квартире убраться, постирать, погладить и все такое. Сечешь, куда дело покатилось? — И Ворон хитро прищурил круглый блестящий глаз.

— Секу. А мама Зина что?

— Ну а что? Согласилась, натурально. Ой, эти бабы... Хитрющие они — спасу нет. Клара с Зиной сперва по телефону почирикали, а уж как Клара почуяла, что Зина вроде как ее замысел просекла и не возражает, тут Клара осторожно так предлагает, дескать, нам бы, уважаемая Зинаида Васильевна, встретиться бы с вами наедине, почаевничать, покалякать о делах наших скорбных.

— Почему о скорбных? — Если бы Камень обладал мимикой, он бы нахмурился.

— Да не обращай внимания, это я так брякнул, для красного словца. Сериал один смотрел в России, про послевоенных бандитов, там один самый главный бандит так говорит. В общем, встретились они дома у Романовых, Клара улучила момент, когда Христофорыч на ученом совете заседал, а Родик к приятелю ушел в гости. Зина как увидела профессорскую квартиру — так и обмерла, по сравнению с их комнатой в многосемейном бараке это были просто-таки царские хоромы. И обстановка богатая, мебель всякая старинная, Христофорычу еще от родителей досталась. И поняла Зина, что Родислав — это тот шанс, упускать который никак нельзя, тем паче Клара вроде бы тоже за. Сначала они так осторожненько разговаривали, друг дружку прощупывали, приглядывались, принюхивались, а потом Клара и говорит, что, мол, жаль, дорогая Зинаида Васильевна, что Любочка ваша мала еще, лучшей жены для Родика я и не пожелала бы, такие, как она, сегодня на вес золота, днем с огнем не сыщешь, нынешние-то девахи все наглые, безнравственные, по хозяйству ничего не могут, только джаз им подавай, танцульки до упаду, туфли на шпильках да блузки прозрачные — тьфу, срамота! Зина намек поняла и отвечает, что, мол, не так уж Любаша и мала, ей через месяц шестнадцать стукнет, через два года можно и под венец, если по общему закону, а ежели какие пикантные обстоятельства случатся — так хоть прямо сейчас распишут. Ну, Клара тут глазки потупила и отвечает, что пикантные обстоятельства, конечно, вещь полезная, но неизвестно, как другие члены семьи к ним отнесутся. Это мы с вами, уважаемая Зинаида Васильевна, женщины передовых взглядов и о семейном счастье и методах его строительства понятие имеем одинаковое, а вот что ваша строгая старорежимная свекровь скажет? И ваш уважаемый супруг, о крутом нраве которого она от Родика наслышана? Уж не знаю, правда ли это, но говорят, когда Тамарочка ваша вместо института в ПТУ поступила на парикмахера учиться, супруг ваш оченно гневался и несколько месяцев с непослушной дочерью не разговаривал, чего же ожидать, если и другая дочь вместо того, чтобы образование получать, в декрет прямиходом со школьной скамьи отправится? Тут Зине крыть нечем стало, свекровь и мужа она боялась и насчет их лояльного отношения к ранней беременности не обольщалась. Анна Серафимовна и Николай Дмитриевич не скрывали своего мнения насчет того, что современный советский человек, даже если он — женщина, должен иметь профессию и твердо стоять на собственных ногах, причем профессия должна быть приличной и уважаемой, а не «мытье грязных волос в каморке при банно-прачечном комбинате», как они именовали профессию парикмахера. Слово за слово — и дамочки наши порешили, что надо сделать все от них зависящее, а там уж как бог пошлет. Главное — всячески поспособствовать тому, чтобы дети как можно чаще бывали вместе и ни на кого другого не отвлекались. А уж их материнское дело — объяснить своим чадам, с кем можно и нужно вступать в брак и кто для этого является самой лучшей кандидатурой.

— Заговорщицы, блин, — протянул Камень. — Старые сводницы. Все равно у них ничего не выйдет, ты же говорил, что Родик женится на Аэлле.

— Так это же и интересно! — с воодушевлением воскликнул Ворон. — Люба его любит, родители хотят, чтобы они поженились, а он все равно по-своему сделал.

— Характер проявил. Вот уж не ожидал от него, честно говоря. По твоим рассказам я его совсем другим представлял.

— Может, это не он характер проявил, а Аэлла. — Ворон сально ухмыльнулся.

— Ты что, вперед заглядывал? — набросился на друга Камень. — Как тебе не стыдно? Мы же договаривались, что ты смотришь честно, вперед не забегаешь и в конец не заглядываешь. Ну что это такое... — расстроился он.

— Да я только один разочек, — виновато закурлыкал Ворон, — я случайно туда попал, увидел их и посмотрел немножко. Совсем немножко, вот ей-богу. Ну не возвращаться же назад, если уж так точно попал!

— Не смей мне ничего говорить! И слушать не стану! Я хочу все по порядку, последовательно, а ты мне все удовольствие портишь. Давай с того места, где ты остановился. Значит, Клара и Зинаида договорились...

— Ну да. Договорились и спроворили Любу на все зимние каникулы ухаживать за Родиком и Христофорычем. Люба, конечно, с восторгом согласилась, а Родику вроде и все равно, а вроде и приятно, в общем, я не очень понял. Пирожки, которые она пекла, он уплетал за обе щеки и нахваливал, и рассольником не брезговал, и жаркое рубал, и рубашечки, настиранные и наглаженные, с накрахмаленными воротничками, тоже не гнушался надевать, а вот насчет того, чтобы приобнять или хотя бы за руку подержать — такого не было. Во всяком случае, я не видел, — осторожно добавил Ворон. — Потом у Любы каникулы закончились, а у Родика сессия в самом разгаре, так она каждый день после школы к нему бежала, обедом кормила, ковры пылесосила, рубашки гладила, потом сидела тихонько в уголке и свои уроки делала, пока не подходило время мужиков ужином кормить. Клара-то сработала строго по легенде, якобы у нее срочная халтура, и приходила домой часов в десять. А тут и сессия закончилась, у Родика начались каникулы, и вроде бы Любина помощь уже не так нужна, но Клара не отступается, ты, сынок, говорит, не должен быть неблагодарным, Любочка на тебя все каникулы свои школьные потратила, и даже когда занятия начались, все равно помогала, ты должен ей отплатить чем-нибудь приятным. Пригласи ее в театр или на выставку, погуляйте вместе, посидите в кафе, поешьте пирожных, я тебе и денег дам ради такого случая. И обязательно купи ей цветы, неприлично встречаться с красивой девушкой и не подарить цветы.

— А Родик что?

— Ну как что? Согласился. Он же послушный сын. И потом, Клара уже не в первый раз выступает насчет благодарности, с этого же их знакомство началось, так что Родик воспринял слова матери как должное и ничего не заподозрил. Взял у Клары деньги, купил билеты в театр, пригласил Любу, принес ей гвоздики какие-то занюханные, сперва они в кафе посидели, потом спектакль посмотрели, потом он ее домой проводил, все как положено. А Люба-то такой красавицей смотрелась! Уж Зина ее нарядила как куколку, свой самый лучший наряд отжалела, Тамара ей косу распустила и красивые крендели навела, в общем, не Люба получилась, а картинка. И вот тут-то Родислав ее и разглядел. Вот тут-то все и случилось.

— Что? — встрепенулся Камень. — Что там случилось?

— Да поцеловал он ее, вот что случилось! Не в губы, конечно, не по-настоящему, а так, в щечку только, на прощание, но все-таки! Это ж первый раз, когда он себе такое позволил. Он вообще еще ни с кем до этого не целовался.

— Сопляк! — презрительно изрек Камень. — Восемнадцать лет, а еще не целовался ни разу. Другие вон в четырнадцать уже сексом занимаются в полном объеме, а он до восемнадцати все невинность соблюдает.

— В четырнадцать? А в двенадцать не хочешь? Только это в другую эпоху было, попозже, когда акселерация началась и всякая там сексуальная революция, анархия и разврат. Ну и пораньше тоже было, во времена Средневековья, когда в тринадцать лет уже женились вовсю. Марию Стюарт, между прочим, замуж выдали, когда ей было пятнадцать, а ее мужу — всего четырнадцать, а невестой она вообще с шести лет считалась, когда ее в дом жениха взяли, и ничего.

— Вот именно, что ничего, — пробурчал Камень, как всегда, расстроенный тем, что перепутал времена и нравы. — Мужем и женой они так и не стали. Ну ладно, дальше рассказывай.

— Ну а дальше Родик зачастил со свиданиями. У него в

университете друзей полно было, и парни, и девушки, только он с ними очень уставал, потому что общение требует напряжения, если хочешь быть на уровне, молодежь — она такая, если фасон не держишь, с тобой никто водиться не будет. Надо быть модным, любить джаз, быть в курсе литературных новинок и уметь рассуждать о них с утомленным и слегка циничным видом, в общем, там много чего надо, и Родик всему этому научился, только сильно утомлялся. А с Любой он отдыхал, расслаблялся, он для нее и без того самый лучший и самый умный. И потом, он разглядел, как она хороша собой, статная, широкобедрая, кожа белая, глаза огромные, выразительные, волосы густющие, коса толстенная, ноги длинные, грудь красивая, высокая. Не девушка — конфетка! Люба в глаза ему заглядывает и в рот смотрит, а мать дома подзуживает, дескать, какая хорошая девушка, не чета этим твоим университетским чувихам, которым лишь бы в твисте задницей крутить да портвейн хлестать наравне с парнями. И знаешь, Родик как-то втянулся, привык с Любой встречаться, гулять с ней, в кино ходить, иногда в театр или на выставку, скучал даже без нее. А уж она-то как была счастлива! Так полтора года, почитай, и протянули. Летом Анна Серафимовна опять было на дачу собралась, но Зина уперлась — и ни в какую! Тамара учится, у нее вместо каникул производственная практика, самой Зинаиде и Николаю Дмитриевичу трудно каждый день после работы мотаться на электричке за город, а утром вставать с петухами и отправляться на работу, это когда девочки были маленькие, приходилось мириться с трудностями, а сейчас никакой необходимости в даче нет. На самом деле Зинаида просто не хотела разлучать Любу с Родиком: Клара Степановна заблаговременно сообщила ей, что Романовы в этом году на дачу не поедут, потому что к Евгению Христофоровичу приехали родственники из Вологды, целых четыре человека, и приехали надолго, и где же их поселить, как не на даче. А уж когда Люба десятый класс закончила, вот тогда все пошло быстрее. Это уже шестьдесят третий год был...

* * *

1963 год начался с утрат. В феврале скоропостижно скончался Михаил Михайлович Бобневич, сначала вроде бы простудился, потом оказалось, что это пневмония, и закончилось все отеком легких. Тамара очень горевала, она дорожила дружбой со старым библиотекарем и впервые в жизни ощутила настоящую потерю. Но дома приходилось делать вид, что все в порядке, ведь о том, что в жизни Тамары был старик Михаил Михайлович, не знал никто, кроме Любы и актрисы Венявской. На похоронах Бобневича она давилась слезами, но старалась держаться: рядом стояла старенькая Юлия Марковна Венявская, которую нужно было поддерживать. Во время поминок, организацию которых взяла на себя Тамара, Юлия Марковна сказала:

— Наверное, мне совсем мало осталось. Я сегодня поняла, что вместе с Мишей ушло то последнее, что меня еще здесь держало. Ведь он всю жизнь меня любил, даже когда женился, полвека любил, и я всегда это знала, и меня это согревало. Я никогда не отвечала на его чувство, но знала о нем, и это было для меня огромное моральное подспорье. Сегодня из-под меня словно опору выдернули. Я только сейчас поняла, как много Миша для меня значил.

Слова Юлии Марковны оказались пророческими, она начала быстро угасать и через два месяца умерла. Ее похоронами Тамаре заниматься уже не пришлось, всю организацию взял на себя театр, в котором старая актриса прослужила четыре десятка лет. И снова Тамара горевала и переживала утрату, но на этот раз переживала открыто: о ее дружбе с Юлией Марковной в семье знали.

Со смертью Венявской вопрос о даче закрылся сам собой: дача была государственной, и после кончины актрисы ее передали другому народному артисту.

Люба благополучно закончила школу и поступила в Институт народного хозяйства, она так и не придумала для себя более подходящего занятия, чем финансы, и решила, как и советовала ей сестра, стать экономистом. Теперь она, сняв наконец школьную форму и превратившись в студентку, чувствовала себя ровней Родику, то есть совсем взрослой. Зинаида осталась к успехам Любы равнодушной, для нее главным было семейное счастье дочери, а какая у той будет профессия — совершенно неважно, не имеет это ровно никакого значения, лишь бы муж был хороший и детки здоровые. Вот Тамарина профессия Зину беспокоила, потому что с такой профессией и внешностью старшей дочки ей замуж не выйти, это уж как пить дать, а за Любу волноваться нечего, такая красавица, по мнению Зины, без мужского внимания не останется, главное, чтобы глупостей не наделала и какого-нибудь неправильного жениха в дом не привела. Но и тут Зинаида была относительно спокойна: вроде бы с Родиславом Романовым отношения у Любы делались все более тесными. Или ей только так казалось?

В целях укрепления позиций Зинаида начала исподволь намекать младшей дочери на то, что пора бы по-умному распорядиться богатством под названием «девичья честь». Если Люба сделает все, как надо, то никуда Родик не денется, потому что, даже если окажется, что он бесчестный и непорядочный, на страже интересов Любы всегда в полной боевой готовности стоит Клара Степановна, которая не допустит, чтобы ее сын «поматросил и бросил», да и Евгений Христофорович — человек старой закалки, нынешних свободных нравов не приемлет и требуемое воспитательное воздействие на сына непременно окажет. Люба краснела, смущалась и делала вид, что намеков матери не понимает. Однажды свидетелем такого разговора стала Тамара, которая своего возмущения не скрывала.

— Как тебе не стыдно! — Она даже голос на мать повысила. — Чему ты ее учишь? Ты сама-то соображаешь, что говоришь? Если вдруг окажется, что Родька бесчестный и непорядочный, зачем Любке такой муж? Хочешь любыми средствами его захомутать — так это не вопрос, было бы умение, а вот жить с ним потом как? Жить-то с ним Любане придется, а не тебе, и ты что, хочешь, чтобы она всю жизнь мучилась рядом с бесчестным и непорядочным мужем? Если Родька захочет на ней жениться, он и так женится рано или поздно, а если не хочет, а вы его заставите, то все равно это будет не жизнь, а сплошное мучение. И вообще, хитростью заманивать мужика под венец — это унизительно.

Зина пожала плечами:

— Много ты понимаешь! Это вы, молодые, пороху не нюхали и не можете сообразить, с кем вам хорошо будет жить, а с кем плохо, а мы, ваши родители, все видим и заранее знаем, за кого вам надо замуж выходить, чтобы создать крепкую семью. Родислав — очень подходящий муж для Любаши, я тебе точно говорю, она с ним будет счастлива.

— Да не подходящий он, а богатый, с папой-профессором и большой квартирой, вот и все твои резоны! — продолжала бушевать Тамара. — И нечего мне тут рассказывать, что вы все знаете, потому что вы взрослые, мы с Любкой тоже уже не маленькие и как-нибудь сами разберемся, как и с кем нам жить.

— Вот я и смотрю, что ты уже разобралась! — Зина тоже не выдержала и сорвалась на крик. — Парикмахером она будет, посмотрите на нее! Будешь целыми днями в сальных волосах ковыряться, стоять в идиотском застиранном халате по многу часов, да через два года у тебя от такой работы все вены на ногах повылезают, и так-то бог красоты не дал, а на своей расчудесной работе вообще в уродину превратишься, так до самой смерти в старых девах и просидишь. Любочка хоть приличную профессию себе выбрала, будет ходить на работу в красивых платьицах и элегантных костюмчиках, станет бухгалтером на предприятии, а ты? Глаза бы мои на тебя не смотрели!

— Да и не смотри, больно надо!

Тамара схватила плащ, выскочила из комнаты, хлопнув дверью, и выбежала на улицу. Идти было некуда, но и оставаться в одном помещении с матерью ей в этот момент не хотелось. Через несколько минут следом за ней вышла расстроенная Люба, заметила сидящую на лавочке сестру и устроилась рядом.

— Ну чего ты, Том, — она ласково взяла Тамару за руку, — мама же хочет как лучше для нас.

— Лучше?! — снова взорвалась так и не успокоившаяся Тамара. — Это по ее правилам так будет лучше, а по моим — только хуже. И по твоим тоже. Ты же хочешь, чтобы Родик тебя любил, правда?

— Правда.

— Ты же не хочешь, чтобы он на тебе женился без любви, правда?

— Конечно, не хочу. Я хочу, чтобы он по любви женился. Без любви мне не надо.

— Вот то-то и оно. А мать послушать, так все равно, есть любовь или нет, главное, чтобы штамп в паспорте был и чтобы мужика побыстрее детьми к себе привязать. Любка, ты смотри не вздумай делать, как она советует, добра от этого не будет, — строго предупредила Тамара.

— Да я и не собираюсь, — смущенно пробормотала Люба. — Том, а ты не знаешь, нам скоро квартиру дадут?

— Папа говорит, что скоро, мы же на очереди давно стоим. Наш барак расселять будут, и всем дадут квартиры в пятиэтажке. А что? Ты уже о замужестве задумалась?

— Да нет, я про торшер мечтаю. Знаешь, если нам дадут квартиру, давай мы в нашу с тобой комнату торшер купим, а? И столик маленький на тонких ножках, я в одном журнале видела, такой изящный! Будем на него книги складывать, а в середину салфеточку положим и вазочку поставим. Давай?

— Книги надо не на стол складывать, а на стеллаж ставить, — наставительно произнесла Тамара. — Ты что, думаешь, у нас с тобой будет пять книжек на двоих? Да если у нас с тобой будет своя комната, мы первым делом стеллаж купим, я к этому времени уже работать пойду, буду сама зарабатывать, и будем с тобой целыми днями по книжным магазинам бегать и хорошие умные книги покупать! И никаких салфеточек я тебе не позволю, имей в виду. Это ужасное пошлое мещанство.

— А вазочку? — с улыбкой спросила Люба.

— Вазочку, так и быть, можно, — разрешила сестра.

— А торшер?

— Это обязательно. Как же мы с тобой читать будем без торшера? Ой, Любка, Любка, — Тамара обняла ее и поцеловала в висок, — мечтательница ты моя! Как же я тебя люблю! А вдруг ты выйдешь замуж за своего Родика и переедешь к нему, с кем я буду в одной комнате жить? С Бабаней, наверное.

— Ну, с Бабаней-то хорошо, она тоже почитать любит, только она тебя салфеточками замучает, — засмеялась Люба. — И если ты купишь стеллаж, она вместо книг на него свою коллекцию поставит.

— Кошмар! — Тамара театрально схватилась за голову. — Я этого не вынесу! Любка, я тебя умоляю, не выходи замуж в ближайшие десять лет, не оставляй меня одну, не бросай на съедение этим апологетам мещанского образа жизни!

И сестры дружно расхохотались, моментально забыв о только что разгоревшемся дома скандале.

* * *

В октябре Клара Степановна достала два билета в Большой театр «на Плисецкую» и торжественно вручила Родиславу:

— Вот, пригласи Любочку, говорят, Плисецкая потрясающе танцует. Это будет воскресенье, приводи Любу к нам на обед, а потом вместе в театр поедете.

Люба была на седьмом небе от счастья: ей удастся посмотреть на саму приму-балерину Большого! Галину Уланову ей увидеть на сцене не довелось, и Люба очень об этом сожалела, но зато теперь она увидит Майю Плисецкую, про которую даже в «Правде» писали и которая в Америке произвела настоящий фурор.

С самого утра в воскресенье Зинаида начала собирать дочь на свидание, ведь это не просто очередная встреча с Родиком, а визит в дом его родителей, надо надеяться — будущих родственников. И хотя приглашение на воскресный обед было не в новинку, Зинаида почему-то именно в этот раз решила отнестись к сборам более ответственно.

— Возьми мои туфли, — она вынула из коробки и поставила на пол пару изящных серых туфелек на высокой шпильке, — будешь в них хорошо смотреться.

Размер ноги у матери и Любы был одинаковым, и девушка без колебаний встала на каблуки. Встала — и тут же села.

— Мам, я не смогу, — жалобно простонала она, — я заваливаюсь. В них же невозможно ходить!

— Очень даже возможно! — сердито ответила Зинаида. — Я же хожу, значит, и ты сможешь. И нечего капризничать, вставай и ходи по комнате, пока не обвыкнешься.

— Может, не надо? — робко попросила Люба.

В туфлях было отчаянно неудобно, они оказались великоваты, совсем чуть-чуть, но и этого было достаточно, чтобы Любина нога вихляла на тонкой шпильке из стороны в сторону.

— Очень даже надо, — решительно произнесла мать. — Ты наденешь вот это мое платье, оно совсем прямое, и без шпильки ноги будут смотреться как колоды.

— Я могу надеть блузку и широкую юбку в клеточку с пояском, — предложила Люба свой любимый наряд, в котором она уже несколько раз ходила с Родиком в кино. — Тогда можно без шпильки.

— С ума сошла! В Большой театр — в юбке в клеточку! Ты соображаешь, что говоришь, Любаша? Билеты достала Клара Степановна, наверное, у них там в университете распространяли, на спектакле будут ее знакомые, которые знают Родика, и что они подумают, когда увидят его с девушкой, одетой, как будто она в сельский клуб собралась? Что они потом Кларе Степановне скажут? Что ее сын связался с деревенщиной, у которой ни вкуса нет, ни воспитания? Ты наденешь вот это мое платье, оно светлое, нарядное, строгое, я еще тебе вот сюда брошечку приколю...

Люба сдалась, молча натянула на себя мамино платье, терпеливо стояла, пока Зинаида искала, куда бы приколоть крупную блестящую брошь, чтобы она выигрышней смотрелась, и начала послушно ходить взад-вперед по комнате, приучаясь держать баланс в болтающихся на ногах туфельках.

Когда пришла Тамара, которую посылали на рынок за продуктами, Люба уже чуть не плакала от боли — оказалось, что туфли еще и натирают ей пятки. Тамара несколько секунд смотрела на сестру безумными глазами, потом схватила ее за руку и вытащила в длинный коридор, заставленный велосипедами, вешалками и тумбочками.

— Ты что, обалдела? — прошипела она. — Ты что на себя напялила?

— Это не я, это мама, — стала оправдываться Люба. — Я хотела свою любимую юбку из «шотландки» надеть с белой кофточкой, а она не разрешила, и еще туфли на шпильках заставляет носить, а я не могу, у меня ноги болят, они трут очень...

— Любка, тебе семнадцать лет, а ты вырядилась, как замужняя дама. У тебя глаза вообще есть? Ты чем смотришь? Платье кремовое, туфли серые — ну куда это годится? А брошка эта чудовищная? Это же писк, только не моды, а мещанства! Она здесь ни к селу ни к городу, молодые девушки не носят броши, это не гармонично. Ну ладно маманя, она у нас с тобой дурища, каких поискать, но ты-то, ты-то? Ты зачем соглашаешься себя уродовать? Или, может, тебе нравится?

— Да нет, мне не нравится, но мама велит.

— Вот учу я тебя, учу — толку никакого! — с досадой воскликнула Тамара. — Да наплюй ты на то, что она велит, в конце-то концов! Мамане уже за сорок, она и одевается, как солидная сорокалетняя дама, у нее все тряпки под этот возраст, а ты на себя напяливаешь. Куда тебе все это? Ты на себя посмотри, у тебя коса ниже пояса, а длинная коса — это признак юности, вот и одевайся соответственно своей прическе. А если хочешь выглядеть старше — давай я тебя постригу, тогда, может, и маманино тряпье сойдет.

Выглядеть старше Люба, конечно, хотела, и расстаться с косой мечтала уже давно, ведь это ж сколько хлопот с такими длинными густыми волосами! Да их мыть замучаешься! Но родители и Бабаня даже слышать об этом не хотели, а пойти против их воли Люба не смела. Она уже собралась было в очередной раз пожаловаться на это сестре, как вдруг зазвонил висящий на стене коридора телефон. Люба схватила трубку и услышала голос Родика, который звучал как-то странно:

— Это ты? Я не знаю, что мне делать...

— Что случилось?! — переполошилась Люба.

— Мама ушла в магазин, а папа... я не знаю... кажется, он умер...

— Что?! — ахнула Люба.

— Я вошел к нему в кабинет, а он лежит головой на столе и не дышит... Я его зову, зову, а он не откликается... Может, надо «Скорую» вызвать?

— Ну конечно, надо! Конечно! Звони быстрей в «Скорую», а я сейчас приеду! Только ничего не бойся, все будет хорошо, слышишь? — закричала она в трубку.

Забежав в комнату, Люба схватила сумочку, скинула ненавистные туфли, сунула ноги в свои старенькие разношенные туфельки, накинула пальто и помчалась к автобусной остановке. В доме рядом с остановкой кто-то настежь распахнул окно, и на улицу вырвался жизнерадостный голос:

— Говорит радиостанция «Юность»!

Как там Родик? Ему, наверное, очень страшно, может быть, его опять тошнит, а сейчас приедут врачи из «Скорой» и увидят, какой он бледный и весь в испарине, и он будет стесняться и переживать...

— Композитор Аркадий Островский, стихи поэта Льва Ошанина, «А у нас во дворе», исполняет Иосиф Кобзон.

> А у нас во дворе
> Есть девчонка одна...

Неужели кому-то может быть интересно про «одну девчонку», когда у Родика беда? Ну где же этот автобус! Родик там совсем один, даже если Клара Степановна сейчас вернется из магазина, она ему ничем не поможет, потому что тоже испугается и впадет в панику, а если Родика начнет рвать, то она испугается еще больше.

> Есть дружок у меня,
> Он мне с детства знаком...

Певец продолжал задушевным голосом петь про девчонку, которой он смотрит вслед и в которой «ничего нет», и Люба подумала о том, что в ней ведь тоже ничего нет, и раньше она всегда об этом думала и из-за этого расстраивалась, а вот выходит, если послушать песню, что и таким девчонкам смотрят вслед и глаз отвести не могут.

И еще она совсем некстати подумала, что, если бы у нее был модный плащ-болонья, как вон у той девушки, которая переходит дорогу, ей не пришлось бы париться сейчас в тяжелом драповом демисезонном пальто. Октябрь стоял теплый, и Люба, промчавшись бегом от дома до остановки, взмокла в мамином платье из плотной ткани и в этом старом пальто, которому сто лет в обед.

Наконец пришел автобус, но от остановки до остановки он тащился так медленно, что Любе впору было выскакивать и бежать впереди него. Через четыре остановки она вышла и села на метро и уже через двадцать минут звонила в дверь Романовым. Впрочем, она могла бы и не звонить — дверь была не заперта.

Открыл ей Родик, лицо серое, губы дрожат.

— Папу увезли, — только и сказал он.

— Как быстро! — удивилась Люба. — А я еще удивилась, что возле подъезда кареты «Скорой» нет, думала, они еще не приезжали. В какую больницу его увезли?

— Его в морг увезли, — выдавил Родик. — Хорошо, что ты приехала, мне с тобой легче. Мама там, — он махнул рукой в сторону гостиной, — плачет. Я не знаю, что делать.

Люба в первый момент оцепенела, но быстро взяла себя в руки, едва услышав «я не знаю, что делать». Конечно, у людей такое горе, такое большое внезапное горе, совершенно естественно, что они растерялись и не знают, что делать, потому она, Люба, здесь и находится, чтобы прийти на помощь, успокоить, утешить, сделать все, что нужно. Она постаралась вспомнить все, что рассказывала Тамара о смерти Михаила Михайловича.

— Справку о смерти вам выписали? — деловито спросила она.

— Да... кажется... они какую-то бумажку написали, но я не смотрел...

Люба решительно взяла Родика за руку и повела в комнату. Надо обязательно что-нибудь говорить и заставить его что-нибудь делать, чтобы вывести из шока, этому ее еще Бабаня учила, давно-давно.

В комнате на диване сидела Клара Степановна и смотрела перед собой ничего не видящим взглядом. Люба остановилась в замешательстве, ей очень хотелось подойти к женщине, обнять, поцеловать, посочувствовать, сказать что-нибудь ласковое и утешительное, но Бабаня говорила, что делать этого ни в коем случае нельзя, что нельзя, нельзя позволять человеку сосредоточиваться на своем горе, надо тормошить его, отвлекать и заставлять жить дальше. И еще Любе хотелось обнять Родика, и чтобы он заплакал у нее на плече, но раз нельзя — значит, нельзя.

— Клара Степановна, вам дали справку о смерти? — спросила она, словно не видя, в каком состоянии мать Родика.

— Справку... да, там лежит... — безразличным голосом произнесла Клара.

Люба нашла документ, аккуратно сложила пополам и сунула в свою сумку.

— Значит, так. Мы с Родиком завтра пойдем в ЗАГС, получим свидетельство о смерти, и тогда уже, когда свидетельство будет на руках, поедем в бюро ритуальных услуг договариваться насчет похорон.

— Не надо, — слабо махнула рукой Клара, — кафедра все сделает, Евгений там столько лет проработал...

— Ну хорошо, — согласилась Люба, — но свидетельство все равно мы должны получить. И надо подумать, в чем хоронить, костюм, рубашка, ботинки, носки, платок носовой обязательно.

— Господи, какая ерунда, — простонала Клара. — Платок-то зачем?

— Так положено, — строго ответила Люба. — Есть правила. Вы кому-нибудь уже сообщили?

— Я... нет... я не могу, — и Клара Степановна зарыдала.

Люба вывела Родика из гостиной и прошла вместе с ним в кабинет Евгения Христофоровича.

— Где папина записная книжка? — спросила она. — Надо найти телефоны его сотрудников и позвонить, сообщить о несчастье. Во-первых, чтобы завтра они его не ждали на работу, а во-вторых, чтобы завтра прямо с утра начали заниматься организацией панихиды и похорон. С панихидой знаешь сколько хлопот! Надо, чтобы зал был, и зал надо подготовить, зеркала закрыть, украшения снять и все такое, так что надо людей предупредить заранее. Кстати, зеркала и в квартире надо закрыть.

— Зачем?

— Так положено, есть правила, — повторила Люба. — Поминки тоже университет будет устраивать?

— Не знаю, — растерялся Родик.

— На всякий случай надо подготовиться к тому, что поминки будут у вас дома. Скорее всего, так и случится, панихиду и похороны организует университет, а уж поминки устраивает семья, если человек не одинокий. А если одинокий, то друзья или родственники. Значит...

Родислав не дослушал ее, опустился в отцовское кресло и беззвучно заплакал. И снова Любе захотелось обнять его, прижать к себе, пожалеть, но каким-то двадцатым чувством она поняла, что делать этого не стоит. Родик, конечно, размякнет в ее объятиях, заплачет сильнее, может быть, даже разрыдается, но потом его трудно будет успокоить, и он не простит себе своей слабости и того, что допустил эту слабость в ее присутствии. Хотя мало ли слабостей он при ней допускал? Не впервой. Но все равно, — подсказал Любе внутренний голос, — не надо. Делай вид, что ничего не случилось и ты ничего не заметила, продолжай все время что-нибудь говорить, чтобы ему волей-неволей пришлось тебя слушать и вникать, тогда он не уйдет в свое горе с головой. «Чужой голос, даже если он мелет сущую ерунду, — это как спасательный круг для тонущего, когда человек в шоке», — учила Бабаня. Люба, когда была маленькой, не понимала, зачем Анна Серафимовна учит ее таким вещам, и только теперь поняла всю пользу бабушкиной науки. А вот насчет зала для панихиды и его подготовки Люба узнала, когда умерла Юлия Марковна, и мысленно похвалила себя за то, что не забыла и об этом.

— Значит, так, — деловито продолжала она, — мы с тобой сейчас поищем у вас в шкафах, чем можно закрыть зеркала, а маме скажи, пусть готовит костюм и все прочее для папы. Потом я посмотрю, что у вас в холодильнике делается, и приготовлю обед. Но первым делом, конечно, надо обзвонить людей.

Она взяла с письменного стола перетянутую аптечной резинкой записную книжку Евгения Христофоровича в потертой кожаной обложке и с выпадающими страницами. Самой разобраться Любе не удалось, почерк у профессора был мелким и невнятным, она нашла на букву К слово «кафедра», но сообразила, что в воскресенье там, наверное, никого нет. На всякий случай набрала номер, но ей никто, конечно, не ответил.

— Ты помнишь фамилии папиных сотрудников?

— Что? — тупо переспросил Родик.

— Я спрашиваю, ты знаешь по фамилиям тех людей, которые с ним работают? Мне нужно найти в книжке их телефоны.

— А... да...

Он назвал несколько фамилий, Люба отыскала номера телефонов, позвонила, вежливо представилась и сообщила печальную весть. Ее заверили, что семья не должна ни о чем беспокоиться, все будет сделано, подготовка к похоронам заслуженного ученого начнется немедленно, только документ — свидетельство о смерти — надо будет подвезти в деканат факультета или прямо на кафедру. Люба пообещала, что завтра с утра этим займется.

Они долго искали в шкафах подходящую материю, потом закрывали зеркала, возились со стремянкой, без которой невозможно было справиться с высоким, под потолок, старинным зеркалом, стоящим в прихожей, и Родик как будто немного ожил. Клара Степановна продолжала в оцепенении сидеть на диване, и Любе пришлось самой искать похоронную одежду для Евгения Христофоровича, но мало-помалу ей все-таки удалось хотя бы чуть-чуть растормошить мать Родика.

— Клара Степановна, посмотрите, какой костюм, этот, темно-синий в полоску, или коричневый?

— Клара Степановна, вот я подобрала три рубашки, посмотрите, какую из них взять?

— Клара Степановна, как вы считаете, ботинки взять новые или ношеные?

— А носки взять целые или можно с дырочкой? Или хотите, я дырочку сейчас заштопаю?

— Где у вас носовые платки? Нет, стираные не годятся, нужно обязательно новый. Нету? Ладно, я завтра куплю.

— У вас есть черный платок или шарф, голову покрыть? На похороны нужно. Где он лежит? Давайте я приготовлю вам заранее, а то вы потом забудете или не найдете.

— У вас есть черное платье? Нет? А черная юбка и черная кофточка? Хорошо, я сейчас все найду, поглажу, приготовлю. Ой, а кофточка у вас несвежая, ее надо постирать, сейчас я быстренько выстираю, а завтра поглажу. Какую Родику одежду приготовить?

— Спасибо тебе, Любочка, ты так хлопочешь, — наконец проговорила Клара. — У меня ни на что нет сил, кажется, я с этого дивана никогда не смогу подняться. Все так неожиданно случилось... Господи, еще утром все было хорошо, я так радовалась, что ты придешь к нам на воскресный обед, побежала в магазин, а там длинная очередь за мясом... В воскресенье все магазины в округе закрыты, только этот гастроном работает, так в нем всегда такие очереди... Будь он проклят, этот магазин! Если бы не очередь, я бы раньше вернулась домой и, может быть... — она не договорила и снова заплакала.

Люба поспешила перевести разговор в более безопасное русло.

— Если вы мясо купили, то давайте я вам котлет нажарю, хотите? Или, если хотите, жаркое сделаю. Или отбивные, если мясо хорошее. А суп вам какой сварить?

— Суп? — всхлипнула Клара Степановна. — Какой суп? Ах суп... Наверное, борщ, я для борща все взяла, там, на кухне, кошелка... Да кто его есть будет, этот борщ!

— Не говорите глупости, — строго сказала Люба. — Вы будете есть, и Родик будет, и я с вами пообедаю, и на завтра еще еда останется, завтра же тоже кушать надо будет. Кушать надо обязательно, а то сил не будет.

— Сил? — горько усмехнулась Клара. — Да кому они нужны, эти мои силы? Жизнь потеряла смысл, Евгения Христофоровича больше нет, а ты говоришь — сил не будет...

— И это тоже глупости, — уверенно ответила девушка. — У вас сейчас шок от горя, поэтому вы так говорите, а вот пройдет три дня, мы Евгения Христофоровича похороним, попрощаемся с ним, вы придете домой с Родиком и поймете, что теперь придется жить дальше, пусть как-то по-другому, иначе, не так, как раньше, но все равно жить. А чтобы жить, надо нормально питаться, и работать тоже надо, чтобы на питание зарабатывать.

И этому ее научила Анна Серафимовна, и Люба еще раз вспомнила бабушку добрым словом. А ведь как удивлялась, когда Бабаня ей все это объясняла! Дескать, зачем? Для чего нужно, когда все вокруг живы и здоровы и будут живы и здоровы всегда, учиться, как разговаривать и вести себя с людьми, потерявшими близких?

Клара Степановна подняла голову, внимательно посмотрела на Любу, и губы ее тронула едва уловимая смутная улыбка.

— Ты хороший человек, Любаша, очень хороший. И умница, большая умница. Мы без тебя пропали бы. Помоги мне дойти до ванной, я хочу умыться.

Люба отвела ее в ванную, слегка придерживала за плечи, пока Клара Степановна умывалась, подала ей полотенце. Заметив, что Кларины глаза снова наполнились слезами, Люба спросила:

— Так что вы решили насчет мяса? Котлеты или жаркое?

— Давай у Родика спросим, что он скажет — то и приготовим, — ответила Клара уже более спокойным голосом.

От Любы не ускользнул глагол «приготовим» — стало быть, Клара собирается находиться вместе с ней на кухне. Ну что ж, это очень хорошо, это добрый признак, если она не собирается возвращаться на свой диван, а хочет чем-нибудь заняться.

Люба заглянула в спальню, где Родик упаковывал в чемодан отобранную для похорон одежду.

— Готово? Молодец. Мама спрашивает, что ты хочешь на обед, котлеты или жаркое?

Родик уставился на Любу, словно она задала какой-то невероятный вопрос, не имеющий права на существование.

— Что? — нахмурился он. — Что ты спросила?

— Я спросила, что ты хочешь на обед, котлеты или

жаркое, — терпеливо повторила она. — На первое будет борщ, так Клара Степановна сказала.

— Мне все равно, — сухо ответил Родислав, всем своим видом показывая, что неприлично думать о борще и котлетах, когда в семье такое горе.

Люба смешалась, она сама себе в этот момент показалась бестактной и какой-то примитивной. Ну в самом деле, человек только что отца потерял, а она про котлеты... Но тут на помощь снова пришли бабушкины уроки.

— Это неправильно, — тихо, но твердо сказала она, — тебе не должно быть все равно. Любое падение начинается с маленького шажка вниз, проигранная битва начинается с незастегнутого воротничка у солдата. Тебе не должно быть все равно, что кушать, потому что завтра тебе будет все равно, во что ты одет, и ты наденешь сорочку с грязным воротником и дырявые носки, послезавтра тебе будет все равно, как ты учишься, потом тебе станет все равно, как ты работаешь, и вся твоя жизнь превратится в сплошное безразличие и покатится вниз. Когда человеку все равно, он не может сделать ничего хорошего, ничего полезного, он ничего не может создать, он может только прозябать. Ты посмотри вокруг: люди строят дома, собирают урожай, лечат больных, пишут книги и картины, снимают кино, в космос летают, работают на стройках, фабриках и заводах, значит, людям не все равно. Ты что же думаешь, ни у кого из них никто никогда не умирал? Никто из них горя не знал? Никто близких не терял?

Родислав отошел к окну, некоторое время молча стоял, повернувшись к Любе спиной.

— Извини. Ты, конечно, права, — наконец произнес он, не оборачиваясь. — Скажи маме, что я буду на обед котлеты.

Люба вместе с Кларой Степановной приготовила обед, потом помыла посуду, убрала и до блеска отмыла кухню, так в хлопотах, частью печальных, частью обыкновенных, и прошел день. К вечеру начались телефонные звонки, видно, те, кому Люба позвонила, сообщили горестную новость многим людям, и все хотели выразить сочувствие, принести соболезнования и предложить помощь. Примчалась вернувшаяся с дачи подруга Клары Степановны, и дом наполнился слезами и причитаниями двух женщин.

Люба стала собираться домой, и Родик вызвался ее проводить.

— Да что ты, не нужно, — пыталась отговорить его Люба. — Со мной ничего не случится, еще только восемь часов.

Родик упрямо покачал головой.

— Нет, пусть только восемь, но уже темно. И вообще, мне с тобой легче. Еще час с тобой побуду.

Если бы не смерть Евгения Христофоровича, Люба при этих словах запрыгала бы от счастья. Они оделись и вышли на улицу.

— Если ты не хочешь дома сидеть, может, погуляем? — робко предложила она.

— Давай, — Родик явно обрадовался.

Они пошли пешком в сторону Любиного дома.

— Ты завтра придешь? — спросил Родислав.

— Конечно. Нужно же помочь твоей маме, и потом, нам с тобой завтра в ЗАГС нужно за свидетельством.

Как будто он один не может сходить туда! Но Люба и мысли не допускала, что Родик может взять в руки справку о смерти отца, стоять в очереди, потом везти в университет свидетельство. Один! Да у него сердце разорвется. Нет, ни в коем случае, такие скорбные хлопоты обязательно нужно с кем-то разделить.

— А как же твои занятия в институте?

— Подумаешь, прогуляю.

— Не попадет?

— Да и пусть попадет, — спокойно ответила Люба и сама себе удивилась. Еще недавно Тамара говорила ей: «Да и пусть накажут», и слова эти казались Любе совершенно невероятными, неправдоподобными. Ну как это так — пусть накажут? Все люди стремятся избежать наказания, а Тамаре все равно. Теперь Люба вдруг ясно поняла, как это может быть, когда наказание кажется пустым, несущественным и не имеющим ровно никакого значения. Права была Тамара, когда есть цель, когда есть смысл, тогда все выстраивается вокруг этой цели и сразу становится очевидным, что является важным, а что — абсолютно неважным, ерундовым и не стоящим даже упоминания.

Люба почему-то думала, что всю дорогу до ее дома Родик будет говорить о своей утрате, о горе и боли, которые он испытывает, но он, против ожиданий, завел разговор о каких-то посторонних вещах, о новом номере журнала «Юность», о том, что Михаил Ботвинник уступил звание чемпиона мира по шахматам Тиграну Петросяну, а наши спортсменки Гаприндашвили, Зворыкина и Затуловская победили на женской шахматной Олимпиаде, о Мартине Лютере Кинге и его походе на Вашингтон, об Андрее Бегорском, которого забрали в армию и который пишет оттуда ему, Родику, очень смешные письма.

Перед самой дверью он снова поцеловал Любу в щеку, уже во второй раз.

Дома она стала раздеваться и вдруг увидела себя словно со стороны: кремовое вычурное платье, яркая брошка — какая глупость, господи, какая нелепость, трудно придумать более неподходящий наряд для пребывания в семье, где только что умер человек. Надо было не выскакивать из дома сломя голову, а хотя бы переодеться во что-нибудь скромное и темное. Но она ведь не знала, что Евгений Христофорович умрет, она собиралась в театр...

— Ну, как балет? — спросила Зинаида. — Понравилась Плисецкая?

— Я не была на балете. У Родика папа умер.

Зинаида принялась было плакать, но быстро успокоилась и выразила готовность завтра отпроситься на работе и ехать к Кларе помогать, на что Люба ответила, что помогать не нужно, все необходимое уже сделано или будет сделано завтра.

— Знаешь, Бабаня, — сказала Люба бабушке, — твои уроки мне очень пригодились сегодня. Спасибо тебе.

Анна Серафимовна ничего не ответила, только погладила внучку по голове.

Весь следующий день Люба занималась подготовкой к похоронам, вместе с Родиком получила и отвезла в деканат свидетельство о смерти, потом ходила по магазинам и ездила на рынок, закупая продукты и спиртное. Вторник она вместе с Кларой Степановной и двумя ее подругами провела на кухне у Романовых, резала салаты, мариновала мясо, варила кисель, пекла блины. Людей на поминки ожидалось много, человек сорок, если не больше, и они с Родиком пошли по соседям просить стулья, посуду и приборы. Похороны были назначены на среду.

Когда закончили с готовкой, Люба вымыла посуду и привела кухню в первоначальное состояние чистоты и идеального порядка. Подруги Клары Степановны уже ушли, время было позднее, она постаралась побыстрее все закончить и тоже ехать домой.

— Люба, — Родик появился на кухне так неожиданно и тихо, что она вздрогнула, — ты можешь остаться у нас ночевать?

— Зачем? — удивилась она. — Метро еще ходит, и автобусы тоже, я доеду, ты не беспокойся. В крайнем случае такси поймаю, у меня есть деньги.

— Не в этом дело, — он отвел глаза и замялся. — Я хочу, чтобы ты осталась.

— Зачем? — повторила она. — Что-нибудь нужно сделать? Мы что-то забыли?

— Да нет же! Я просто прошу тебя остаться.

— Но зачем?

— Я... боюсь.

— Чего ты боишься?

— Вот завтра мы придем туда... а папа там лежит в гробу... мертвый... холодный... Я боюсь. Не оставляй меня, Любаша, мне с тобой легче.

— Конечно, я останусь, — сразу же согласилась Люба. — Только надо домой позвонить, предупредить.

— Мама позвонит, поговорит с твоей мамой, так будет лучше.

— Ну хорошо, — пожала плечами Люба.

Мама так мама, какая разница, кто позвонит.

— Где мне спать? — спросила она. — В гостиной?

— Да, мама тебе постелит. Давай чайку выпьем.

Клара Степановна, сославшись на головную боль, ушла в спальню, накапав себе в мензурку успокоительного. Люба и Родик долго пили чай с печеньем Любиного изготовления, пока она не почувствовала, что засыпает, сидя на стуле.

— Пойдем спать, а то завтра трудный день, — предложила Люба.

Родик покорно встал и отправился в свою комнату. Люба улеглась в гостиной на диван в уверенности, что заснет, как только прикоснется головой к подушке, но уснуть отчего-то не удавалось. То ли место было чужим и непривычным, то ли она тоже волновалась перед завтрашними похоронами, но сна все не было, а была только какая-то болезненно-тяжелая одурь от физической усталости. Она все ворочалась с боку на бок, когда стеклянная двустворчатая дверь гостиной тихо приоткрылась.

— Люба, ты спишь? — послышался едва слышный шепот.

— Нет. А что случилось?

Родик, закутанный в плед, медленно вошел в комнату и сел на край дивана.

— Мне страшно. Поговори со мной. Когда ты со мной разговариваешь, мне легче.

Люба откинула одеяло, села рядом с ним, прижала его голову к своей груди и начала баюкать, как ребенка...

* * *

— Вот тут-то наконец все и случилось, — удовлетворенным тоном закончил Ворон очередную часть повествования.

— Что случилось? Он ее в губы поцеловал?

— Да все случилось, остолоп! Все, понимаешь? Короче, что надо — то и случилось. В общем, на следующий день они Христофорыча схоронили, и Люба на поминках была в роли молодой хозяйки, и все это восприняли как должное, и Романовы, и Головины. А через месяц, в конце ноября, Родик и Люба решили пожениться. Свадьбу назначили на июль, аккурат после летней сессии. В феврале Любе исполнится восемнадцать, тогда и заявление подадут. Регистрироваться планируют в Грибоедовском дворце, его как раз только недавно открыли, чтоб все честь по чести. Марш Мендельсона, лестницы, покрытые коврами, белое платье с фатой — кр-р-расота!

— Ты смотри, как у них далеко зашло! — удрученно произнес Камень. — Как же она, бедненькая, пережила, что Родислав на другой женился?

— Да отлично пережила! Я же тебе рассказывал, она на его свадьбе вся сияла и радовалась за подругу.

— Не-е-ет, — недоверчиво протянул Камень. — Тут что-то не так. Тут какая-то интрига. Ты там смотри, ничего не пропускай, а то не поймем, что и как. Прямо после похорон и начинай. Это середина октября была.

Ворон улетел «ничего не пропускать», а Камень предался печальным размышлениям о превратностях судьбы. Его зазнобило, и он начал было примерять к себе то грипп, то пневмонию, но внезапно понял, что это никакая не болезнь, а очередной незапланированный визит Ветра.

— Откуда ты явился? — недовольно пробурчал Камень. — Ишь, нанес тут мне сырости и зябкости. И без тебя погода поганая, а ты еще добавляешь.

— В Норвегии был, на фьордах, — радостно сообщил неунывающий и ни на кого не обижающийся Ветер. — Ох и здорово там! Летай — не хочу, просторы, воды много, людей мало, можно порезвиться, не боясь никого покалечить. А вы тут как?

— Ничего, кино вот смотрим.

— Про какую жизнь? — с интересом спросил Ветер. Он очень любил истории про Древний Египет и еще почему-то про индейцев и всегда оставался послушать.

— Не про то, что тебе нравится, — проворчал Камень. — Россия, точнее, еще пока СССР, вторая половина двадцатого.

— У-у-у, я так не играю, — огорчился Ветер. — Ну ладно, я тут у вас отсижусь чуток, отогреюсь, обсушусь — и дальше полечу. А Ворон где? Скоро прилетит?

— Как повезет. Тут не угадаешь. Он за очередной серией полетел.

Ветер немного покружил над Камнем, выбирая позицию для отдыха, и начал укладываться.

— Да ты чего прямо надо мной улегся! — снова заворчал Камень. — У меня и так подагра и кости все ломит, а ты мне тут своей холодной сыростью веешь. Отлезь подальше.

— Подальше мне неудобно, там деревья, меня ветки царапают.

— А я от тебя болею. У меня и так здоровье никудышное. Отлезь, говорю.

Ветер покладисто приподнялся, еще немного покрутился в поисках места и устроился чуть повыше, чтобы, с одной стороны, не создавать неудобств Камню, с другой — хорошо слышать то, что расскажет Ворон, когда прилетит.

Ждать пришлось недолго.

— Там Яшин в Лондоне ворота сборной мира по футболу защищал против сборной Англии, все мужики в СССР только об этом и говорят. И еще Новый Арбат построили. Надо?

— Не надо, — сердито буркнул Камень. — Дальше смотри.

— А чего не надо-то? — встрял Ветер. — Про футбол интересно, про футбол я тоже люблю. Бывало, влетишь на поле во время игры, как развернешься, как звезданешь со всей дури — и мяч летит, куда его не посылали. Игроки в недоумении, публика орет, свистит. Кайф!

— Я сказал — не надо, — повысил голос Камень. — Лети еще искать.

Следующим сообщением Ворона была опять информация о футболе, на этот раз в Риме в игре против сборной Италии легендарный вратарь Лев Яшин берет пенальти и несколько пушечных ударов в упор. И снова игру обсуждала вся Советская страна, точнее, все ее мужское население. Эту информацию Камень тоже забраковал, несмотря на протесты Ветра.

Где-то в середине ноября Родислав и Люба сообщили своим родителям, что решили пожениться, все встретили известие с горячим одобрением, никто не ругался и не был против, поэтому и рассказывать про это особенно нечего. Потом, в самом конце ноября, убили Кеннеди.

— Слушай, ты что, издеваешься? — не на шутку рассердился Камень. — Ты мне про Любу и Родислава ищи, а ты что приносишь? Только спорт и политику. Да в гробу я их видал!

— Ну, знаешь, на тебя не угодишь, — обиделся Ворон. — То ты ругаешься, что я много пропускаю, то, когда я чуть не в каждую неделю лазаю, тебе опять не так. Ты уж определись, будь любезен. Я же не виноват, что между Любой и Родиком ничего интересного не происходит. Или ты что, хочешь, чтобы я смотрел, как они это самое?.. Ну, ты понимаешь, о чем я. Я, дорогой мой, конечно, птица любопытная, но я не вуайерист, за сексом сроду не подглядывал, нет у меня такой дурной привычки. И потом, я не знаю, а вдруг тебе интересна позиция Родислава по поводу убийства Кеннеди. Он с друзьями по университету очень активно его обсуждает. Или, может, тебе интересно, как Николай Дмитрич Головин читает в газете про Яшина и всей семье сообщает, как он гордится своей страной и достижениями советского спорта. С тобой же никогда не угадаешь, чего тебе в твою каменную башку вступит.

Камень уже понял, что зашел в своем ворчании слишком далеко, и пошел на попятный.

— Ладно, не обижайся, это меня Ветер из колеи выбил, я от него, кажется, простуду подцепил.

— Ага, давай, вали все на меня, — подал голос сверху Ветер. — У тебя всегда чуть что — Ветер виноват. А ты чего сидишь? — напустился он на Ворона. — Лети давай, ищи, чего тебе сказано, а то как наподдам под крыло — сразу в Африке окажешься.

В середине декабря у Родислава и Любы началась зачетная сессия, а сразу после Нового года, который они встречали двумя семьями дома у Романовых, — сессия экзаменационная. А вот в самом конце января 1964 года произошло то самое событие, которое случайно преждевременно подсмотрел Ворон. Клара Степановна попросила Родислава съездить на дачу разобрать вещи Евгения Христофоровича. Какие поновее и поприличнее — сложить в чемодан и привезти в Москву, чтобы сдать в комиссионку — с утратой профессорской зарплаты жить стало трудновато, а какие совсем старые и ненужные — выбросить. У нее самой рука не поднимается, очень уж много воспоминаний связано с каждой вещью. Родислав, как обычно, позвал с собой Любу, он уже совсем не мог без нее обходиться, тем более в таком тягостном деле, и она сначала с готовностью согласилась, но внезапно захворала Анна Серафимовна, и девушке пришлось остаться дома ухаживать за бабушкой. Так и вышло, что на дачу тем солнечным зимним днём Родислав Романов отправился один.

* * *

Он шел по поселку, щуря глаза от яркого солнца, в лучах которого ослепительно блестел снег, и ничего не видел вокруг, во-первых, от света, а во-вторых, от страха. Когда мать сказала, что у нее нет моральных сил разбирать вещи отца, Родислав не понял, какие такие особенные силы для этого нужны, но чем ближе он подходил к даче, тем отчетливее ощущал, как трудно ему придется. Уже сейчас, вспоминая, какие именно вещи Евгения Христофоровича находятся на даче, он чувствовал, как сжимается сердце. Халат отца, в котором он ходил по утрам, накинув его на брюки и сорочку; его домашняя куртка с кушаком, в которой он ходил целыми днями даже в жару; его тапочки без задников, которые все время спадали с ног; его книги, его любимая фарфоровая кружка, из которой отец так любил пить чай... Родик представил, что никогда больше не услышит характерных шаркающих шагов, не увидит на столе фарфоровую кружку с остывшим недопитым чаем, — и чуть не расплакался. Как плохо, что рядом нет Любаши, она бы нашла нужные слова, чтобы успокоить его и отвлечь, она бы сумела сделать все так, чтобы он не так остро чувствовал боль утраты.

— Привет! — послышался рядом мелодичный голосок.

Родислав оглянулся, подслеповато щурясь, и увидел Аэллу, повзрослевшую, необыкновенно красивую, в светлой шубке из синтетического меха — они только-только вошли в моду, с черными кудрями, рассыпавшимися по высокому воротнику. Он сам не знал, почему так обрадовался ей, может быть, потому, что несколько минут ни к чему не обязывающей болтовни отодвинут неизбежный момент, когда нужно будет войти в дом, в котором никогда уже не будет отца.

— Здравствуй, — сердечно ответил он. — Как дела?

— У меня — отлично! Сессию сдала без хвостов, и вообще все о'кей. А у тебя?

— А у меня папа умер, — сказал Родислав, — вот приехал его вещи разобрать.

— Да что ты! — в голосе Аэллы послышалось неподдельное сочувствие. — Давно?

— В октябре. От сердечного приступа.

— Понятно. А как твоя мама? Оправилась?

— Ну... Более или менее. Но сюда приехать не смогла, ей все еще больно. Мне тоже больно, но кому-то же надо папины вещи разобрать.

— Хочешь, я тебе помогу? — предложила Аэлла. — Одному тебе будет трудно, а вдвоем легче пойдет.

— Давай, — обрадовался Родислав. — Спасибо. А ты никуда не торопишься? Ты же куда-то шла.

— Ну, куда я шла, туда совсем необязательно идти, — загадочно ответила девушка. — Я лучше с тобой пойду.

Они дошли до улицы Щорса, и, открывая калитку, Родислав почувствовал, как дрожат у него руки. Дрожат так, что он долго не мог попасть ключом в замочную скважину, чтобы открыть дверь в дом. Разумеется, от Аэллы это не укрылось. Она положила руку в тонкой кожаной перчатке на его плечо.

— Не волнуйся, я с тобой.

Родик подумал, что Люба, наверное, сказала бы то же самое. Или что-то другое? Люба такая неожиданная, никогда не угадаешь, что она скажет или сделает.

Дом был холодным, нетопленым, и он первым делом отправился в сарай за дровами, чтобы растопить печку. Но ждать, пока дом согреется, ему не хотелось, хотелось побыстрее все сделать и уехать отсюда, и Родик начал разбирать вещи, не снимая суконного подбитого ватином пальто. Аэлла помогала ему, даже не сняв перчатки.

— Ты же знаешь, я гречанка, — улыбнулась она, — существо нежное и южное, для меня то, что для вас является теплом, — лютый холод.

Ему почему-то было неприятно, что девушка прикасается к вещам его отца не голыми руками, а кожей перчаток, словно брезговала, хотя и понимал, что это совсем не так. Просто ей действительно холодно, она же южанка, гречанка, совсем не похожая на Любу, которая, конечно же, перчатки в такой ситуации сняла бы, как бы ни мерзла. Они разобрали все вещи в широком дубовом гардеробе, стоящем в родительской спальне, и перешли в комнату, где была печка и стоял письменный стол, за которым работал Евгений Христофорович. Родислав понемногу успокоился, руки уже не дрожали, однако желание поскорее уехать отсюда не прошло.

В комнате уже было тепло, печка раскалилась, и он скинул пальто. Аэлла тоже разделась, небрежно бросив модную и, наверное, ужасно дорогую шубку на стоящий в углу стул. Родислав сел в кресло отца, набрал в грудь побольше воздуха — он снова разволновался — и начал выдвигать один за другим ящики стола, доставая папки с черновиками рукописей, документы, какие-то коробочки и шкатулочки. Все это тоже следовало тщательно разобрать и рассортировать, чтобы не пропал ни один нужный документ и ни одна памятная вещица. У отца было множество ценивших его коллег и благодарных учеников, которые во время похорон и поминок подходили к сыну и вдове покойного и просили, если можно, отдать им что-нибудь на память. Отправляя сына на дачу, Клара Степановна наказала ему, помимо всего прочего, разобраться с возможными сувенирами.

Он вытащил из ящика деревянный футляр и достал из него старую трубку отца. Евгений Христофорович рассказывал, что в эвакуации не было хорошего трубочного табака и он просто сосал пустую трубку, вот эту самую. Потом, после войны, ему подарили другую трубку, английскую, очень хорошую и дорогую, и до самой смерти отец курил только ее, но ту, старую, дешевую и, наверное, плохую, он так и не выбросил, сохранил на память о войне и о том времени, когда он познакомился с мамой. У Родика защипало в глазах.

— Ты что, плачешь? — удивленно спросила Аэлла, и Родик подумал, что Люба никогда бы так не сказала. Она бы сделала вид, что ничего не замечает, и постаралась бы отвлечь его от грустных мыслей. — Что ты там нашел такое?

Она подошла совсем близко, встала рядом с ним и нагнулась над столом, разглядывая трубку. Родислав внезапно почувствовал, как ее горячее, обтянутое тонким шерстяным платьем тело прижалось к его боку и плечу. Он решил, что это случайность, и постарался не обращать внимания, но ему стало неприятно. Тело было чужим, и исходивший от него запах тоже был чужим и Родику не нравился. Люба пахла совсем по-другому...

Аэлла разглядывала трубку, но ее рука вдруг оказалась у Родислава на шее, тонкие горячие пальчики ласково ерошили его волосы.

— Что ты делаешь? — сдавленно прошептал он.

— А ты как думаешь? — таким же шепотом ответила Аэлла.

Как он думал — было понятно, все-таки Родислав был уже мужчиной, хоть и с относительно недавних пор. Но непонятно было, что ему с этим делать. Он не испытывал ни малейшего желания близости с Аэллой, и тот факт, что в детстве она ему очень нравилась, был давно и окончательно забыт и никакой роли не играл. Но его не покидала надежда, что он ошибается, что Аэлла ничего «такого» в виду не имеет, и еще можно обратить все в шутку. В самом деле, ну зачем он ей сдался? Они не виделись два с половиной года, отношений никаких между ними нет...

Ее пальцы перестали ерошить волосы на затылке Родислава и плавно переместились на спину, под свитер. По спине пробежали мурашки. Аэлла повернулась как-то необычайно ловко и села к нему на колени. Родислав замер и увидел, как за оконным стеклом пролетели вниз крупные хлопья снега, словно кто-то тряхнул ветку растущей рядом с окном березы.

— Там кто-то есть, — нарочито громко произнес он, стараясь вывернуться из-под девушки и под благовидным предлогом встать с кресла.

— С чего ты взял? — спросила Аэлла по-прежнему шепотом, томным и нежным.

— Снег с ветки упал. Наверное, кто-то прошел под окном и задел.

— Ерунда, это просто птица взлетела. Я видела, на березе сидела большая черная птица. Она улетела. Никого там нет. И никто нас с тобой не увидит.

Она приблизила лицо к его лицу и прикоснулась губами к его губам. Родислав почувствовал проклятое привычное оцепенение, наваливающееся на него каждый раз, когда он оказывался в стрессовых или просто неожиданных ситуациях. Он ничего не мог сделать и ничего не мог сказать, он мог только сидеть и бороться с приступом подступающей тошноты, надеясь на то, что не начнется рвота и он не опозорится при Аэлле. Любу он не стеснялся, она знала о его особенности и всегда была ласковой и внимательной, если это случалось при ней, помогала ему, держала голову и вытирала лицо. Так было в тот день, когда случилась стрельба в карьере, так было и еще раз, на похоронах отца, и потом еще раз, в тот день, когда они должны были идти к Любиным родителям объявлять о своем решении пожениться. Родислав тогда очень нервничал, и с ним опять случилось «это». Не дай бог, «это» произойдет сейчас, в присутствии красивой надменной Аэллы...

Аэлла снова нагнулась к нему и поцеловала, на этот раз глубоко и страстно. И тут Родислав не выдержал, отпихнул девушку и выскочил из комнаты в ванную. Тошнота подступила к самому горлу, и он еле-еле успел наклониться над раковиной. Отдышавшись, он умылся ледяной водой — водопровод в дом провели уже давно, а вот горячей воды пока не было — и вышел, втайне надеясь, что Аэлла ушла.

Но она не ушла. Родислав застал девушку сидящей на диване, на том самом диване, на который когда-то много лет назад Люба уложила его отца во время сердечного приступа. Аэлла положила ногу на ногу, откинулась на высокую спинку, одна рука небрежно лежит на подлокотнике, другая закинута за голову, натягивая платье, обрисовывающее красивую грудь.

— И что произошло? — небрежно спросила она. — Куда это ты так рванул?

— Уходи, — мрачно произнес Родислав.

— Почему? В чем дело, Родик?

— Я женюсь на Любе. Через полгода.

Это было единственное, что пришло ему в голову. Не говорить же Аэлле, что она ему неприятна и что он ее не хочет! А что еще можно сказать, как объяснить свое нежелание близости? Наверное, более опытные мужчины умеют красиво и достойно выходить из такой непростой ситуации, когда им предлагает себя нежеланная женщина, но Родик Романов был совсем еще молод и неопытен и не понимал, что ему делать.

— И что? — последовал очередной заданный высокомерным тоном вопрос. — Ну, ты решил жениться на этой простушке, и что дальше? Какое отношение это может иметь к нам с тобой? Кстати, полгода — большой срок, ты еще можешь передумать и жениться на ком-нибудь другом. Например, на мне.

Это было такое откровенное предложение, что Родислав окончательно потерял почву под ногами и смог выговорить только одно слово:

— Уходи.

— Ты хорошо подумал?

— Уходи.

— Смотри, спрашиваю в последний раз, — лукаво улыбнулась Аэлла. — Ты уверен, что не хочешь, чтобы я осталась?

— Уходи.

Она молча взяла шубку и вышла. Родислав видел через окно, как она одевалась на крыльце, потом бегом побежала к калитке.

* * *

— Ну и что ты мне голову морочил?! — возмущался Камень. — У них ничего не было! А ты, ты...

— Я не виноват, — оправдывался пристыженный Ворон. — Я немножко недосмотрел, но, когда она села к нему на колени и начала целовать, я ретировался, потому что за сексом я не наблюдаю, это мой принцип. Я же был уверен, что все пойдет как по маслу, все-таки она ему раньше так нравилась! И он ей тоже нравился! А теперь они уже взрослые, и на даче никого нет, и она у него на коленях сидит и в губы целует — ну что, что еще я мог предположить?! Тем более они потом поженились.

— Да то ты мог предположить, что Родислав не кобель и по-настоящему любит Любу, вот что ты должен был предположить! — кипятился Камень. — Нет, ну вы посмотрите на него, на этого крылатого вестника! Продюсер сериалов, блин, сценарист недоделанный! Ничего тебе доверить нельзя! Сказал же — не подглядывай вперед, не лазай куда ни попадя, так нет, он мало того, что подглядывать толком не умеет, так еще и намекает, речевое недержание у него! Ну, подглядел случайно — так уже сиди, молчи и не выступай. Вот ты, Ветрище, скажи, прав я или нет?

— Мальчики, не ссорьтесь, — весело откликнулся сверху Ветер. — Скажите мне лучше, кто такая эта Аэлла? Нравится она мне, ой, нравится! Что-то в ней есть такое... Ветреное. Воздушное. Мы с ней как будто одной крови.

Камень угрюмо замолчал, а Ворон, чтобы сгладить разгоревшийся скандал, начал подробно и со вкусом рассказывать Ветру все, что знает об Аэлле Александриди. Ветер слушал внимательно, одобрительно крякал, а история с заклинанием и ликвидацией черной старухи привела его в полный восторг.

— Вот молодец, девка, вот же молодец! Рисковая, азартная, хулиганистая, ну в точности как я! Я, пожалуй, буду ее любить. Ты, Ворон, кого любишь? Небось Любу?

— Да, имею право, — гордо ответствовала птица.

— А ты, Каменюка? Ты за кого болеешь?

— А он за Родислава, — быстро встрял Ворон. — Ему завсегда такие интеллигенты мягкотелые нравятся.

— Ну а я, стало быть, буду Аэллу любить. Я с вами, конечно, сериал смотреть не стану, мне на одном месте подолгу прохлаждаться не положено, но буду залетать в гости, а вы уж, будьте любезны, про Аэллу мне все узнавайте. Как прилечу — отчитаетесь.

— Тоже мне, начальник нашелся, — недовольно каркнул Ворон. — Распоряжается тут, как у себя дома.

— А я всюду у себя дома, — откликнулся Ветер. — Где захочу — там мой дом и будет. И нечего огрызаться, а то как дуну под крыло — в дебри Амазонки улетишь. Ну все, мальчики, я обсох, отоспался, пора мне. Не ссорьтесь тут без меня, ведите себя хорошо.

Камень почувствовал, как взвихрился над ним воздух, и увидел, как покачнулся на ветке Ворон. Ветер улетел.

— Ну чего, все еще дуешься? — осторожно спросил Ворон.

— Да толку-то дуться на тебя, — вздохнул Камень. — Все равно тебя, обормота, не переделать, уж буду тебя донашивать, не выбрасывать же.

— Так что, лететь дальше смотреть? — Ворон понял, что прощен, и обрадовался.

— Лети, чернокрылый, лети, хоть какая-то польза от тебя будет.

Едва Ворон скрылся из виду, появился Змей.

— У тебя тут как в приемной большого босса, — насмешливо сказал он, — одни приходят, другие уходят, некоторые в очереди ждут, когда их примут, как я, ты кричишь, всем разгон даешь. Все как у людей. А теперь ты остался один и в тишине решаешь очередную мировую проблему. Я прав?

— Прав. Я все думаю о Родиславе. Как ему было поступить-то? Пойти навстречу Аэлле означало бы предать Любу, изменить ей, но зато не обидеть Аэллу. А сделать так, как он сделал, означает смертельно оскорбить Аэллу, но сохранить чистоту и верность невесте. И так нехорошо, и так неладно. Не зря же говорят, что нет фурии страшней в аду, чем отвергнутая женщина. Наплачется он еще из-за своего поступка, ох наплачется! Эта девица рисковая, злопамятная и мстительная, она обязательно должна взять реванш, показать свое превосходство, доказать, что она первая и лучшая. Она его никогда не простит. Вот и получается, что верность Любе он сохранил, а врага себе на всю жизнь нажил. Впрочем, может, и обойдется, ведь говорит же Ворон, что они в конце концов поженятся.

— То есть ты опять пытаешься рассмотреть ситуацию с позиций этики, — констатировал Змей.

— Естественно. Я всегда все рассматриваю с позиций этики.

— Но не всегда получается удовлетворительный результат. А я тебе уже говорил, что этика твоя — чистая наука, умозрительная, от реальной жизни оторванная. Вот что у тебя получается с позиций этой твоей чистой науки?

— У меня... — Камень задумался. — Получается, что Родислав поступил абсолютно правильно. Он сделал предложение Любе, он дал тем самым слово хранить ей верность, и ее сохранил, не разменялся на легкую добычу, которая сама в руки шла. Получается, он поступил абсолютно этично. Только почему-то при этом получается, что он нажил себе врага. Ну, может, и не врага, если Аэлла выйдет за него замуж, но все равно он ее оскорбил, обидел. Правда, Аэлла сама поступила неправильно...

— И что же, интересно, такого неправильного она сделала? — прищурился Змей.

— Ну как что? Она предложила ему себя совершенно открыто.

— И что, это, по-твоему, неправильно?

— Конечно!

— Ну и дурень ты старый, — беззлобно сказал Змей. — Живешь какими-то замшелыми представлениями. По-твоему, если мужчина открыто заявляет женщине о том, что она ему нравится, это нормально, а если наоборот — то это уже неправильно? А как же равноправие полов? Если мужчина пытается поцеловать женщину, то это в порядке вещей, а когда женщина пытается поцеловать мужчину, это плохо? Где логика? Или у тебя равноправие полов однобокое, выполнять мужскую работу женщина может, и тяжести таскать, и сваи забивать, а выразить сексуальный интерес не моги, так, что ли?

— Знаешь, — задумчиво произнес Камень, — мне кажется, человечество придумало какие-то правила поведения именно для того, чтобы люди не попадали в ситуации, из которых нет выхода, согласующегося с принципами этики. Наверное, это находится за пределами категорий этики, просто это такие правила, которые делают жизнь людей удобнее. Вот придумали же много тысяч лет назад, что не должна женщина первой демонстрировать романтическую заинтересованность. Вроде бы и глупо, и равноправию полов противоречит, и поиск партнера сильно затрудняет, ан... Глядишь, и таких ситуаций, как с Родиславом, помогает избегать. Ведь ситуация-то безвыходная, и никакая этика тут не помогает. И миллионы мужиков в нее попадают, и крутятся, как ужи на сковородках, и не знают, как выпутаться. Не пойти навстречу — нажить врага, пойти — ввязаться в отношения, которые им на фиг не нужны. Что скажешь?

— То и скажу, что ты прав и не прав одновременно. Прав в том, что есть правила, которые находятся за рамками этики, но от этого они не становятся менее значимыми или менее правильными. А не прав в том, что ситуация безвыходная. Выход всегда есть, просто он не всем нравится. Как говорят люди, нет неразрешимых проблем, есть неприятные решения.

— И как же Родику надо было выходить из ситуации, чтобы и волки были сыты, и овцы целы? — недоверчиво спросил Камень, абсолютно уверенный в том, что такого выхода просто не существует.

— Ему нужно было принести жертву.

— Жертву? Какую? Кому?

— Ему нужно было пожертвовать собой. Видишь, он оказался в ситуации, когда надо было либо выбирать Аэллу и пожертвовать Любой, либо наоборот. То есть он эту ситуацию так видел. Но ведь там же типичный треугольник, в котором, как ты понимаешь, вовсе не две стороны, а все-таки три. Про третью сторону — про себя самого — твой Родислав благополучно забыл. Ну как же, разве мы помним о себе, когда нужно выбирать, кем пожертвовать! Тут мы очень ловко забываем, что мы тоже, так сказать, в игре, и выбираем из всех остальных, а себя из круга исключаем.

— Чего-то ты все вокруг да около ходишь, — рассердился Камень. — Говори яснее.

— Да куда уж яснее! — усмехнулся Змей. — Родислав должен был принести в жертву собственную репутацию, только и всего. Он мог сказать Аэлле, что у него были попытки сексуального опыта, но неудачные, и он теперь боится, мог сказать, что он импотент, или что у него венерическое заболевание, или что он вообще гомосексуалист. Мог? Мог. Да, он пал бы в ее глазах ниже плинтуса, да, она больше никогда не посмотрела бы в его сторону, но она, по крайней мере, не почувствовала бы себя отвергнутой и нежеланной, а может быть, даже и пожалела бы его. И Любе он бы верность сохранил.

Камень ушам своим не верил.

— То есть он должен был солгать? Ты это предлагаешь?

— А что такого? Твоя этика рассматривает такую вещь, как ложь во спасение?

— Нет.

— А зря, очень полезная штука, и, кстати сказать, совершенно безобидная, если человек клевещет на самого себя. Да, я согласен, оболгать другого человека «во спасение» — это дурно. Но самого себя-то? Да за-ради бога!

— А как же непреходящая ценность истины? Истина — это главное. Родислав ею не поступился, Аэлла ему не нужна — он так и заявил всем своим поведением. И я не понимаю, почему честный поступок во имя истины привел к таким последствиям, как обида и возможная вражда. Этика этого объяснить не может. А ты можешь?

— Легко. Потому что ты философ, а я — мудрец. Я жизнь знаю. А ты знаешь только чистую науку. Жизнь многообразнее, шире и жестче. Этика твоя хорошо прикладывается только тогда, когда люди живут по тем самым правилам, которые находятся за пределами этики. Но это же идеальная ситуация, не живут люди по этим правилам, понимаешь? Не живут! Поэтому постоянно возникают конфликты между жизнью и этическими нормами. Но в этом и прелесть. Лично для меня, — добавил Змей. — В этом начальный пункт того самого развития человечества, о котором мы с тобой в прошлый раз говорили, в том числе его нравственного развития. Поконфликтуют пару тысячелетий, а там, глядишь, спохватятся и начнут все-таки жить по тем правилам, которые за рамками этики. Эти правила же не идиоты придумали, они веками складывались и проверялись на прочность, а люди ими пренебрегают. Тогда и твоя чистая наука пригодится, если ее к тому времени на помойку истории не выкинут. Слушай, утомил ты меня, аж голова разболелась.

— Да это к дождю, у меня тоже суставы ноют. Ладно, ползи, лечись, а я подумаю над тем, что ты сказал.

Но подумать как следует у Камня не получилось, потому что сперва он долго искал положение, при котором самый больной сустав не так сильно ныл, а потом явился Ворон.

— Я буду без подробностей рассказывать, — заявил он на лету, еще не сев на ветку, — там грозища идет — жуть! Все сверкает и гремит, дождь стеной. Так что я быстренько, коротенько. Аэлла страшно разозлилась на Родислава и на себя саму, пару дней побушевала, а потом решила срочно выйти замуж, чтобы доказать Родику и себе самой, что она все равно первая и лучшая и ни в коем случае не может оказаться в положении отвергнутой, что не больно-то Родик ей и нужен и что сцена на даче была не более чем шуткой и недоразумением. Поклонников у нее в институте полно, и она выбрала себе в мужья самого-самого: сына заместителя министра здравоохранения. Деньги в семье, положение, связи — ну, сам понимаешь. И у Аэллы с деньгами, положением и связями все благополучно, матушка ее Асклепиада вхожа в самые высокопоставленные дома страны, батюшка тоже не последний человек в системе советской пропаганды. В общем, такой династическаий брак. Родители с обеих сторон счастливы, быстро организовали бракосочетание, чтобы дети, упаси бог, не передумали, замминистра даже справочку состряпал, дескать, будущая невестка ждет ребенка, так их расписали за один день. Свадьбу они отгрохали — всем на зависть! В самом лучшем ресторане, с эстрадным оркестром, короче, со всеми пирогами. И что ты думаешь? Аэлла пригласила на свадьбу Любу с Родиком. На Любу-то ей, само собой, наплевать, ей важно было, чтобы Родик увидел, что она в полном шоколаде, при самом лучшем муже — не Родику чета, но куда ж его без Любы приглашать, все-таки она его официальная невеста. Весело было, все танцевали, пели, поздравляли молодых, и Люба была счастлива, она хоть и не общалась последнее время с Аэллой, но все-таки с теплотой вспоминала дачную компанию. А Аэлла была такая красивая, просто очаровательная, и муж ей под стать.

— Так ты про эту свадьбу мне рассказывал? Что-то я не пойму, а откуда тогда Андрей взялся? Ты же говорил, что он в армии. И Тамара как там оказалась? Она же в дачной компании не была, с какого перепугу Аэлла ее позвала?

Ворон смущенно потупился.

— Не, та свадьба была другая, не такая шикарная. Я и сам не пойму. Слушай, а может, Аэлла развелась с этим

своим сыном замминистра? С ним развелась, а за Родислава вышла.

— Чего ты гадаешь на кофейной гуще! Лети и узнавай.

— Куда я полечу? Сейчас гроза начнется. Я спрячусь,
ливень пересижу где-нибудь в густых ветках.

Ворон панически боялся молнии, но говорить об
этом избегал и делал вид, что просто не любит сильный
дождь, от которого у него будто бы портятся перья.

Камень удрученно вздохнул. Хорошо Ворону, он может спрятаться в густой листве, и Змею тоже хорошо,
он может заползти в какую-нибудь нору или под пень,
Ветру вообще гроза не страшна, он с ней дружит и под
ручку прогуливается, а ему, Камню, обреченному на не-
подвижность, придется переносить непогоду без какого
бы то ни было укрытия. Чего ж удивляться, что у него болезней куда больше, чем у его ровесников — Ворона, Змея
и Ветра?

* * *

В 1960 году, когда упразднили Министерство внутренних дел СССР и вместо него появились МВД союзных
республик, прошла массовая перестановка милицейских
кадров, те руководители московской милиции, которые
хорошо знали и ценили Николая Дмитриевича Головина,
в большинстве своем оказались на руководящих должно-
стях в новом министерстве РСФСР, и с того момента
карьера самого Головина резко пошла в гору. Его новая
должность на Петровке предусматривала привилегиро-
ванное положение в очереди на получение жилья, и стало
понятно, что вместо одной трехкомнатной квартиры, которую семья Головиных получила бы при сносе барака,
им светят целых две квартиры, одна для самого Головина
с женой, матерью и старшей дочерью, а вторая — для
младшей дочери с мужем, надо только, чтобы брак заре-
гистрировали и мужа прописали в комнату в бараке.

Спешки никакой не было, получение квартиры предполагалось в середине осени 1964 года, так что свадьбу торопить смысла нет, как запланировали в июле, после летней сессии, — так пусть и будет.

Став невестой, Люба наконец получила разрешение матери и бабушки отрезать косу, но и та, и другая категорически воспротивились тому, чтобы Любу стригла Тамара.

— Она все испортит! — говорила Зинаида Васильевна. — У нее совершенно нет вкуса. Пусть мужчин машинками стрижет «под полубокс», ни на что другое она не способна.

Люба молчала и тихо улыбалась, ей было все равно, кто ее пострижет, главное — стать обладательницей настоящей взрослой прически. Зато Тамара на слова матери всегда отвечала ехидными выпадами, дескать, лучше совсем не иметь никакого вкуса, чем тот, которым обладает мама Зина. Сестре же Тамара обиженно говорила:

— Она же ни разу не видела, что я умею! Она даже не представляет, какие прически я делаю! Ей вообще неинтересно, чем я занимаюсь. Сколько раз я предлагала ей причесать ее, даже не постричь, а просто причесать — ни разу не согласилась. Забыла уже, как ей понравилось, как я ее причесала, когда папу ранили, помнишь? И Бабане понравилось, и тебе. Упертая, как ишак: нет — и все!

— Тома, не расстраивайся, давай ты меня пострижешь, когда никто не видит, а всем скажем, что я в парикмахерской была, — предлагала Люба.

— Я не собираюсь врать, для меня это вопрос принципа — чтобы родители выказали мне доверие, — гордо отвечала Тамара. — Если ты боишься признаться, что это я сделала тебе стрижку, тогда вообще ничего не надо, иди вон в ближайшую цирюльню, пусть тебя обкорнают за три копейки.

Люба понимала доводы Тамары, и ей не хотелось ссориться с сестрой, но и ссориться с матерью было боязно.

— А вдруг она обидится, что я ее не послушалась? Представляешь, у меня свадьба на носу — и ссора с мамой. Чего доброго, еще на свадьбу не придет или придет, но не будет со мной разговаривать. Весь праздник будет испорчен.

Со свадебным нарядом тоже дело шло трудно, по крайней мере для Любы. Ей хотелось белое платье, как у Валентины Терешковой на свадьбе с космонавтом Николаевым, с круглым вырезом, облегающее грудь, приталенное, с пышной юбкой, настоящее свадебное. Фотографию Люба видела в газете и никак не могла забыть. И фата чтобы была такая же, до середины спины, на макушке собранная и сколотая искусственными цветами. И непременно чтобы были тонкие белые прозрачные перчатки до локтя. Но ее желание понимания не вызвало ни у кого, даже у Тамары. Анна Серафимовна полагала, что платье должно быть, разумеется, белым, но скромным, прямым, чуть ниже колена, и фата должна быть такой же длины, как само платье, ни в коем случае не короче. Зинаида считала, что белое платье — слишком маркое для повседневной жизни, да и куда его носить? А носить придется, потому что семья не настолько богата, чтобы позволять себе тратиться на платье для одного-единственного выхода. Если уж покупать или шить, то такую вещь, которую потом можно еще несколько лет надевать, то есть практичную, поэтому, по мнению мамы Зины, платье, в котором дочь отправится в ЗАГС, должно быть светленьким, в горошек или в цветочек, с рюшечками (для нарядности), но ни в коем случае не с белоснежным фоном (а то будет сильно пачкаться и от частых стирок быстро придет в негодность).

Что касается Тамары, то она была категорической противницей как белоснежного платья, так и светленького, но обыкновенного.

— Я вообще не понимаю, чего вы уперлись в это «беленькое и светленькое»! — возмущалась она. — Что, других цветов никаких нет? Можно сделать шикарный наряд, оригинальный, элегантный, например, голубой или ярко-красный. Получится нарядно, а если уж матери так прибило, чтобы было практично и можно было потом носить, станешь надевать в театр или в гости. Любка, я бы тебе такое придумала — такого ни у кого в Москве не будет! Представляешь, уникальный наряд, исключительный, такого никто никогда не видел, ни в «Работнице», ни в «Бурде» ничего даже похожего нет. Лучше заграничного!

Тамара знала, о чем говорила: среди ее знакомых были те счастливицы, кому повезло хотя бы иногда держать в руках немецкий модный журнал «Бурда», и к ним в гости посмотреть на зарубежные модели сбегались и соседи, и приятельницы, в числе которых, разумеется, была и Любина сестра. Но Люба не хотела «лучше заграничного», она хотела платье, как у Терешковой, и при этом не поссориться ни с мамой, ни с бабушкой, ни с сестрой. Совместить интересы всех и никого не обидеть оказалось невозможным, и Люба сдалась на милость матери, которая каким-то образом уговорила Анну Серафимовну (а скорее всего, Анна Серафимовна почла за благо уступить невестке и не конфликтовать). На мнение Тамары Зинаиде Васильевне было наплевать, она с давних пор пребывала в убеждении, что «Томка — неудачный ребенок» и ничего умного и дельного старшая дочь все равно не предложит. Мнение самой Любы мамой Зиной в данном случае тоже не учитывалось, поскольку Люба как младшая в семье права голоса не имела, да и привыкли все, что она свое мнение высказывает крайне редко и никогда его не навязывает.

В итоге платье, которое под чутким руководством Зинаиды Васильевны сшила для Любы портниха, оказалось, по мнению Тамары, «чудовищным» и «деревенским», а главное — банальным, в таких пол-Москвы ходит. Единственным его достоинством оказалось то, что оно идеально село по фигуре, то есть портниха-то была хорошей, а то, что со вкусом у заказчицы не все обстояло благополучно, — это другой вопрос.

В парикмахерскую, отстригать косу, Зинаида повела Любу сама, чтобы дочь не обрезала волосы короче, чем хотела мать. Разумеется, это была никакая не стрижка, а просто обрезание волос до определенной длины: Зинаида считала, что на свадьбу Люба должна сделать «бабетту», поэтому о совсем коротких волосах не могло быть и речи. Тамара горько усмехалась и говорила, что лучше уж коса, чем «такое пошлое мещанство». Сама же она предлагала стрижку «колокол», очень модную в то время в Германии, и, кроме того, тонирование Любиных темно-русых волос в бронзовый или медный цвет.

За два дня до свадьбы, которую собирались отпраздновать в просторной четырехкомнатной квартире Романовых, пришла телеграмма от Андрея Бегорского: он сообщал, что получил трехдневный отпуск за отличную службу и постарается успеть прибыть в Москву к торжественному дню. Услышав об этом, Люба бросила все и помчалась изучать афиши театров и кино.

— У него будет всего три дня, — возбужденно говорила она Родиславу, — надо, чтобы он провел их с пользой. Ведь он там, в армии, ничего не видит. Надо купить ему заранее билеты на все самое новое и хорошее, на «Гамлета» со Смоктуновским, на «Живых и мертвых», там Папанов так играет — я прямо расплакалась! Я поговорю с папой, может быть, он сможет достать один билетик на «Доброго человека из Сезуана», говорят, очень хороший спектакль, это совсем новый театр, «На Таганке», у нас на курсе некоторые ребята смотрели — они в полном восторге. И еще надо нам с тобой посмотреть, какие сейчас проходят выставки. Как здорово, что Андрюшка приезжает!

Николай Дмитриевич в ответ на просьбу дочери достать билет в театр на Таганке только кивнул головой и что-то пометил в блокноте, но спустя несколько минут спросил:

— Ты что, собираешься идти одна, без Родислава? Что еще за новости?

— Это не мне, это Андрюше Бегорскому, он всего на три дня приезжает из армии, — объяснила Люба.

— Андрюша? Это тот дачный шахматист? Дельный парень. А сама ты когда успела спектакль посмотреть? Я тебе вроде бы билеты не доставал.

— Я и не смотрела. Да я успею, пап, я же в Москве живу, а Андрюшке уезжать обратно через три дня.

Николай Дмитриевич с интересом глянул на дочь, потом стал рассматривать более внимательно, словно впервые увидел, и наконец произнес:

— Хороший человек из тебя вырос, Любаша. Добрый.

На эти слова отца Люба особого внимания не обратила, потому что с несказанным удивлением думала о другом: откуда Николай Дмитриевич знает об Андрее и о том, что он летом приезжает на дачу, и о том, что он увлекается шахматами? Андрей ни разу не был у них дома, она не знакомила его ни с Бабаней, ни с родителями, так откуда же у отца такая осведомленность? Конечно, Андрея знала Тамара, но вряд ли она откровенничала с папой, между отцом и старшей дочерью особо доверительных отношений Люба не наблюдала. Ну и разумеется, обо всем знала Анна Серафимовна, которая живо интересовалась жизнью внучек, в том числе и их друзьями. Получается, что это бабушка рассказала папе... Зачем? Неужели ему это было интересно? И неужели он столько лет держал это в голове и не забыл? Видно, не зря он стал таким большим начальником, он действительно необыкновенный.

Народу на свадьбу пригласили изрядно: школьные и институтские друзья Любы и Родислава, друзья и родственники Головиных и Клары Степановны, и Анна Серафимовна позвала двух своих самых задушевных приятельниц с мужьями. И разумеется, в списке приглашенных числились Аэлла Александриди и ее новоиспеченный муж. Честно говоря, Любе и в голову не пришло бы позвать Аэллу, с которой до минувшей весны она не виделась почти три года, но после того, как Аэлла позвала их на свою свадьбу, не сделать ответный шаг было бы неприличным.

* * *

В день свадьбы с самого утра на Родислава навалилось «это». Он плохо соображал, что нужно делать, что надевать, куда идти. Клара Степановна хлопотала вокруг него, то и дело раздражаясь от его неловкости и несообразительности, а Родик мечтал только об одном: чтобы рядом поскорее оказалась Люба, которой можно не стесняться, которая поможет и поддержит. Но Люба, как назло, должна была высидеть очередь в парикмахерской, где ей предстояло сделать свадебную прическу.

Наконец Люба появилась , и Родика немного отпустило.

— Я ужасно волнуюсь, — признался он по дороге в ЗАГС.

— Не бойся, — дрожащим голосом ответила Люба, — я тоже волнуюсь. Вдвоем не страшно.

Она держала его за руку все время, до самого окончания торжественной церемонии. Родислав так нервничал, что никак не мог надеть ей на палец кольцо, и кончилось все тем, что Люба ловко, так, что никто и не заметил, взяла у него кольцо и надела сама. Завершающий церемонию поцелуй тоже получился неловким и скомканным, Родик промахнулся и не попал в Любины губы.

Потом у него схватило живот. То ли он съел на завтрак что-то не то, то ли «это» стало проявляться, помимо тошноты, еще и поносом, но всю дорогу от ЗАГСа до дома Родислав сидел в машине, сжавшись в комок, и боялся, что с ним случится позор, от которого он никогда в жизни не отмоется. Однако все обошлось, до дома он доехал благополучно.

— Как только придем домой, сразу выпей водки, — тихонько посоветовала Люба. — Это очень хорошо помогает.

Она не ошиблась, три больших глотка водки через несколько минут привели в порядок нервы, тошнота и позывы прекратились, но вздулся и страшно разболелся живот. Спазмы скручивали несчастного жениха с такой силой, что впору было сгибаться пополам. Больше всего на свете Родислав хотел, чтобы никакой свадьбы сейчас не было, чтобы не было гостей, накрытого стола, а была бы тишина и возможность лечь в кровать, повернуться на бок и подтянуть колени к груди. И чтобы Люба сидела рядом и держала ладонь у него на лбу.

Но ничего отменить было нельзя, и Родислав морщился, страдал и терпел. Иногда, когда терпеть было невмоготу, он на несколько минут скрывался в своей комнате, чтобы прилечь, согнув колени, — так ему становилось хоть немного легче.

— За здоровье молодых! — гремел очередной тост, все поднимали рюмки и бокалы, и Родислав тоже поднимал бокал с шампанским, подносил с губам и ставил на стол, едва смочив губы. После первого тоста он неосторожно сделал глоток пенящегося напитка, отчего его скрутил такой жестокий спазм, что больше он решил не рисковать.

Часа через два после начала празднества явились Аэлла и ее муж, высокий добродушный парень, очень простой в общении и большой знаток всевозможных анекдотов. И почти одновременно с ними, буквально на десять минут позже, в дверь позвонил Андрей Бегорский.

— Где тебя посадить? — спросила Люба, расцеловавшись с ним и приняв в подарок «Антимиры» — сборник стихов модного поэта Андрея Вознесенского, маленькую пластинку с записью песен Булата Окуджавы и нейлоновую рубашку для Родика — писк моды тех времен.

Андрей быстро оглядел разношерстную компанию и остановил взгляд на Тамаре.

— Я с Томкой сяду, если можно.

Люба усадила его рядом с сестрой и вернулась к жениху.

* * *

Когда появилась Аэлла, Тамара не смогла удержаться от сарказма: ну надо же, явилась на чужую свадьбу в платье, которое вполне может сойти за подвенечное! Белое, с пышной юбкой, с глубоким декольте, открывающим высокую грудь. На шее кулон с драгоценным камнем на золотой цепочке, на руке золотой браслет, на голове буйные красиво уложенные кудри, сколотые какой-то невиданной заколкой в форме белого цветка. Ни дать ни взять — невеста! Ни стыда, ни совести.

— Нет, как тебе это нравится? — ехидно спросила она Андрея.

— Очень нравится, — с тонкой улыбкой на некрасивом лице ответил он. — По-моему, красиво. А разве нет?

— Конечно, красиво, — буркнула Тамара. — Только в этом наряде она слишком похожа на невесту. По-моему, это неприлично.

— Это другой вопрос, — согласился Бегорский. — Но требовать от Аэллы приличного поведения — это примерно то же самое, что в шахматах ждать, когда слон пойдет конем. Этого не может быть просто по определению. Наша греческая красавица никогда не умела быть деликатной и тактичной, она просто не знает, что это такое.

Тамара, насупившись, наблюдала, как Аэлла подходит к новобрачным, вручает огромный букет цветов и коробку с подарком — комплект постельного белья какой-то невероятно красивой расцветки.

— С намеком подарочек, — с усмешкой заметил Андрей. — Дескать, наслаждайтесь радостями семейной жизни на цветной постели. Импортное, что ли?

— Наверное, — пожала плечами Тамара. — Наше-то все белое продают. А у Аэллы никогда ничего нашего не было, ее мать в таких кругах вертится, где один сплошной импорт. У нее даже заколка в волосах французская, я такую в одном журнале видела. А муж у нее ничего, симпатичный.

— Вполне, — подтвердил он. — Кажется, нормальный парень. И как его угораздило на нашей Алке жениться? Локти ведь кусать будет — да поздно, от Алкиной матери никуда не денешься, у нее такие связи — кого угодно приструнить может. Если она не захочет — никакого развода не будет.

— Почему ты думаешь, что он захочет с Аэллой развестись? — удивилась Тамара.

— На сто процентов уверен. С ней жить невозможно. Вернее, возможно, но для этого надо быть таким, каких на свете не бывает. С одной стороны, лучшим, но с другой стороны, не лучше, чем она сама. Недостойных себя она не потерпит, а того, кто окажется лучше ее, просто не вынесет. Вот и думай, где такого взять. Этот-то, судя по всему, вполне обыкновенный, так что в скором времени все и начнется. Долго они не протянут, вот увидишь.

Видя, как Аэлла подошла к Родиславу и пригласила его на танец, Тамара нахмурилась еще больше.

— Ну это уже вообще ни в какие ворота, — прошипела она на ухо Бегорскому. — Разве можно на свадьбе приглашать жениха на танец, если ты не невеста? Совсем ваша Аэлла стыд потеряла.

— Да ладно тебе, — Андрей примирительно положил ладонь на ее руку, — ну чего ты? Пусть потанцуют, большое дело. Ей Родька всегда ужасно нравился, а он дружил с Любой, так наша Алка с ума сходила от злости. Ну как это: ей, первой умнице и красавице, предпочли кого-то другого! Может, она в первый раз в жизни руки Родьке на плечи положила и так близко к нему стоит. В первый и в последний. Пусть девочка потешится, от Родьки не убудет.

— Нет, ты посмотри, — продолжала сердито шептать Тамара, — она голову ему на плечо кладет! Они вообще щека к щеке танцуют! Это надо прекратить немедленно!

Она сделала попытку вскочить, но Андрей крепко схватил ее за руку и удержал на месте.

— Сиди, — жестко произнес он. — Ничего страшного не происходит. Алка просто самолюбие свое тешит, дескать, женится на одной, а обнимается со мной. Любе ничего не угрожает, Родька ее по-настоящему любит, и, в конце концов, он на ней уже женился, а у Алки есть муж. Посмотри лучше на Любашу, она вся светится от счастья, и ее эти танцы-обжиманцы ни капельки не волнуют. Бери с нее пример. И перестань таращиться на Алку с Родиком, сейчас музыка кончится, и она от него отстанет. Расскажи лучше, что у вас в Москве нового, а то я от столичной жизни поотстал.

— Ой, — спохватилась Тамара, — тебе Любка, наверное, не успела сказать, завтра ты идешь в театр на жутко модный спектакль, называется «Добрый человек из Сезуана», она тебе билет достала.

— Правда?! — обрадовался Андрей. — Вот спасибо! Вот это здорово!

— Но это завтра вечером, а днем ты идешь в кино на «Гамлета», я тебе сегодня билеты купила. Послезавтра у тебя в программе «Живые и мертвые»...

— «Живых и мертвых» я видел, к нам в часть кинопередвижка приезжала, всех в обязательном порядке отправили смотреть.

— Жалко, — огорчилась Тамара, — мы думали тебе культурную программу устроить. Тогда, если хочешь, можно в Третьяковку сходить, там сейчас новая экспозиция из запасников... Ой, — спохватилась она, — мы тебе столько напланировали, а может быть, ты хочешь дома побыть, с родителями и сестрами?

— Ну уж нет, — рассмеялся Андрей, — от этого меня увольте.

* * *

— Так, — угрожающе произнес Камень. — И как прикажешь это понимать?

Ворон нахохлился и молчал.

— Я тебя спрашиваю, пернатая ты бестолочь! Это вот что такое ты мне сейчас рассказываешь?!

— Что видел — то и рассказываю, — огрызнулся Ворон.

— А раньше ты мне что рассказывал? — продолжал Камень допрос с пристрастием.

Ворон понурил голову и принялся ковырять лапкой землю.

— Тоже...

— Что — тоже? Нет, ты не мямли, ты отвечай четко и ясно: что ты мне раньше рассказывал?

— Тоже, что видел — то и говорил. Я же не виноват, что у Аэллы платье, как у невесты, а у Любы черт-те какое! Я же не виноват, что в первый раз попал как раз на тот момент, когда Аэлла с Родиславом танцует! Если бы я попал хоть на пять минут раньше, я бы увидел, что она пришла с мужем и дарит Любе с Родиком подарок, а так... Ну так вышло, Камень, ну несчастный случай, ей-богу! Ну прости меня, а? Хочешь, я тебе макушку почешу?

В том месте, где рос мох, у Камня постоянно чесалось, и время от времени он просил Ворона потоптаться на макушке, поковырять когтистой лапкой зудящее место. Ворон ощущал свою незаменимость в этом нелегком деле и с удовольствием манипулировал Камнем, угрожая, что если Камень будет слишком придираться или ворчать, он, Ворон, никогда больше чесать мшистый участок не будет.

Но на этот раз Камень был настолько сердит, что подлизаться не удалось.

— Не надо меня чесать. Я требую объяснений: почему ты меня постоянно дезориентируешь? Почему я все время должен выслушивать от тебя какие-то бредни, в которые я, как дурак, верю и которые потом оказываются полной ерундой? У нас просмотр сериала или перманентная работа над ошибками?

— Я больше не буду, — проныл Ворон, который чувствовал свою вину и не мог придумать, как ее загладить. — Что мне сделать, чтобы ты меня простил? Приказывай, что хочешь — все выполню.

— Да толку-то тебе приказывать, — Камень выпустил пар и начал остывать. — Все равно туда, куда надо, не попадаешь. Ты же не Змей, — мстительно добавил он.

Услышав имя соперника, Ворон аж задохнулся от негодования.

— Да, — гордо заявил он, — я не эта склизкая гадина, я не этот безногий червяк! Он не любит сериалы, а я люблю, он не умеет подробно и последовательно рассказывать длинные истории, а я умею. И он не может чесать тебе твою мшистую макушку, а я могу! Я — не он! И не смей нас сравнивать!

Ворон уже забыл о том, что провинился, сейчас он чувствовал свою правоту и готов был бороться за нее до конца.

— Ладно, давай рассказывай, что там было дальше на свадьбе, — снизошел Камень. — Я надеюсь, ты до конца досмотрел?

* * *

Аэлла Александриди, оставившая себе после бракосочетания звучную и необычную для русского слуха девичью фамилию, торжествовала победу. На этой свадьбе она — самая красивая, самая лучшая. Она — первая. Она выглядит куда обворожительней, чем эта зачуханная невеста в деревенском платье с рюшами и с нелепой, хотя и модной, прической на голове. Ее подарок — самый необычный, такого постельного белья ни у кого нет, его подарила матери жена одного члена ЦК, которой Асклепиада Александриди «поправила» овал лица и муж которой привез это белье из официальной поездки в Англию. Пусть все завидуют ей, Аэлле, пусть завидуют тому, какая она красивая, какой у нее муж, какое на ней потрясающее итальянское платье, какие английские туфельки, какие чудесные украшения! Разумеется, это не золото, а бижутерия, но очень хорошая и дорогая, неопытный взгляд от золота и не отличит, а откуда у этой публики опытный взгляд? В СССР бижутерия — это пластмассовые бусы и стеклянные клипсы, а все остальное — серебро и золото, настоящей дорогой импортной бижутерии здесь никто отродясь не видал.

И как же угораздило Родислава жениться на этой недалекой простушке? Что-то он невеселый, будто свадьба ему не в радость. Ну да понятно, округлили парня небось через постель, ему и деваться некуда. Может, Любка уже и беременна. Даже, скорее всего, так и есть, уж больно платьице на ней затрапезное, сидит, пузо под столом скрывает, а с пузом разве можно настоящее подвенечное платье надевать? Курам на смех! Конечно, Родику не до веселья. Вот бедолага! И еще, наверное, боится, что Аэлла ему тот зимний эпизод припомнит. Думает, она в него влюблена и для нее это что-то значит. Дурачок! Надо лишить его всех иллюзий. Только как это сделать?

Ну конечно! Надо пригласить его, когда объявят белый танец, и поговорить. Заодно и Любку позлить: она сидит со своим пузом, лишний раз встать боится, чтобы перед гостями не позориться, а Аэлла будет с ее мужем танцевать. Вот так-то! Вообще-то Любку впору пожалеть, чего тут злорадствовать...

— Что-то ты грустный, — заметила Аэлла, когда они с Родиславом оказались среди танцующих. — Свадьба не в радость, что ли?

— Голова болит, — скупо ответил он. — Устал.

— Понятно. Хочешь, выйдем на балкон, подышим воздухом? — коварно предложила она.

Пусть все увидят, как жених уединяется на балконе с другой женщиной, куда более красивой и нарядно одетой, чем его никчемная невеста.

— Нет, не надо.

— Как хочешь. Ты доволен, что женился? — допытывалась Аэлла, пытаясь заставить Родислава сказать хоть что-нибудь, что повысило бы ее самооценку.

Но пока ничего не получалось.

— Конечно, я очень рад, — коротко сказал Родислав.

Аэлла почувствовала, что он слегка отстранился, и теперь ее щека уже не была прижата к его шее.

— Знаешь, Родик, я хотела тебе сказать, что тогда, на даче, все вышло ужасно по-дурацки. Я глупо пошутила, а ты воспринял это всерьез. Давай забудем об этом, ладно?

— Давай, — с явным облегчением сказал он.

— И никогда не будем об этом вспоминать, хорошо?

— Хорошо. Не будем.

— Или ты вспоминаешь? — лукаво спросила Аэлла. — Признавайся, вспоминаешь?

— Перестань. Мы же договорились забыть об этом. Вот и давай забудем.

До конца танца они проговорили о каких-то пустяках, причем говорила-то в основном Аэлла, Родислав же ограничивался односложными междометиями.

Еще около часа Аэлла сидела рядом со своим мужем и развлекала гостей рассказами о тенденциях в западной моде: благодаря знакомствам матери зарубежные журналы в их доме не переводились, причем самые свежие. Наконец она поняла, что скоро все начнут расходиться и пора сделать ход козырной картой. Она встала и подошла к Любе.

— Любаша! — громко произнесла она.

Все замолчали и посмотрели на них. Очень хорошо, это как раз то, что ей нужно.

— В этот незабываемый для тебя и Родислава день я хочу сделать тебе подарок, который обязательно принесет тебе счастье в семейной жизни. В память о нашей детской дружбе я дарю тебе этот браслет, который обязательно сделает тебя счастливой, так же, как сделал счастливой меня. Возьми и носи!

С этими словами она сняла с руки красивый изящный браслет и протянула Любе.

— Что ты, — покачала головой Люба, — я не возьму, он очень дорогой. Не нужно, Аэлла.

— Бери, — шепнула Аэлла. — Он действительно очень дорогой, но это не золото, так что не бойся. Бери-бери, он счастливый, его привезли из Мексики, а до этого местные индейцы над ним проводили специальный обряд, чтобы он приносил счастье. Мне уже принес, пусть теперь тебе принесет.

Услышав про обряд, Люба невольно бросила взгляд на Родислава и поняла по выражению его лица, что он тоже это услышал. На лице жениха Люба увидела скептическую усмешку, которая развеяла все ее сомнения.

— Спасибо, Аэлла.

Она поцеловала подругу, взяла браслет, застегнула вокруг запястья и подняла руку высоко вверх, чтобы продемонстрировать подарок гостям. Все зааплодировали и стали говорить, что вот какие бывают замечательные подруги, с себя снимают драгоценности и дарят, ничего для друзей не жалеют.

Аэлла наслаждалась триумфом.

* * *

Праздник закончился, гости разошлись, остались только молодые, Клара Степановна и семья Головиных. Анна Серафимовна тут же принялась хлопотать.

— Сейчас все уберем, быстренько посуду перемоем и тоже домой пойдем. Томочка, давай помогай.

Люба переоделась и занялась привычными хозяйственными делами. Все вместе женщины довольно быстро навели порядок, правда, посуду пришлось мыть в ванной — в кухонную раковину такое количество тарелок, чашек и бокалов не помещалось. И еще возникли сложности с размещением в холодильнике оставшихся продуктов, которых тоже оказалось изрядно. Долго судили-рядили, потом приняли решение все разделить пополам, уложить в пакеты, банки и кастрюльки с тем, чтобы свою половину Головины забрали с собой. Анна Серафимовна и Зинаида долго отнекивались, но еду в конце концов забрали. Клара Степановна проявила деликатность и ушла ночевать к подруге, живущей в соседнем доме.

— Мама решила, что у нас будет настоящая первая брачная ночь, и ушла, чтобы не мешать и не смущать нас, — пояснил Родислав, когда Люба, выйдя из ванной, не обнаружила свекрови в квартире.

— Неужели она так думает? — удивилась Люба. — А мне казалось, что она все про нас с тобой знает.

Родислав смутился.

— Ну, так положено. Все-таки ты в первый раз остаешься здесь ночевать на законных основаниях. Тот раз не в счет, — добавил он, имея в виду ночь перед похоронами Евгения Христофоровича.

Люба отчего-то тоже смутилась. Действительно, впервые она ляжет в постель с Родиком в качестве законной жены. Это будет так же, как раньше, или как-то по-другому? Наверное, по-другому. Ей стало немного боязно.

— Давай подарки посмотрим, — предложила она, стараясь оттянуть момент, когда придется рискнуть и узнать, как это — «по-другому».

— Давай, — охотно согласился Родислав, и Люба поняла, что он тоже нервничает. Бедный Родик, досталось ему сегодня! Сначала волновался, переживал до тошноты, потом его пробил понос, потом разболелся живот...

— Как ты себя чувствуешь? — заботливо спросила она. — Как твой живот? Не прошел?

Он отрицательно покачал головой.

— Немного лучше, но все равно побаливает.

— Хочешь, я бабушке позвоню, спрошу, как лечить? Она всякие народные средства знает, что-нибудь посоветует.

— Не нужно, неудобно, поздно уже, — отказался Родик. — И вообще как-то по-дурацки: у нас с тобой первая брачная ночь, а я животом маюсь. Самому стыдно.

Люба, конечно же, кинулась его утешать.

— Ну что ты, Родинька, как ты можешь так говорить? Мы с тобой уже давно муж и жена, ничего особенного в сегодняшней ночи нет. У тебя был трудный день, ты переволновался, ты устал. Любой другой на твоем месте тоже с ног валился бы или уже спал бы в стельку пьяный. Ты вообще умница, почти ничего не пил, про тебя никто не сможет сказать, что ты валялся головой в салате и лицо потерял, ты вел себя безупречно, несмотря на то, что у тебя так болел живот, никто даже ничего не заподозрил. Знаешь, тебе надо сейчас лечь, свернуться калачиком и постараться уснуть. А утром все пройдет.

— Думаешь? — с надеждой спросил он.

— Я уверена. Бог с ними, с подарками, завтра все посмотрим, а сейчас давай я тебя уложу и убаюкаю. Нет, подожди, ты ложись, а я тебе горячего чайку принесу, всю эту еду, которую мы сегодня слопали, надо обязательно запить большим количеством горячего чая, меня бабушка так учила.

Родислав с удовольствием забрался в постель, подсунул под спину две подушки — свою и Любину — и согнул ноги в коленях. Так действительно лучше. Какая же все-таки Любаша молодец, всегда знает, как сделать так, чтобы ему было хорошо!

Люба принесла из кухни поднос с двумя чашками дымящегося свежезаваренного чая. Чашки были новыми, Родик их никогда прежде не видел.

— У нас новые чашки? — спросил он.

— Это Тома подарила нам с тобой, я не утерпела и распаковала, пока чайник грелся. Правда, красивые?

— Красивые, — согласился Родислав. — А еще там что в подарках?

— Ну, там всякое... для хозяйства в основном. Можно подумать, что мы с тобой на пустом месте в новой квартире начинаем совместную жизнь. Набор посуды на шесть персон, набор кастрюль, скатерти, салфетки, рюмки. Правда, книги тоже есть. А Андрей какой молодец, Вознесенского достал! И когда только он успел? Ведь он сегодня ночью в Москву прилетел.

— У него есть знакомый спекулянт, мне Андрюха сам рассказывал, давно еще, до армии, он у этого спекулянта всякие нужные вещи приобретал. У него же зарплата была хорошая, он мог и переплачивать.

— Тогда понятно, откуда нейлоновая рубашка, — улыбнулась Люба. — И Аэлла очень хороший подарок сделала, правда? Такое белье необыкновенное — прелесть! Давай завтра его постелим, чтобы было красиво.

— Ладно.

— И браслет очень красивый. Только он, наверное, такой дорогой... Никогда не думала, что Аэлла может мне подарить такую дорогую вещь. Вот так с себя снять и запросто отдать.

— Я тоже от нее не ожидал, — признался Родик. — Широкий жест, красивый. Только я думаю, что таких браслетов у нее видимо-невидимо, благодарные клиентки ее матери без конца подарки привозят, так что и отдать не жалко. И насчет того, что над ним мексиканские индейцы обряд проводили, — наверняка вранье.

— Это точно!

И они дружно расхохотались, вспомнив заклинание против черной старухи.

— А старухи-то с тех пор в лесу действительно никто больше не встречал, — сквозь смех проговорил Родислав. — То-то Аэлла радовалась, небось ребятам вовсю заливала, что это она ее извела на корню. А те и верили.

Родислав отдал Любе пустую чашку, боль действительно стала понемногу утихать, то ли от чая, то ли оттого, что больше не было поводов нервничать: свадьба позади, а Люба ясно дала понять, что на близости настаивать не собирается. Она же обещала его убаюкать...

Он так и уснул, полусидя, держа жену за руку.

Проснулся Родислав посреди ночи, понял, что ему неудобно, стал укладываться пониже и обнаружил у себя под спиной обе подушки, а рядом увидел спящую поверх одеяла и без подушки Любу, укрытую тонким халатиком. На него накатили нежность и умиление: какая она все-таки... Самая добрая, самая ласковая, самая понимающая. Самая-самая лучшая.

* * *

— А дальше там все очень обыкновенно, — доложил Ворон, вернувшись из очередного путешествия. — Через какое-то время Люба забеременела, а в мае 1965 года умерла Анна Серафимовна, буквально две недели до правнука не дожила. Люба на похоронах с большим животом была, уж она так переживала, так убивалась по бабушке, что я даже испугался: не родила бы прямо там, на кладбище. Но ничего, обошлось. Через две недели, в самом конце мая, родился мальчик, назвали Николаем, в честь деда.

Люба взяла академический отпуск на год, сидела с ребенком, потом его отдали в ясли, и она вернулась в институт. Так и учится там. Ну что тебе еще рассказать?

— Ты про квартиру, про квартиру-то скажи! Получили они квартиру?

— А как же! Как и планировали, Люба как раз только-только забеременела — и Головину дали две квартиры, для его семьи и для Любиной, Родика-то они успели к себе в барак прописать, так что все чин по чину. Правда, молодым однокомнатную выделили, у Любы тогда еще справки о беременности не было, но тут Клара Степановна проявила широту натуры. Зачем ей одной, дескать, четырехкомнатные хоромы, но и уступить их сыну, а самой жить в одной комнате она тоже не хотела, привыкла к просторам-то, вот она и предложила обмен: ее квартиру и Любину обменять на трехкомнатную для молодых и двухкомнатную для себя. Это всех устроило. Пока обмен искали, пока документы оформляли, пока переезжали — Люба уж на сносях. А тут еще Бабаня померла. Еле-еле бедная девка успела сессию досрочно сдать — и в роддом отправилась.

— Ты мне про сынка расскажи, про мальчика, — попросил Камень. — Каким он получился?

— Да кто ж его знает, каким он получился от рождения, — философски заметил Ворон. — Важно, каким он получился в результате воспитания. А с воспитанием там — полный швах! Отец в университете образование получает, мать сидит дома с ребенком, ей обе бабки помогают по мере сил, поскольку сами-то пока работают, им до пенсии еще — глаза выпучишь. Люба, конечно, справляется, она быстрая, ловкая, проворная, но ведь не высыпается ни фига! Пацан пореветь любит, особенно по ночам, а ночью любимый муж Родислав должен спать, чтобы хорошо учиться, а ребенок умолкает только на руках, вот Любе и приходится целыми ночами Николеньку таскать взад-вперед. А Родик выспится — и бегом в университет, да оттуда домой-то не особо торопится, чтобы жене помочь, все больше в библиотеке просиживает, занимается. Нет, я ничего не хочу сказать, он сыном гордится, радуется, что у него парень растет, только пусть он растет как-нибудь без него, без Родислава, без забот, хлопот и бессонных ночей.

— Ну что ж, типичная картинка, — усмехнулся Камень. — А что бабки? Как они с внуком?

— Да как с писаной торбой! Ты слушай, не перебивай, сейчас самое интересное начнется. Значит, наша Клара выписывает из Тмутараканска свою мамашу, невестке в помощь. Софью Ильиничну. Бабу Соню, стало быть. Та, как только Николашу увидела, так в крик: дескать, точная копия ее ненаглядного Степушки, Клариного папаши, значица. Степушку этого никто в глаза не видел, он помер, когда Кларе было не то три года, не то четыре, она его и не помнит вовсе, только фотки его на стене да в альбоме видела. Ну а уж про остальных и говорить нечего. Клара, натурально, никакого такого сходства со своим покойным папашей у внука не наблюдала, но баба Соня твердо стояла на своем: и глазки точно такие же, и улыбка такая же, и весь он — ну точь-в-точь такой же. Поселилась она у Клары и каждый день, как на работу, к восьми утра приезжала к Любе помогать. А уж по вечерам и по воскресеньям Зинаида с Кларой подтягивались. Так до года Николашиной жизни дотянули, потом решили в ясли отдавать — Любе же надо в институт возвращаться, образование заканчивать. Отдали. А парень сразу же и заболел. Вылечили. Снова в ясли отправили, а он снова заболел. То ли простужаются они там, то ли что... Ну, тут все бабки как одна выступили, единым фронтом: надо младенца из яслей забирать, пусть дома растет. Люба согласилась. И опять баба Соня каждый день с самого утра является с правнуком сидеть и уходит, когда вечером мальчика спать укладывают. Потом у Клары отпуск случился, и она попросила, чтобы Люба отдала Николашу ей на целый месяц, мол, мы вдвоем с мамой с ним посидим, с вы с Родиком хоть вздохнете свободно. И опять Люба согласилась, не из-за себя, конечно, ей-то мальчонка со всеми своими капризами только в радость был, ради мужа согласилась, видела, что наличие малыша в доме изрядно его утомляет. Месяц прошел, баба Соня правнука не отдает — иди, мол, Любочка, в институт, занимайся как следует, приобретай профессию, мужа холь и лелей, а мы уж тут как-нибудь... Люба сына безумно любит, но мужа-то она тоже любит, и точно так же безумно, и вроде как выходит, что за сыном-то есть кому смотреть, а муж у нее без присмотра остается, если все внимание сыну уделять. И Родислав за то, чтобы Николашу у Клары с Соней оставить. Ну и оставили. Вроде как временно. Но сам знаешь, временное — оно самое постоянное и есть. Так что Люба превратилась в приходящую мать, каждый день после института ехала к Кларе сыночка повидать, потетешкаться с ним, потом домой мчалась чистоту наводить, еду Родиславу готовить, рубашки ему стирать и пуговицы пришивать. Ну и потом, она ж совсем еще молоденькая, ей двадцать один год, ей и в компанию хочется с друзьями, и в кино, и на выставку сходить. Родислав учебу закончил, стал работать следователем, у него рабочий день ненормированный, и устает он сильно, это тоже надо понимать и учитывать. Ну а уж как воскресенье настает — Люба с утра пораньше к Кларе едет на целый день, и целый день сына облизывает, в попку ему дует, называет золотым и драгоценным, и самым лучшим на свете мальчиком, единственным и неповторимым, и всем его капризам потакает, и все его просьбы удовлетворяет. Ну, ее можно понять, все-таки она по нему сильно скучала, видела-то на неделе всего по два-три часа в день, вот в воскресенье и отрывалась по полной программе.

— А Родислав?

— Он тоже в воскресенье приезжал, если не дежурил. В три года мальчика отдали в детский садик, и сразу же начались проблемы.

— Ну, немудрено, — согласился Камень. — Я даже догадываюсь какие.

— Какие? Ну скажи, какие? — задиристо каркнул Ворон. — Откуда ты можешь знать, если не был там и ничего не видел?

— Так тут много ума не надо, чтобы предположить. Мальчик у бабушек был самый-самый, лучший-распрекрасный, единственный во всем мире и вообще пуп Вселенной, а теперь оказывается, что есть еще какие-то Маши-Вани-Тани-Пети, у которых равные с ним права, которые хотят и — что самое ужасное! — имеют почему-то право играть в те же игрушки, в которые хочет играть он сам, и рисуют так же хорошо, как и он, и стишки читают не хуже, а даже и лучше, чем Николаша. Разве он может это стерпеть? Наверняка он и ходить в этот садик не хотел.

— Точно. Не хотел. Орал, истерики закатывал, по полу валялся. Баба Соня опять выступила с инициативой оставить ребенка дома на ее попечении, но тут уж Люба проявила твердость. Во-первых, баба Соня уже весьма и весьма немолода, а парнишка становится с каждым днем сильнее и проворнее, ей за ним на улице не угнаться будет, а во-вторых, ребенок должен расти в коллективе.

— Неужели сама додумалась? — не поверил Камень.

— Ну да, щас! — фыркнул Ворон. — Додумается она, когда дело идет о ее ненаглядном Николеньке. Это Николай Дмитрич ей мозги вправил. Ну и Тамара, конечно, тоже свою лепту внесла. Дед Николай вообще был единственным человеком, кто по достоинству оценил эту бабскую вакханалию вокруг дитяти, но на то, чтобы спокойно поговорить с дочерью и зятем и все обсудить, у него не было ни времени, ни сил, он был уже очень большим начальником и почти все время проводил на службе, даже в выходные дни, поэтому он мог только время от времени стучать кулаком по столу и кричать на Зинаиду, мол, бабы, дуры, что вы творите, вместо того чтобы растить мужика, вы растите мамсика, который сядет вам на шею и ножки свесит. Ну и насчет детского садика он тоже проорался как следует. Вспыльчивый он с годами стал... Головин, конечно, понимал, что парня портят, но надеялся, что романовская и головинская кровь возьмут свое и мальчишка в садике, в детском коллективе выправится.

— Ну и как, выправился?

— Ну прямо! Только хуже стало. В садик-то ходить пришлось, хоть он и не хотел, а куда деваться? И он нашел способ снова стать самым-самым единственным. Мальчонка-то врать научился тогда же, когда и говорить, а чуть погодя овладел наукой лести и подлизывания. С бабками натренировался, понял, что помогает, и пользовался вовсю. Ну вот ты представь, баба Соня ему чего-нибудь не разрешила, так он не настаивает, не бьется в истерике, а делает вид, что смирился, и занимается чем-нибудь другим, а потом подходит к ней, утыкается в коленки, обнимает за ноги и говорит: ты, мол, бабулечка, у меня самая лучшая, самая красивая, и пахнет от тебя так хорошо, ни от кого так не пахнет, как от тебя. А она ему в ответ: ты моя кровиночка, ты моя золотиночка, иди сделай то, что я тебе не разрешила. Конфетку съешь, суп не доедай, с коробочкой поиграй, телевизор включи, одним словом, молодец, возьми на полке пирожок. Мозги-то у парня были отличные, и развит он не по годам, соображает быстро, но в основном в свою пользу. Он и с воспитательницами в детском саду приноровился таким же манером обходиться. Марь-Иванна, вы такая красивая, вы такая справедливая, вы такая добрая, вы мне как мама, даже лучше, и так далее. Ну и само собой, когда дети ракету нарисовали,

Марь-Иванна во всеуслышанье объявляет, что самый лучший рисунок сделал Коля Романов. И когда дети готовятся к новогоднему утреннику, то Коля Романов будет играть самую главную роль, потому что у него лучше всех получается текст произнести и под музыку станцевать. Вот и вышло, что он и в садике оказался самым-самым. Причем он даже не понимал, что «самый-самый» он исключительно потому, что льстит и подлизывается, он искренне полагал, что он действительно лучший и в этом его собственная заслуга. Такой вот компот получился.

— Лихо, — сочувственно вздохнул Камень. — А Родислав-то что же? Неужели не видел, как парня изуродовали?

— Что ты все со своим Родиславом! Не до сына ему. У него работа, карьера, новые друзья-сослуживцы. И потом, что он может видеть? Он с сыном встречается по воскресеньям, да и то не каждую неделю. Николай Дмитрич, конечно, пытался с зятем поговорить, открыть ему глаза, мол, ты посмотри, что с ребенком делает этот бабский батальон, но Родислав ведь даже не понимал, о чем, собственно, речь, и отмахивался, дескать, все нормально, растет здоровый и умный ребенок, в три года буквы знал, в четыре сам читает, что вам еще? В пять лет к Николаше стала ходить учительница музыки — у Клары было хорошее немецкое пианино, с шести лет он начал заниматься с англичанкой — тогда как раз в моду английский язык вошел. И как-то так сложилось, что мальчик прочно осел в квартире Клары и бабы Сони, хотя и Люба, и Зинаида ежедневно его навещали. Ну, на самом деле не совсем ежедневно, со временем, когда Люба закончила институт и пошла работать, у нее становилось все меньше времени, потому что предприятие, на которое ее распределили после института, находилось на другом конце Москвы, дорога занимала два часа пятнадцать минут, а то и больше, если приходилось долго ждать автобуса, отводить ребенка в садик и забирать из садика вовремя у нее никак не получалось, и она радовалась тому, что сын по вечерам занят чем-то полезным. Сама она не успевала бы водить его на музыку и к англичанке, а так мальчик и присмотрен, и занимается. И только в семьдесят втором году встал вопрос о переселении Николаши назад к родителям: в сентябре ему предстояло пойти в школу.

— Ну слава богу, — Камень с облегчением перевел дух, — наконец-то это безобразие закончилось.

— Не торопись, — Ворон хитро прищурил глаза, — не так все просто. Решить-то решили, причем загодя, как Люба всегда делает, а тут — как гром среди ясного неба! — она опять беременна. Ты представляешь? Ну куда ребенка забирать? К сентябрю, когда занятия в школе начнутся, Люба уже в декрете будет, не забирать же его домой на два месяца, потому что потом, когда второй ребенок родится, Колю все равно придется снова отдавать бабкам, Любе с двумя не справиться будет. В общем, остался парень у Клары с Соней, а те и рады.

— Не понимаю, — сказал Камень, — почему такие сложности? Почему нельзя было поселить Софью у себя, чтобы она смотрела за сыном? Все-таки мальчик рос бы при родителях.

— Так Люба сколько раз предлагала! Софья не захотела. И Клара была против, чтобы ее с родной матерью разлучали. Можно подумать, что до этого Софья жила вместе с ней. Жили же они в разных городах — и ничего, не умерли от тоски друг по другу. Черт их разберет, этих баб. Люба ведь на все была готова, она предлагала и Кларе вместе бабой Соней к ним переехать, так опять Клара уперлась, якобы ей от своего дома до работы пятнадцать минут пешком, а от Любиного добираться долго и неудобно. На самом деле, я так думаю, что она просто не хотела быть второй хозяйкой на кухне. Привыкла за столько-то лет быть единственной, а на первенство в Любином доме претендовать она вряд ли смогла бы.

— Это почему же?

— Чтобы иметь право считаться первой хозяйкой, надо сначала ею стать, то есть реально взять на себя заботы обо всех членах семьи. Клара-то как привыкла? Христофорыч да Родик — оба непритязательные, их можно макаронами кормить, сахаром посыпал, маслом заправил — вот тебе и еда. И дырки на носках можно не штопать, пока палец не начнет полностью высовываться, и окна можно не мыть, пока свет хоть как-то проникает. Клара у нас не больно-то хозяйственная, но мужу и сыну было в самый раз. А если переехать к Любе, то это, во-первых, заботиться сразу о четырех взрослых и маленьком ребенке, то есть на всех готовить, всех обстирывать и обглаживать, за всеми убирать, неудобно же на одну невестку все свалить, а во-вторых, все эти работы проделывать на должном уровне, в соответствии с Любиными стандартами, то есть тщательно и систематически, а не как-нибудь и от случая к случаю. А Кларе не хотелось. Вот тебе и вся причина.

— Очень может быть, — согласился Камень. — Звучит разумно. Сам догадался или опять разговор подслушал?

Ворон отвернулся и стал изображать, будто пытается клювом вытащить из крыла застрявшую в перьях хвоинку.

— Сам, — ответил он, не глядя Камню в глаза, из чего Камень сделал совершенно справедливый вывод о том, что его друг, мягко говоря, искажает факты.

Но он притворился, что ничего не заметил. Чего свару устраивать из-за пустяков? Пусть лучше дальше рассказывает.

— Осенью семьдесят второго года родилась девочка Оленька, но ее с самого рождения все называли Лелей. Слабенькая такая, болезненная, Люба с ней намучилась.

Хорошо еще, что бабки Николашу взяли, а то ей ну никак не справиться было бы. Леля все время плакала, вот если Николаша во младенчестве плакал и Люба думала, что это самый плаксивый ребенок на свете, то с рождением Лели она таки поняла, почем фунт лиха и какого ребенка можно считать самым плаксивым. Но дети Любины плакали по-разному.

— Это как же? — заинтересовался Камень. — Разными голосами, что ли?

— Да много ты понимаешь в детях, глыба ты бесчувственная! Ты их в глаза не видел!

— Но ты же мне рассказывал, — резонно возразил Камень. — Я вообще-то не тупой, и если я что не так понял, так только потому, что ты плохо объяснил. Объясняй как следует.

— Объясняю, как для тупого, — огрызнулся Ворон. — Одни дети плачут, потому что им плохо, ну, например, больно или страшно, или просто мокро, а другие — из вредности, то есть капризничают. Николаша ревел из вредности, он внимания требовал, он уже в пеленочном возрасте хотел, чтобы мир вокруг него вертелся и все было так, как он хочет, а Леля плакала, потому что ей было или больно, или страшно. А страшно ей было почти все время, потому что она пошла в Любину породу и уродилась жутко чувствительной. Даже если не понимала ничего, она по голосу, да что по голосу — по дыханию улавливала, что что-то не в порядке, кто-то расстроен, или недоволен, или сердится, или завидует. Да-да, представляешь, она даже такие эмоции ощущала. И сразу в слезы. При ней даже телевизор нужно было смотреть очень осторожно, если, к примеру, кино какое-нибудь идет с трагической сценой, да еще, не дай бог, музычка соответственная, с девочкой делалась форменная истерика. Или придет к Любе подружка и начнет про грустное рассказывать, Леля опять же слышит интонацию, эмоции улавливает — и в рев. Но хуже всего бывало, если в дом приходил человек недобрый или завистливый. Тут целый скандал начинался. Ты представь, девочка только-только ходить начала, а уже могла повернуться и уковылять в свой угол, если ей человек не нравился. Попытаешься ее из угла вытащить — крик стоит, хоть уши затыкай. Покраснеет вся от натуги, посинеет, будет вырываться, а близко к тому, кто ей не понравился, не подойдет. Вот такая девочка у Любы с Родиславом получилась.

— Смотри, как любопытно вышло, — с интересом прокомментировал Камень. — У Любы мощная интуиция, она подсознательно угадывает, как сказать и что сделать. И эта же самая интуиция перешла к ее детям, только у сына она используется, чтобы быть ласковым теленком, который двух маток сосет, чтобы ко всем подлизаться и в свою пользу вывернуть, а у дочки — вон как... И упрямая, в тетку Тамару. Гремучая смесь. А как Николаша к сестре относится?

— Да как, как... Не очень. То есть к самой Леле он относится хорошо, а вот к тому факту, что он теперь не единственный золотой ребенок, конечно, плохо. И вот что любопытно: этот мелкий прохиндей насобачился вести себя по-разному дома у родителей и дома с бабками. Я ж, говорю, у него интуиция...

На самом деле ничего подобного Ворон не говорил, про интуицию рассуждал вовсе даже Камень, но и здесь не было смысла заостряться и уточнять авторство. Не станет Камень мелочиться из-за ерунды.

— Когда бабушки его к родителям приводят, он с Лелей возится, сюси-пуси разводит, дескать, как хорошо, что у него теперь есть маленькая куколка-сестричка, да какая она смешная, да какие у нее умилительные маленькие пальчики с настоящими ноготками, прямо как у большой, да какие у нее глазки чудесные. А как только оказывался наедине с бабками, сразу делался эдаким лисенком, который всеми правдами и неправдами вымогает у них, во-первых, похвальбушки в свой адрес и, во-вторых, прощение за все шалости и разрешение на всяческие вольности. То есть он четко усвоил, что если для мамы он единственным уже не будет никогда, и нечего даже пытаться, то с бабками есть возможность еще порезвиться. А бабки — ты представляешь, что творят, курицы безмозглые? Внушают мальчонке, что ему все завидуют! Этому лисенку нельзя, видите ли, замечание сделать! Он не может поступить неправильно по определению. А если его кто-нибудь критикует, то ответ всегда один: это они, деточка, тебе завидуют. Петя сказал, что ты плохой и жадный, раз не даешь ему свою игрушку? Он просто тебе завидует, потому что у тебя есть такая чудесная игрушка, а у него нет, и вовсе ты не плохой, ты самый чудесный. Учительница Марь-Иванна сказала, что ты слишком самоуверенный, не делаешь домашнее задание, надеешься на свою память, а она тебя подводит, и поставила четверку — она сама дура, она тебе завидует, потому что ты очень способный и память у тебя отличная. И все в таком духе. Представляешь?

— Кошма-ар, — протянул Камень. — Эдак они парня-то совсем загубить могут. И все-таки я не понимаю, а Родислав-то куда смотрит? Неужели не видит, не понимает ничего? Он же неглупый человек. Ну ладно Люба, она с младшим ребенком замоталась, но у отца-то глаза есть?

— Так в том-то и дело, что при отце Николаша шелковый! Я ж тебе, валуну тупому, объясняю, что он при родителях ведет себя совершенно иначе. И бабки при Любе и Родике язык в задницу засовывают. Иногда, правда, бывает, что и дома у Любы они чего-нибудь брякнут, но она как-то внимания не обращала на то, что они говорят, она все больше на сына смотрела и на дочку и радовалась, что, мол, какие у нее детки чудесные растут. А Родислав от проблем воспитания вообще дистанцировался, для него важно, что у него двое детей, причем мальчик — старший, вот это обстоятельство его по-настоящему радует, а уж какой там мальчик получился, какая девочка вырастет — это пусть у жены голова болит. Дети и хозяйство — удел женщины, вот пусть и занимается. Нет, я ничего не хочу сказать, он ведет-то себя прилично, зарплату всю до копейки приносит, не пропивает, на девок не тратит, и если Люба попросит чего-нибудь помочь — всегда помогает, если он дома. Только дома-то он бывает... Ну, сам понимаешь, рабочий день-то ненормированный, да и суточные дежурства частенько случаются.

— Ладно, это все я понял. Ты мне про Любу и детей уже много рассказал, а про Родислава что-то молчишь, каждое слово из тебя клещами тянуть приходится. Неужели нечего рассказать?

— Да есть что, — тяжко вздохнул Ворон, — только тебя это вряд ли обрадует.

* * *

— Сколько уже? — нетерпеливо спросил Родислав.

— Девяносто четыре, — ответил плечистый оперативник Слава Сердюков. — Еще шесть штук — и все. Понятые, вы уж потерпите. Немножко осталось.

Родиславу смертельно надоела вся эта возня с пустыми бутылками. Дело-то, по его мнению, выеденного яйца не стоило. Поступила информация, что приемщица стеклотары Щупрова обманывает тех, кто сдает пустую посуду, говорит, что бутылки битые, и дает меньше денег, а на самом деле бутылки-то все целехонькие. По правилам, битые бутылки она должна вернуть, но она их не возвращала. В чистом виде состав «Обман покупателей и заказчиков», только вот доказывать это непросто. Для того чтобы вменить Щупровой обман покупателей, необходимо доказать, что те бутылки, которые она назвала «битыми», являются абсолютно нормальными, даже без сколов, и годны для приема. А как это сделать, если она их не возвращает, а ставит у себя во внутреннем помещении приемного пункта в какой-то ящик, который через маленькое окошко приема даже не видно? Родислав у себя в кабинете в присутствии оперативников, их общественных помощников и товароведа из управления торговли составил акт о том, что предназначенные для контрольной закупки пустые бутылки сколов не имеют, боя нет. Оперативники с помощниками разобрали бутылки по сумкам и пошли к Щупровой их сдавать. Она, естественно, на каждую третью-четвертую бутылку говорила:

— Бой, — и ставила их в ящик под прилавком.

После того как последний из помощников опустошил свою сумку, объявили контрольную закупку, показали Щупровой акт о том, что все бутылки были целыми.

— Ничего не знаю, — нахально заявила приемщица, — это у вас в милиции бутылки были целыми, а пока довезли — побили.

Потребовали предъявить ящики с «боем».

— Да пожалуйста! — пожала плечами Щупрова.

А толку что? Как определить, что за бутылки в этом ящике стоят, те, которые привезли оперативники, или другие какие-то? Контрольная закупка бесславно провалилась.

И тогда Слава Сердюков придумал выход: пометить все сдаваемые бутылки специальной «собачьей пастой», которая невооруженным глазом не видна, а при облучении светится ярко-зеленым светом. И снова составили акт, только теперь в нем приписали: «В целях обеспечения объективности контрольной проверки вся посуда промаркирована» и указали название вещества. Осталось промаркировать еще шесть бутылок, и можно было отправлять группу в приемный пункт.

Родислав с трудом подавил зевок. Какой же ерундой ему приходится заниматься! Когда он, закончив универ-

ситет, получил распределение в МВД на должность следователя, ему виделись засады, погони, задержания, страшные убийцы и прожженные воры, которые под натиском
собранных им, Родиславом Романовым, доказательств
попросят воды и скажут:

— Ладно, гражданин начальник, твоя взяла, пиши.

А что оказалось на самом деле? Никаких воров и
убийц, только расхитители и мошенники. Его специализация, причем не им самим выбранная, а навязанная на-
чальством, — дела о преступлениях против социалисти-
ческой собственности, а это такая скука! Сплошная писанина, горы бумаг, накладных, бухгалтерских отчетов,
счетов, бесконечные товароведческие экспертизы, в общем — рутина и тоска. И никакого героизма.

Он закончил писать обвинительное заключение по
тягомотному делу об обмане покупателей буфетчицей из
гостиницы и начал собираться домой.

Первой, кого увидел Родислав, войдя в квартиру, была
Тамара, играющая в прятки с трехлетней Лелей.

— Папоська! — завизжала девчушка, бросаясь к отцу.

Тот подхватил дочурку на руки, расцеловал, зарылся
носом в светлые кудрявые волосики и глубоко вдохнул
сладковатый детский запах.

— Ты папино сокровище, — загудел он, — ты папина
маленькая принцесса.

— Леля плинцесса, — повторила малышка, ухватив Родислава за уши и дергая в разные стороны.

— Ты моя маленькая мартышка, — продолжал он.

— Леля малтыска.

— Ты папина кукла.

— Кукла.

— А где наша мама? — спросил Родислав, обращаясь к
стоящей рядом Тамаре.

— На кухне, ужин готовит. Давай сюда Лелю и иди мой
руки.

Он поставил дочку на пол, и та немедленно ухватила Тамару за руку.

— Давай еще иглать.

Родислав снял ботинки, надел тапочки и направился в кухню, откуда доносились аппетитные запахи тушеного мяса и свежевыпеченных блинов. Люба в длинной ситцевой юбке и хлопчатобумажной сорочке с закатанными рукавами колдовала над салатом. Эту юбку она сшила сама весной, перед самым отпуском: в том году был ажиотаж моды на «макси», в которых на работу не больно-то походишь — неудобно, особенно в общественном транспорте, а в отпуске на даче, той самой старой даче Романовых, было бы в самый раз. Родислав помнил, с какой тщательностью Люба кроила и шила эту юбку по ночам, мечтая о том, как будет ходить в ней по саду, держа за руки Николашу и Лелю, и помнил ее разочарование, когда очень быстро выяснилось, что длинная юбка-макси совсем не пригодна для современной дачной жизни, во всяком случае для жизни заботливой жены и матери двоих детей. Одно крыльцо дома чего стоило! Попробуй-ка поднимись или спустись по ступенькам, когда у тебя заняты обе руки. Пару раз наступив на подол, споткнувшись и едва не уронив Лелю, Люба сняла юбку и засунула в шкаф до возвращения в Москву, где модный наряд оказался приспособленным в качестве домашней одежды, да и то после обрезания подола на добрые десять сантиметров.

— Садись, Родинька, все уже готово, — ласково сказала Люба, целуя мужа. — Я сегодня немножко запоздала с ужином, но все равно к твоему приходу успела.

— Где-то задержалась? — равнодушно спросил он.

Ему не было, в общем-то, так уж интересно, какие такие заботы не дали его жене приготовить ужин вовремя, главное, что она все-таки успела приготовить еду к возвращению мужа со службы, но вежливость заставляла спросить.

— Я ездила отмечаться в очереди на кухню.

— Ну и как? — оживился Родислав.

Они давно уже собирались поменять мебель на кухне, старую выбросить и вместо нее купить новую, из светлого пластика и со стеклянными дверцами, но задумать было куда проще, чем сделать: импортной мебели в свободной продаже не было, приходилось искать возможность «встать в очередь», в которой следовало периодически «отмечаться», дабы подтвердить свое намерение приобрести вожделенный товар, в противном случае тебя могли из очереди выкинуть. Конечно, «отметиться» удобнее было бы Родиславу, ведь мебельный магазин находился недалеко от места его работы, но Любе и в голову не приходило нагружать мужа такими «женскими» обязанностями. Кому же заниматься кухней, как не ей самой?

— Мы уже сорок восьмые, — сообщила Люба. — Говорят, к концу месяца могут привезти пять гарнитуров, тогда мы станем сорок третьими, а к ноябрьским праздникам обещают завезти большую партию, пятнадцать или даже двадцать кухонь, так что мы еще продвинемся.

— Если кто-нибудь без очереди не влезет, — заметил он.

— Это да, — вздохнула Люба. — Ну что ж делать, столько времени ждали — еще подождем. Потом к концу года наверняка для плана еще привезут. Как у тебя на работе?

Этого вопроса Родислав всегда ждал и отвечал на него с удовольствием. Ему нравилось рассказывать Любе о служебных делах, о взаимоотношениях с коллегами, о конфликтах с руководством или, наоборот, о согласии с ним — это был честный и беспристрастный рассказ без страха перед возможной критикой. Люба никогда не выставляла ему оценок, что бы Родислав ни сделал, — он всегда был безусловно и безоговорочно прав, во всяком случае, у Любы каждый раз находились бесспорные аргументы в пользу правоты мужа. С самого первого дня службы она была полностью в курсе всех проблем Родислава и знала всех его коллег и друзей, и даже некоторых начальников. Дом у Романовых был гостеприимным и хлебосольным, Люба привечала друзей мужа и даже настаивала на том, чтобы он приводил их домой, вместо того чтобы «отмечать» в кабинетах, с порезанной на газете колбасой и разлитой в чайные чашки водкой. Такие «отмечания» редко бывали заранее запланированными, они возникали спонтанно, по поводу удачного расследования, или присвоения очередного звания, или просто в связи с вынесением благодарности или получением премии, и если Родислав говорил по телефону, что он сегодня «задержится с ребятами», Люба непременно отвечала:

— Ну что вам там сидеть в антисанитарной обстановке? Бери ребят, вези к нам, я вам сейчас стол накрою — отпразднуете как белые люди.

Ни разу не случалось, чтобы это радушное приглашение оказалось отвергнутым. Люба обладала редким, перешедшим к ней от бабушки Анны Серафимовны умением делать стол буквально «из ничего», когда за три дня до зарплаты денег оставалось ровно на детскую еду и на проезд в транспорте до работы и обратно. Бабаня учила:

— Даже в самые тяжелые времена настоящая леди не должна показывать, что в семье финансовые затруднения. Скатерть должна быть белоснежной, салфетки должны хрустеть, посуда должна сверкать, а блюда, которые ты подаешь, должны быть похожи на произведения искусства. Если у тебя есть один огурец, один помидор и одна картофелина, ты можешь сделать из этого настоящий натюрморт, за который не стыдно было бы шеф-повару лучшего ресторана.

Люба училась у бабушки фигурной нарезке и всяческим хитростям приготовления простых продуктов так,

чтобы они выглядели не только аппетитно, но и изыскан-
но. Она одной из первых в Москве оценила высказывание
о том, что пицца — пища бедняков, задолго до того, как в
столице появились первые пиццерии, достала рецепт,
научилась делать тонкие коржи из пресного теста и запе-
кать в самых невероятных сочетаниях остатки продуктов, обнаруженных в холодильнике: колбасы, сосисок,
сыра, рыбных консервов, овощей, кусочков мяса из вчерашнего супа, соленых грибов и даже фруктов. Каждый
из этих остатков в отдельности на полноценное блюдо
даже для одного едока никак не тянул, а приготовленной
Любой пиццей можно было накормить и семью, и неожиданных гостей. И разумеется, на накрытом ею столе
все было белоснежным, хрустящим и сверкающим
вплоть до колец для салфеток. Какой бы простой ни была
еда, стол всегда накрывался как для банкета, и к этому
тоже приучила ее Анна Серафимовна.

Коллеги Родислава любили приходить к нему в гости,
и не только из-за вкусной еды и нарядно накрытого стола. Им нравилось гостеприимство Любы, ее приветли-
вость и искреннее радушие, они чувствовали себя в доме
Романовых желанными и «жданными» гостями. Ну и кроме того, в доме царила атмосфера, из которой не хотелось уходить, — атмосфера любви, взаимного уважения,
доверия и теплоты. Ни разу гостям не довелось увидеть
хозяйку дома хмурой, недовольной, раздраженной или
просто расстроенной, она всегда улыбалась, задавала за-
интересованные вопросы о домашних и служебных делах, помнила имена жен и детей сослуживцев мужа, а также кто чем болеет и у кого какие оценки в школе, не говоря уж о том, что она была полностью в курсе служебных
дел Родислава и многих его сотрудников, никогда ничего
не забывала и не путала, и при ней можно было обсуждать любые проблемы, даже такие, которые работники
милиции при женах обычно не обсуждают. Люба Рома-

нова была замечательным слушателем, она сидела вместе с ними за столом, подперев щеку ладонью, и не сводила внимательных глаз с каждого говорившего, не влезала в разговор, ничего не комментировала, иногда совершенно по-школьному поднимала руку и спрашивала:

— Витенька, извини, я тебя перебью, а ты знал, что...

Или:

— Алеша, можно уточнить? А ты...

И не высказывала своего мнения до тех пор, пока ей впрямую не задавали соответствующий вопрос. Но надо сказать, что этот самый «соответствующий вопрос» ей задавали почти всегда, хотя и понимали, что Люба Романова не является специалистом в милицейском деле, зато очень точно и тонко разбирается в отношениях человеческих, обладает не только феноменальным чутьем на людей, но и добротой и мудростью. Мудрость же Любы заключалась в том, что она всегда находила, что ответить, чтобы человек почувствовал себя правым и не казнился своими ошибками. И действительно, послушав ее комментарии, гость начинал видеть свои ошибки вполне простительными и объяснимыми, и даже и не ошибками вовсе, а просто не до конца продуманными, но в целом не такими уж глупыми поступками. Ну разве у такого слушателя можно не спросить его мнение? И разве можно так быстро уйти из дома, в котором такая хозяйка? Тем более что вникание в проблемы и мужа, и его товарищей отнюдь не мешало Любе осуществлять функции хозяйки: опустевшие тарелки моментально наполнялись угощением, стоящие на столе горячие блюда никогда не бывали остывшими, пепельницы — переполненными окурками, а заварочный чайник — пустым.

И никому, в том числе и самому Родиславу Романову, не приходило в голову, что перед внезапным нашествием гостей Люба занималась стиркой, которую бросила в самом разгаре, и что после стирки у нее намечено было мытье ванной и туалета, и теперь все это ей придется доделывать поздно вечером, а то и ночью, потому что она всегда четко и до конца исполняла все запланированное, ни от одного пункта из составленного заранее плана не отказывалась и ничего не оставляла на завтра. После ухода гостей Родислав сонно потягивался, зевал и говорил, что смертельно устал, и Люба с милой улыбкой отправляла его спать, а сама продолжала заниматься хозяйством, достирывала, доглаживала, домывала, пришивала пуговицы и оттирала пятна. Она всегда помнила, как бабушка говорила:

— Главное богатство человека — это люди, которые его окружают. Вот посмотри: твоего дедушки Мити давно нет в живых, а его однополчане до сих пор приезжают к нам и готовы, если будет нужно, помочь, чем смогут. И мои братья и их дети тоже часто у нас бывают, они нас любят, и мы этим богаты. Всем этим людям хорошо у нас, тепло, они окружены вниманием и заботой, поэтому они тянутся к нам, и именно поэтому мы никогда не останемся одни, что бы ни случилось. И ты должна делать все, чтобы людям было с тобой хорошо, тогда они всегда будут рядом, и ни одна беда тебе не страшна.

И Люба старалась. Ни разу не сказала она Родиславу, который со временем начал все чаще и чаще приводить в дом друзей, не дожидаясь ее приглашения и не ставя заранее в известность, что устала, что у нее другие планы или вообще нет времени или продуктов. И время находилось, и продукты оказывались в наличии. А друзья и коллеги завидовали Родиславу Романову и говорили, что его Любочка — настоящая милицейская жена и что таких жен больше ни у кого нет. Родиславу было приятно, он гордился Любой и своим домом, любил приглашать друзей и с удовольствием выслушивал комплименты в адрес жены.

— Как у тебя на работе?

Родислав принялся подробно рассказывать про приемщицу Щупрову и «собачью пасту».

— Погоди, но ведь про Щупрову ты мне уже рассказывал, — вспомнила Люба. — Ты дело собирался возбуждать, контрольную закупку должны были проводить чуть ли не месяц назад. Что, не провели?

— Провели, — поморщился Родислав, — только напортачили. Она хитрая бабенка, вывернулась, а наши опера все прохлопали. Целый месяц готовились к сегодняшнему дню.

— Ну и как сегодня все прошло? — с интересом спросила Люба.

— Отлично! С поличным поймали. Мне Славка Сердюков позвонил, когда я уже домой собирался. Теперь ей не выкрутиться, этой Щупровой. Завтра буду дело возбуждать, все бумажки оформлю — и в суд.

— А что у Славика Сердюкова с женой? Они помирились или она все еще дуется?

— Да я не спросил, мы с ним на людях встретились, неудобно было. Но, судя по тому, что рожа у него была довольная, там все в порядке.

— Ну и слава богу. А у нас тоже все в порядке, Николаша получил пятерку по арифметике и четверку по рисованию. У Лели температуры сегодня уже нет. Видел, как она с Тамарой играет?

Родислав кивнул с набитым ртом.

Так повелось издавна: первым делом Люба интересуется ЕГО делами и ЕГО жизнью, потом рассказывает о детях. До нее самой очередь никогда не доходит, потому что ужина хватает ровно на то, чтобы обсудить вещи, важные для Родислава, — его работу, его проблемы и его детей. Потом он укладывался на диван и смотрел телевизор или сразу шел спать, если приходил совсем поздно.

Люба уже подавала чай, когда в кухню вошла Тамара.

— Уф, еле уложила, — с улыбкой сообщила она. — Ни в

какую спать не хотела. Пришлось целых две сказки прочитать. Конечно, хватило бы и одной, но я неудачно сказку выбрала, «Колобок».

— Могу себе представить, — обеспокоенно сказала Люба, — когда Колобка лиса съела, Лелька, наверное, расплакалась.

— Точно, — подтвердила сестра, — лежит и тихонько слезами обливается — до того ей этого дурацкого Колобка жалко. Пришлось быстренько переключаться на Красную Шапочку, там конец хороший. Любаш, можно мне тоже чайку? От чтения вслух горло пересохло.

После рождения Лели Тамара очень много помогала Любе, приезжала всегда, когда была свободна, возилась с племянницей, которую обожала и которая платила ей взаимностью. Тамара уже давно стала настоящим мастером парикмахерского дела, работала в самом престижном московском салоне под названием «Чародейка», и попасть к Тамаре Головиной без записи было нереальным. Ее руки, глаз и необыкновенное чувство стиля и гармоничности обсуждались актрисами и певицами, женщинами-руководителями и женами крупных руководителей, партийных функционеров и министров, и чтобы записаться к ней «на ближайшее время», надо было очень постараться. Ходили слухи, что за Головиной приезжает машина и возит ее к самой Екатерине Фурцевой, но Тамара эти слухи не подтверждала, хотя те, кто пытался завести с ней об этом разговор, клялись, что «у Головиной глаза бегали», что означало: да, она ездила к всесильному министру культуры, но рассказывать об этом не имеет права.

Люба налила чаю мужу, сестре и себе и поставила на стол две открытые, но еще не начатые коробки конфет.

— Откуда такое богатство? — радостно удивился Родислав, который любил не только вкусную еду, но и хорошие конфеты, и вообще сладости. — Просто разгул дефицита.

— Тамара принесла, — пояснила Люба.

— Понятно. А почему две?

— Столько подарили, — рассмеялась Тамара. — Подарили бы три — принесла бы три. А тебе двух мало?

— Взяла бы одну домой, родителям, — с упреком произнес Родислав.

— Ты что, хочешь, чтобы меня из дому выгнали? — Тамара сделала страшное лицо, став на мгновение очень похожей на отца, Николая Дмитриевича, потом сунула в рот конфету. — Хватит мне, наслушалась.

— Извини, забыл, — Родислав примирительно улыбнулся и погладил родственницу по плечу.

Тот скандал был громким. И не единственным. В первый раз Тамара принесла коробку конфет от благодарной клиентки года три или четыре назад, еще до рождения Лели. Зинаида Васильевна с удовольствием попила вместе с дочерью чайку с вкусными конфетками, но, когда пришел со службы Николай Дмитриевич, разразилась гроза.

— Не смей приносить в дом эти подачки! — бушевал отец. — Ты работаешь в сфере обслуживания, твоя задача — обслуживать население, и делать это ты должна как следует, раз уж больше ничего не хочешь знать и уметь. И стыдно принимать благодарность за то, что ты и без того обязана выполнять! Выбрось это немедленно!

Но поскольку ни у Тамары, ни у Зинаиды рука на такое кощунственное дело не поднялась, Николай Дмитриевич самолично выкинул коробку с недоеденными конфетами на помойку. Тамара не восприняла этот выпад как проявление принципиальной позиции и решила, что у отца просто плохое настроение. Но следующую коробку конфет, принесенную Тамарой с работы, постигла та же участь, только уже не на глазах у Тамары. Вернувшийся за полночь Николай Дмитриевич обнаружил конфеты только на следующее утро, когда дочь, работавшая в первую смену, с семи утра, уже ушла на работу. Удар приняла на себя Зинаида Васильевна, которая смертельно боялась разгневанного супруга, но конфеты любила и отчаянно боролась за их жизнь, уверяя мужа, что ничего плохого в подарке нет и он вовсе не за работу Томочке преподнесен, а к празднику от подруг по работе. Третий скандал оказался последним. Николай Дмитриевич кричал:

— Я не потерплю взяточницу у себя в доме! Если ты посмеешь брать хоть что-то у клиентов, ты мне больше не дочь! Я не намерен покрывать преступницу! На тебя дело заведут, тебя посадят, и я пальцем не пошевелю, чтобы тебя вытащить. Посадят — и будешь сидеть.

Тамара сначала пыталась возражать, дескать, она не должностное лицо, не заведующая, а просто мастер, то есть находится на рабочей должности, и привлечь ее за взятку невозможно, и то, что ей дарят клиенты, это вообще никакая не взятка, а просто выражение благодарности, но все было бесполезно. Николай Дмитриевич твердо стоял на своем: дочь обязана делать то, что она делает, только за зарплату, все остальное бесчестно, непристойно и подсудно. После этого Тамара почла за благо все подарки передаривать сестре или подругам. Именно таким манером в квартире Романовых появились приобретенная в обмен на макулатуру «Королева Марго», электрический самовар и несколько настоящих английских виниловых дисков с записями «Пинк Флойд» и «Лед Зеппелин», которые очень нравились Родиславу.

И как только Родислав ухитрился забыть, что родителям коробки конфет теперь носить нельзя! Люба на мгновение смешалась, ей стало неловко за мужа, который, как ей показалось, проявил невнимание к ее сестре, и она испугалась, что Тамара обидится. Но Тамара и не думала обижаться.

— У Аэллы новый любовник, — сообщила она, вгрызаясь крепкими мелкими зубками в очередную конфету «грильяж». — Очень шикарный.

— Да что ты?! — воскликнула Люба. — Надо же, я только два дня назад с ней по телефону разговаривала, она мне ничего не сказала.

— Так она и мне не сказала, — усмехнулась Тамара. — Я видела, он за ней на работу приезжал.

Аэлла Александриди стала, как и ее мать, врачом-косметологом, пластическим хирургом и работала в Институте красоты на проспекте Калинина, в одном здании с «Чародейкой», поэтому Тамара сталкивалась с ней регулярно, не говоря уж о том, что Аэлла частенько направляла к Тамаре своих состоятельных пациенток, гарантируя, что «голову им сделают» по высшему разряду. С первым мужем, сыном заместителя министра здравоохранения, она развелась через полгода после свадьбы, и здесь Тамара отдала должное прозорливости Андрея Бегорского, предсказавшего этому браку быстрый и бесславный конец. Потом был второй брак, такой же яркий и такой же скоротечный, с молодым дипломатом, который увез Аэллу на три года в Марокко, а вернувшись в Москву заявил, что лучше он останется невыездным, но терпеть диктат и непомерные требования жены больше не намерен. Третий брак просуществовал полтора года и распался уже по инициативе самой Аэллы, не пожелавшей тратить лучшие годы жизни на бездарного поэта, который по первости произвел на нее впечатление талантливого и неординарного, а на поверку оказался сильно пьющим бесталанным неудачником. После третьего развода матримониальные устремления красавицы несколько утратили остроту и интенсивность, она сочла, что три бывших мужа — вполне достаточно для репутации женщины, «пользующейся повышенным спросом», перестала стремиться к официальной регистрации и облюбовала для себя вполне уютный статус любовницы мужчины с положением и связями. Ни к чему не обязывает, а удовольствия и возможностей — море.

В профессиональной деятельности Аэлла Константиновна Александриди была весьма успешной, чему, помимо ее способностей к пластической хирургии, очень помогли репутация матери и ее связи. Асклепиада Александриди усиленно рекомендовала дочь как хорошего специалиста, Аэлла, со своей стороны, изо всех сил старалась не допускать ошибок и делать все тщательно и грамотно, не забывала консультироваться с матерью, и в итоге к тридцати годам, сделав несколько весьма удачных подтяжек публичным лицам, исправив носы двум грузинским киноактрисам и приведя в порядок после автокатастрофы лицо жены известного писателя, стала ведущим специалистом Института красоты, на прием к которому попасть не так-то легко. И в деньгах Аэлла не нуждалась: носителями самого активного спроса на исправление носов и подбородков были богатые жители кавказских республик, а точнее — их жены. За свой высокий профессионализм Аэлла, помимо зарплаты, регулярно получала корзины с фруктами, баклаги с вином, меха, ювелирные украшения и довольно толстые конверты, не говоря уж о таких мелочах, как дефицитные билеты в театры на нашумевшие спектакли, хорошие, но тоже дефицитные книги, конфеты и банки с икрой.

После свадьбы Любы и Родислава, одиннадцать лет назад, Аэлла несколько раз звонила Любе, интересовалась, как у нее дела, как семейная жизнь, предлагала помощь, если нужно, потом пропала на несколько лет, а после возвращения из Марокко и развода со вторым мужем снова объявилась и начала звонить уже регулярно, примерно раз в два месяца забегая в гости. Желая сделать ей приятное, Люба к ее приходу всегда надевала подаренный Аэллой на свадьбу браслет и видела, что Аэлла его заметила.

Из своей личной жизни Аэлла никогда особой тайны не делала, любовников приводила к Романовым совершенно открыто, поэтому Люба удивилась, когда Тамара сообщила, что у Аэллы появился новый ухажер, о котором она ничего не сказала Любе.

— Может, там пока ничего серьезного, просто отношения на стадии легкого флирта. Цветы, конфеты и все такое, — предположила Люба.

— Ну да, конечно, — с усмешкой произнесла Тамара, — особенно если принять во внимание, как он на нее смотрел и как они целовались, когда наша Аэлла села к нему в машину. Знаешь, я часто вспоминаю, как Андрей на вашей свадьбе сказал про нее, что у Аэллы слишком высокий уровень притязаний. Она хочет, чтобы мужчина рядом с ней был самым лучшим, но ни в коем случае не лучше, чем она сама. Надо же так точно сказать! Кстати, что-то я давно его у вас не видела. С ним все в порядке?

— За него не волнуйся, — ответил Родислав, — у него все хорошо. Работает все на том же заводе в отделе главного технолога, развивает техническое оборудование для пищевого производства. В прошлом месяце получил приличную премию за рацпредложение.

— А что с личной жизнью?

— Да все то же. Жизнь активная, но не семейная. А что это ты так интересуешься? — Родислав хитро прищурился. — Виды имеешь?

Вопрос был не праздным, одно время всем — и Родиславу с Любой, и их родителям казалось, что между Тамарой и Андреем Бегорским вполне может сложиться нечто... Они сидели рядом на свадьбе Любы и Родика, несколько раз танцевали, на следующий день вместе ходили в кино, потом на выставку, потом Андрей вернулся в часть и в письмах, которые он писал Родиславу, всегда передавал отдельный привет Тамаре. Но впоследствии оказалось, что они просто ценят друг друга за ум и неординарность, но ничего больше друг к другу не испытывают. Встречаясь в доме у Романовых, они всегда бывали искренне рады друг другу, и Андрей, как настоящий джентльмен, потом провожал Тамару до дома, но вне этих случайных встреч они все-таки не общались. Тамара свою личную жизнь пока не устроила, а у Андрея не переводились подружки разных возрастов и калибров, от студенток до вальяжных замужних дам.

— Ни одного видика, даже самого маленького, я на нашего Андрея не имею, — рассмеялась Тамара. — Просто интересуюсь, потому что помню, как в детстве ему нравилась Аэлла. Даже на вашей свадьбе он смотрел на нее и откровенно любовался. Она сейчас не замужем, правда, неизвестно, надолго ли, он свободен, вот я и подумала, что он вполне может предпринять попытку. Насколько я знаю, он иногда захаживает к ней в гости.

— Да брось, — отмахнулась Люба, — Аэлла никогда в жизни до него не снизойдет. Инженер в отделе главного технолога — это не ее калибр. Чтобы к ней подкатиться, нужно быть не меньше чем начальником отдела в каком-нибудь главке какого-нибудь министерства. Да и внешность у Андрюшки подкачала.

— А вот тут ты не права, — покачала головой Тамара, — Андрей стал очень интересным. Да, он так и остался некрасивым, но в нем появилось обаяние уверенного в себе мужчины. И чувство юмора у него отменное, а это иногда завораживает куда больше, чем правильные черты лица. Нет, нет и нет, наш Бегорский — мужик что надо. Но Аэлла, конечно, этого оценить не может.

Родислав промолчал. Он очень хорошо помнил, как когда-то давно, когда им было по девятнадцать лет, Андрей сказал ему:

— Алка чертовски хороша! Но самомнение, конечно, у

нее зашкаливает. Ничего, придет время — сама прибежит ко мне, вот увидишь.

Родислав тогда отнесся к словам друга как к шутке, сдобренной изрядной долей неоправданных романтических надежд, но... Но он знал, что Аэлла частенько сама звонит Бегорскому и приглашает в гости. Чем уж они там занимаются, Родислав не знал, у Андрея хватало ума и деликатности не распространяться о деталях своих визитов к их общей подруге детства, но то, что эти визиты имели место, было известно доподлинно. И разумеется, Люба тоже о них знала и не преминула тут же сообщить сестре, от которой у нее секретов не было.

— Аэлла ему звонит? — несказанно удивилась Тамара. — Ну, не иначе в те дни красный снег шел. Интересно, что ей от него нужно?

— Я думаю, она звонит в те периоды, когда расстается с очередным ухажером, чтобы поддержать себя в тонусе. Ей нужно самой себе доказывать, что всегда найдется мужчина, который от нее без ума, — предположила Люба. — А тут давно и безнадежно влюбленный Бегорский под рукой. Грех не воспользоваться. Тем более Аэлла любит выступать в роли благодетельницы, покровительницы бедных и обездоленных, вот она и облагодетельствует Андрюшу, позволяет ему приехать и лицезреть свой светлый лик.

«Придет время — сама прибежит ко мне...» Родислав не заметил, как саркастическая улыбка слегка искривила его губы. А может, Андрей был не так уж и не прав?

— А ты что думаешь, Родинька? — обратилась к нему жена.

— Я думаю, что наш Андрей дьявольски умный мужик, — ответил Родислав вполне нейтрально.

Никто и не поймет, что он на самом деле имел в виду.

Тамара начала собираться — время позднее, пора домой. Родислав предложил проводить и, получив твердый отказ, настоял хотя бы на том, чтобы вызвать такси. Это оказалось не так просто, даже на то, чтобы дозвониться диспетчеру, понадобилось немало времени, и полученный ответ был неутешительным: машину могут подать в течение двух часов. Родислав решительно натянул куртку и заявил, что поймает машину и самолично отправит Тамару, которая пусть ждет его в квартире.

— Любка, ты хоть понимаешь сама, как тебе повезло с мужем? — спросила Тамара, когда за ним закрылась дверь.

— Понимаю, — счастливо улыбнулась Люба. — Мне очень повезло. Я каждый день за это судьбу благодарю.

— Любаня, я при Родике не стала говорить... Звонила Клара, ее опять вызывали в школу. Николаша снова набедокурил.

— Что? — переполошилась Люба. — Что он на этот раз натворил?

— Все то же: играл с ребятами на деньги. Люба, у вашего сына патологический интерес к деньгам, вы бы подумали, как с этим бороться, а? Ну ты посмотри, парню всего десять лет, а он уже с легкостью облапошивает не только одноклассников, но и ребят постарше. Один только случай с ручкой чего стоит!

Случай с ручкой Люба помнила очень хорошо. Николаша принес в школу обыкновенную шариковую ручку за 35 копеек, предварительно сделав на пластмассовом корпусе две царапины, и стал всем рассказывать, что эту ручку его папа, бравый капитан милиции Романов, использовал при задержании страшного вора и убийцы по кличке Кривой: он ткнул этой ручкой прямо в дуло пистолета и выбил оружие из рук преступника. Тут же нашлись желающие посмотреть на героическую ручку поближе, а через полчаса к Коленьке выстроилась целая очередь из претендентов на покупку реликвии, причем претенденты эти были не только из Колиного 4-го «Б» класса, но и из шестого и даже из седьмого. Разумеется, шустрый пацан продал раритет тому, кто предлагал больше — целых 3 рубля, немыслимое по школьным меркам богатство. Эту сумму ничтоже сумняшеся выложил шестиклассник, известный всему району хулиган, который блестяще владел навыками всех известных игр на деньги и постоянно был в выигрыше. Коля оказался впечатлен тем, какие огромные деньги можно, оказывается, зарабатывать таким нехитрым способом, и с тех пор не отходил от шестиклассника-хулигана, не сводя с него глаз и внимательно наблюдая за его руками. Он настойчиво учился и практиковался, и вот уже несколько раз учителя и директор вызывали в школу родителей Коли Романова и призывали оказать на мальчика воспитательное воздействие. В школу ходила Клара Степановна, потому что Люба никак не успевала приехать с работы раньше восьми вечера, а Родиславу, который работал в самом центре города и вполне мог бы выкроить время для общения с классным руководителем сына, она вообще ничего не рассказывала, помня бабушкины наставления: муж должен возвращаться домой как на остров мира, покоя и согласия. Ни покойная Анна Серафимовна, ни мама Зина никогда не рассказывали отцу ничего такого, что могло бы его рассердить или даже просто расстроить, не жаловались на дочерей, не сетовали на бытовые трудности и, уж конечно, не предъявляли никаких претензий по поводу того, что глава семьи мало бывает дома, поздно возвращается, часто работает по выходным и никак не помогает по хозяйству.

— Спасибо, что при Родике не сказала, — расстроенно проговорила Люба. — И дома не говори, ладно? Папа узнает — будет кричать, он и так считает, что мы Колю распустили донельзя.

— Но ведь это правда, — осторожно заметила Тамара. — Мальчик совершенно отбился от рук. И знаешь, что самое страшное? Он при этом такой ласковый и нежный, что на него абсолютно невозможно сердиться. Любаня, если вы с Родиком уже сейчас ничего не предпримете, вы хлебнете лиха с Николашей. Он из вас будет веревки вить. Надо как можно скорее забирать его от Клары с Софьей Ильиничной, чтобы он хотя бы папу-милиционера каждый день видел, может, это его хоть чуть-чуть образумит.

Люба молча кивнула. Она и сама понимала, что не дело это, когда парнишка растет с двумя обожающими его бабками, которые все спускают ему с рук и не перестают твердить, какой он замечательный и необыкновенный, а если кто думает иначе, так исключительно из зависти к Коленькиным неоспоримым достоинствам, к его уму, сообразительности, способностям и красоте. Мальчик и в самом деле был развит не по годам и имел ангельскую внешность: темные, слегка вьющиеся волосы, унаследованные от отца, сочетались с нежным овалом лица и огромными серыми глазами, доставшимися от матери, и тонкими чертами Клары Степановны.

— Решено, — твердо сказала Люба, — до конца учебного года пусть Коля поживет у бабушек, а потом я его заберу. Сейчас ноябрь, у меня есть полгода на то, чтобы найти работу поближе к дому. Конечно, придется переводить его в другую школу, но ничего, главное, что он будет жить с нами.

— Но ты приготовься, Клара Степановна костьми ляжет, — предупредила Тамара. — Они с Софьей жизни без Николаши не представляют. Тем более Клара недавно вышла на пенсию, и без внука ее жизнь сразу окажется пустой и скучной. Так что будут слезы, уговоры, увещевания, они еще и Родика на тебя натравят. И Родик, насколько я его знаю, будет на их стороне. Ты прости, Любаня, у тебя действительно замечательный муж, но мне кажется, он не большой любитель трудностей и проблем. Или я ошибаюсь?

Люба отвернулась и принялась за мытье посуды.

— Он очень хороший, — сказала она и замолчала.

— Он очень хороший, и ты его безумно любишь, — повторила вслед за ней Тамара. — Я все поняла. Завтра я в вечернюю смену работаю, кто Лельку из садика будет забирать? Мама?

— Нет, мама завтра не может. Я на работе договорилась, меня завтра отпустят в пять часов. Господи, хоть бы мама уже скорее на пенсию вышла! — простонала Люба. — Я не понимаю, как люди ухитряются работать и растить детей, если им бабушки не помогают! Ведь это же немыслимо! Или надо, чтобы детские сады работали до девяти вечера, или надо работающим матерям предоставлять работу рядом с домом, или я не знаю, что еще надо сделать, чтобы все было как-то по-человечески. Может, ты знаешь, Тома?

— Знаю. Надо, чтобы отменили статью за тунеядство, тогда матери смогут не работать, сидеть на попечении мужей и растить детей.

— А если мужа нет? Ну ладно, мне повезло, у меня Родик — золотой, но ведь не всем так везет, как мне. Вон сколько матерей-одиночек.

— Тогда пусть государство берет их на иждивение. Любка, это же так очевидно, об этом даже у Райкина номер есть! А толку что? Государственные мужи послушали, посмеялись, поаплодировали и тут же забыли.

Вернулся Родислав, сказал, что машина ждет у подъезда, и Тамара уехала.

* * *

В конце декабря на совещании у руководителя следственного отдела было объявлено:

— Завтра начинается министерская проверка. Будут проверять соблюдение режима секретности. Убедительная просьба ко всем сотрудникам привести в порядок столы и сейфы.

Родислав Романов мысленно чертыхнулся. Проверка

режима секретности — вещь достаточно обычная, но почему ее всегда проводят в самое неудобное время? Конец года — время, когда все буквально зашиваются, чтобы месячная, квартальная и годовая отчетность выглядели пристойно. Для этого нужно тщательно пересмотреть все находящиеся в производстве уголовные дела, выверить сроки и прикинуть, какие дела необходимо закрыть в декабре, чтобы они попали как оконченные производством в отчетность заканчивающегося года, а какие можно потянуть до января, даже если по ним все уже сделано и можно передавать материалы в суд: если все дела закрыть декабрем, то январская отчетность будет выглядеть бедновато, и не миновать нагоняя от шефа. Кроме того, необходимо составить отчеты о работе за месяц и за год, заполнить и подать в учетную группу статистические карточки — короче говоря, в конце года дел выше головы, так надо же, чтобы именно в этот напряженный и хлопотный момент еще и проверка режима секретности пожаловала!

Вернувшись в кабинет, Родислав включил радио и принялся за разборку бумаг в столе и сейфе. Все, что подлежит регистрации, надо записать в специальный журнал, в отдельную стопку сложить документы, подлежащие возврату в секретариат, все ненужное выбросить или, в зависимости от регламента, отнести для официального уничтожения. Работа скучная, муторная, как, впрочем, и все, чем Романову приходится заниматься на службе. И не забыть извлечь из сейфа и вообще удалить из кабинета всякую всячину, которой ну никак не положено находиться на рабочем месте советского следователя — пустые и полупустые бутылки, а также различные сомнительного содержания журналы, которые оперативники частенько изымают при обысках у спекулянтов и щедро делятся ими с коллегами.

Он рассеянно перебирал бумаги в битком набитых

ящиках стола, вполуха прислушиваясь к бубнящему радиоприемнику. Закончено строительство первой очереди Байкало-Амурской магистрали... Ну сколько можно? Эту «первую очередь» сдали еще ко Дню Победы, уж полгода прошло, а они все говорят, говорят... Впрочем, понятно, все радиопередачи посвящены итогам уходящего года, теперь каждый день с утра до вечера только и будут говорить о БАМе, о Совещании по безопасности и сотрудничеству в Хельсинки и о первом в истории совместном советско-американском космическом полете нашего корабля «Союз-19» и «Аполлона». Новым чемпионом мира по шахматам провозглашен Анатолий Карпов — тоже достижение Советской страны, хотя Карпов не стал чемпионом, не выиграл чемпионскую корону, а именно провозглашен из-за отказа Роберта Фишера участвовать в матче, но все-таки. А вот то, что киевское «Динамо» получило приз как лучший футбольный клуб Европы, — это уж бесспорное доказательство преимуществ советского спорта. Черт, и откуда берутся все эти бумаги? В мусорное ведро их, без жалости и сомнений. Только порвать помельче.

Новости закончились, начался концерт по заявкам. Под бархатный баритон Льва Лещенко, исполнявшего «День Победы», Родислав нашел пустую папку и начал складывать в нее документы, давным-давно отписанные ему на исполнение и так и не возвращенные в секретариат. По части из них поручения были уже выполнены и даже попали в отчетность за предыдущие месяцы, а часть так и осталась без ответа. Что с ними делать? Быстренько выполнить и попытаться зарегистрировать задним числом? Или плюнуть и забыть, как забыли о них те руководители, которые эти поручения когда-то дали?

«Колышется дождь, — запел вокально-инструментальный ансамбль «Самоцветы». — Не надо печалиться, вся жизнь впереди!» Вся жизнь впереди, и что в ней будет, в этой жизни? Протоколы, обвинительные заключения, постановления о производстве экспертизы, обыски, осмотры, выемки, очные ставки, допросы и бумаги, бумаги, бумаги... Когда их пишешь, они кажутся такими обязательными, такими важными, такими значимыми, а потом, спустя месяцы, находишь черновики или даже сами документы среди кипы ненужных и забытых бумаг в столе, смотришь на них и думаешь: и чего я над ними так убивался? Никому они на самом деле не нужны, ни конкретному начальнику, ни великому и могучему правосудию, ни тебе самому.

— Выполняем заявку передовика производства Владимира Ивановича Никитченко, слесаря завода «Серп и молот». «Дорогая редакция, — пишет нам Владимир Иванович, — недавно увидел по телевизору выступление Вероники Маврикиевны и Авдотьи Никитичны, очень хочу услышать еще раз этих замечательных актеров». По вашей просьбе, Владимир Иванович, у нашего микрофона артисты Борис Владимиров и Вадим Тонков.

Родислав отложил бумаги, потянулся к приемнику, прибавил звук и откинулся на стуле. Ну его, этот режим секретности, подождет несколько минут, пока он послушает забавную миниатюру.

После Маврикиевны и Никитичны снова пошли песни советских композиторов, и Родислав вернулся к прерванному занятию, но громкость убавлять не стал. В первой части любого концерта по заявкам обычно шла всякая лабуда — русские народные песни и нечто ужасно патриотическое, а во второй половине, ближе к концу, крутили все самое модное. Судя по выступлению юмористов, вторая половина уже наступила. И действительно, диктор объявил выступление Аллы Пугачевой с песней «Арлекино», самой популярной в этом сезоне. Поскольку ничего более модного на эстраде в тот момент не было, а до конца концерта и очередного блока новостей оставалось минут семь (Родислав специально посмотрел на часы), то ясно, что после Пугачевой прокрутят еще что-нибудь из зарубежной эстрады, может быть, Карела Готта, а если повезет, то и «Битлов». На «Юрай Хип» и «Дип Перпл» надежды, конечно, никакой нет, их музыку Родислав имеет возможность слушать только благодаря Тамаре, которая иногда приносит подаренные ей клиентками диски.

Со столом было покончено. До назначенного на двенадцать часов дня допроса еще оставался почти час, и Родислав принялся за сейф. Бесконечные папки с делами, и недавно возбужденными, и старыми, по которым сроки следствия уже дважды продлевались и которые надо было бы все-таки, собравшись с силами, наконец закончить. Долгое-долгое дело о хищениях на складе, приостановленное в связи с тем, что заведующий складом подался в бега и до сих пор не был разыскан... Еще одно дело в нескольких томах, групповое, тоже приостановленное, поскольку один из обвиняемых тяжело заболел и находится на стационарном лечении вот уже третий месяц... Дело об обмане покупателей приемщицей стеклопосуды Щупровой, по нему сроки еще терпят, пусть полежит до времени, Родислав его закроет январем... А вот совсем тоненькое дело, только три дня назад возбужденное, по нему еще работать и работать... Всего двадцать три дела у него в производстве, надо бы взять себя в руки и разобраться с каждым из них, составить план следственных действий, как это сделала бы его жена Люба, и старательно, пункт за пунктом, его выполнить. Но как же неохота... И лень, и неинтересно.

После «Арлекино» диктор объявил песню «Последний вальс» в исполнении Энгельберта Хампердинка. Тоже неплохо. Родислав приготовился получить удовольствие, и тут, как назло, зазвонил телефон. В трубке раздался голос оперативника Славы Сердюкова.

— Мне бабки надо подбивать к концу года, что там по «оконному» делу?

— Пока ничего, — вздохнул Родислав. — Дело еще у меня.

— Почему в суд не отправляешь?

— Не все потерпевшие допрошены. Вот как раз один в двенадцать придет.

— Родька, ну что тебе эти допросы в кабинете? Я тебе сколько раз говорил: на место надо выезжать, с потерпевшими прямо там, на дачах, разговаривать, окна осматривать, фурнитуру, чеки изымать. Чеки же наверняка на тех же дачах хранятся, их в город не увозят. Там же и «терпил» допрашивать. От твоих кабинетных посиделок толку все равно не будет.

— Да я ездил, — вяло отбивался Родислав. — Их же не застать...

— А я так надеялся в отчете написать, что по моей разработке дело возбуждено, окончено следствием и передано в суд, — огорчился Сердюков. — Ладно. Про Щупрову-то мою не забыл? Делаешь что-нибудь?

— Делаю, делаю, — рассердился Родислав. — Мало мне своих начальников, ты тут еще на мою голову.

— Не сердись, — рассмеялся Сердюков. — Хочешь, информашку продам?

— Не надо, — взмолился Романов, — у меня и так двадцать три дела висят.

— Да не служебную, не бойся. У меня приятель на телевидении работает, так вот он сказал под большим секретом, что на Новый год будут показывать офигительный фильм, называется «Ирония судьбы, или С легким паром!». Мягков, Ширвиндт, Барбара Брыльска, и еще Пугачева песни за кадром поет. Говорит, жутко смешное кино, так что не пропусти.

Родислав повесил трубку и пододвинул к себе папку с «оконным» делом. Оперативники нарыли информацию о том, что в районе платформы Селятино, рядом с которой находятся целых три активно застраивающихся дачных поселка, продавались оконные переплеты со стеклами, причем продавались с грубым нарушением. Дело в том, что ящики с запирающей фурнитурой пришли отдельной машиной, не вместе с окнами, это вышло случайно, но позволило продавцам выставить на продажу отдельно переплеты и отдельно фурнитуру, хотя ее стоимость была уже заложена в цену всего комплекта. Таким образом, запирающую фурнитуру продавали как бы дважды и навар клали себе в карман. Само по себе дело должно было бы вестись в области, по месту совершения преступления, но вышло так, что один из покупателей приобрел окна для дачи, которую строил совсем в другом месте, на противоположном конце Московской области, и повез он свою покупку на «левом» грузовике через Москву, где и был остановлен для проверки, в аккурат на территории, обслуживаемой тем УВД, в котором трудились следователь Романов и оперативник Сердюков. Слово за слово, для обоснования того, что окна не украдены, а куплены, покупатель предъявил товарные чеки на сами окна и на словах описал, сколько он заплатил и за что: дескать, столько-то через кассовый аппарат за переплеты со стеклами и столько-то без чека — за фурнитуру. С этого все и началось, и дело, вместо того чтобы быть переданным в область, так и осталось в одном из районов Москвы, так сказать, по месту обнаружения правонарушения.

Прикинули, сколько этой фурнитуры «по три рубля за комплект для одного окна» было продано, и поняли, что дело грозит выйти крупным, размер обмана покупателей будет определяться не одной сотней рублей, и вполне может выгореть поощрение, а то и премия. Но для вменения преступникам этого самого крупного размера его следовало доказать, то есть как минимум найти всех, кто купил окна, заплатив двойную цену за фурнитуру. Но найти этих людей мало, надо, чтобы они, во-первых, дали показания, во-вторых, нашли товарные чеки на окна, в-третьих, следовало в присутствии понятых осмотреть установленные в дачных домиках окна и убедиться, что они «те самые» и на них наверчена «та самая» запирающая фурнитура. Одним словом, работы по этому делу предстояло невпроворот, и без участия следователя ее проделать никак нельзя. Наступила осень, Родислав пару раз доехал до Селятина, походил по окрестностям, поспрашивал, кто недавно строился, кто купил участки, вымок под осенним дождем до нитки, увяз по щиколотку в грязи и решил, что до заморозков он, пожалуй, сюда больше не поедет. Вот пусть подморозит, земля станет твердой, покроется нежным пушистым снежком, тогда он, надев теплые зимние ботинки, наведается сюда еще раз. Тем паче сами дачники в промозглую осеннюю погоду на своих участках не появляются.

Прошел месяц, подморозило, Родислав, выполняя задуманное, снова появился в окрестностях Селятина, отыскал четверых покупателей оконных переплетов, у двоих изъял товарные чеки, остальные заявили, что чеки хранятся дома, в Москве, и обещали непременно прийти и принести, но, конечно же, не пришли и ничего не принесли. Беседы с ними Родислав, как положено, оформил протоколом, окна осмотрел, с трудом найдя кого-нибудь, кто согласился бы выполнить роль понятого, но фурнитуру осмотреть забыл, и отбыл в Москву, голодный, уставший и простуженный напрочь. Оперативники помогали, как могли, они рыскали по территориям дачных поселков и вскоре положили перед Родиславом внушительный список тех, кто покупал окна, с их адресами и телефонами. Задачей Родислава было созвониться со всеми этими людьми и договориться о совместной поездке на дачу, но и это оказалось не так просто: как правило, потерпевшие, которым совершенно не жалко было трех переплаченных за фурнитуру рублей, ссылались на занятость и говорили, что в ближайшие два-три месяца ну никак не могут вырваться на дачу, или предлагали такое время для поездки, с которым уже не мог согласиться Родислав: либо он сам был занят, либо не желал тратить на это свой законный выходной день. А как же не потратить, если у потерпевших такая же рабочая неделя, как у самого Родислава, и на дачу они могут выбраться только в субботу или в воскресенье! Но он в воскресенье ехать категорически не хотел, он не мог пожертвовать днем, когда не нужно вскакивать с утра пораньше, когда можно подольше поспать, поваляться в постели, выпить принесенный Любой вкусный кофе со свежеиспеченной плюшкой, повозиться с теплой от сна Лелькой, потом долго, не спеша завтракать, потом встретиться с сыном и почувствовать себя настоящим многодетным отцом. В выходной день можно читать, дремать, смотреть телевизор, много и вкусно кушать, общаться с женой или друзьями... Неужели он променяет этот рай на холодные грязные дачные участки?

Так и получилось, что время шло, а документов в уголовном деле почти не прибавлялось. Конечно, его можно было бы в два счета закончить и передать в суд, предъявив обвинение по крайней мере в том объеме, какой уже удалось доказать, но эти доказанные 27 рублей были просто смешны в сравнении с той суммой, на которую на самом деле произошел обман покупателей и которую надо было доказывать, не щадя живота своего. Оперативники делали все от них зависящее и надеялись на премию, а Родислав, которому денежная премия тоже очень не помешала бы, ленился, щадил себя и «свой живот» и всячески оттягивал выполнение необходимых следственных действий.

Он с отвращением посмотрел на материалы дела, полистал их, захлопнул папку и сунул в сейф. Ничего, как-нибудь со временем у него дойдут руки... А может быть, повезет, придет на стажировку молодой следователь, и Родислав с удовольствием спихнет ненавистное дело стажеру, пусть мучается, заодно и научится. Правда, время идет, сроки истекают, их уже один раз продлевали, но и это не беда, поскольку дело обещает быть «громким», то есть на крупную сумму и с большими сроками наказания, то и второй раз продлят, никуда не денутся.

Сменить бы эту постылую работу! Но как? Куда податься? К тестю обращаться не хочется, Николай Дмитриевич уже генерал, большой начальник в Министерстве внутренних дел, и возможностей у него множество, но если уж на Тамару из-за коробки конфет или бутылки коньяку орет, то можно себе представить, какой скандал разразится, если зять скажет, что ему надоела следственная работа и он хочет перейти на другое место, где работа более живая. Заикнись он про «более живое» дело, Головин немедленно предложит ему перейти на оперативную работу, но она Родислава не прельщала. Ему хотелось отдельного кабинета, и чтобы был секретарь или помощник, и служебная машина, и такие полномочия, чтобы все в глаза заглядывали и не знали, куда посадить и как угодить, и чтобы в любой момент можно было уйти, небрежно бросив: «Меня сегодня не будет», и чтобы звания шли вплоть до полковника, а лучше — до генерала. И такие должности были, но только на самом верху, в министерстве, и до них Родиславу Романову — как до Луны, никаких связей и возможностей не хватит, чтобы уже сейчас на них оказаться. Придется терпеть. Тесть не поймет его стремления к сытой спокойной жизни, он всегда подчеркивает, что Родислав пошел по его, Головина, стопам и еще в детстве хотел быть таким же героем, как сам Николай Дмитриевич. Разве можно генерала разочаровывать? Тем более он и без того по собственной инициативе делает для семьи Романовых достаточно много, вот и Лельку устроил в хороший ведомственный детский садик, пусть и далеко от дома, зато там условия не такие, как в обычных детсадах; и продуктовыми пайками со всяким дефицитом делится; и машину служебную дает, если надо детей с бабушками и вещами на дачу отвезти и обратно в Москву забрать; и новый цветной телевизор помог купить, не деньгами помог, деньги-то у Любы и Родислава были, а тем, что встал у себя в главке в очередь на приобретение дефицитной техники. Одним словом, Николай Дмитриевич, строгий и неподкупный, и без того наступал себе на горло, пользуясь ради дочери и ее семьи своими возможностями, и требовать от него большего просто невозможно: все равно не сделает, а отношения окажутся испорченными на долгие годы.

До прихода вызванного на допрос потерпевшего по «оконному» делу оставалось несколько минут, и Родислав почувствовал, что настроение окончательно испортилось и надо бы его чем-нибудь подправить. Он потянулся к телефонной трубке.

— Любаша, а давай позовем сегодня Андрюху в гости, — предложил он, когда Любу пригласили к телефону. — Ты мясо пожаришь, отбивные, как он любит. Давай?

— Конечно, — тут же отозвалась она. — Я уже соскучилась, он так давно у нас не был.

— Тогда позвони ему, ладно? А то ко мне вот-вот человек придет.

— Конечно, — повторила она, — я сейчас же позвоню ему и позову к нам. К которому часу звать? Ты во сколько придешь?

— Давай к семи, что ли.

— Родинька, я к семи не успею, — виновато произнесла Люба, — ты же знаешь, я раньше восьми с работы не приезжаю, и еще в магазин надо будет зайти. Может, к половине девятого?

— Это поздно, — недовольно протянул Родислав. — Ну

что такое — полдевятого? Только сядем за стол, только разговоримся — и уже расходиться надо.

— Тогда зову к семи, — решила Люба, — вы посидите, выпьете по рюмочке, поговорите без меня, а я прибегу и все быстренько приготовлю. Знаешь, я во время обеденного перерыва сбегаю в магазин, чтобы после работы сразу ехать домой, время не тратить, и все куплю. Постараюсь к восьми успеть. Как тебе такой план?

— Отлично! — обрадовался Родислав. — Так и сделаем. Зови его к семи, я уже буду дома.

Ни Любе, ни Родиславу даже в голову не пришло, что если Родислав может уйти с работы в шесть, то ему вполне удобно будет забрать Лелю из садика. Люба не считала возможным нагружать мужа какими бы то ни было домашними обязанностями, а сам Родислав настолько привык, что все бытовые проблемы как-то решаются без его участия, будто бы сами собой, что мысль его в данном направлении не двигалась вообще никогда.

Он повеселел, предвкушая долгий уютный вечер за беседой с другом, и достал из изрядно опустевшего ящика стола чистый бланк протокола допроса.

* * *

Рассказывая, Ворон прыгал вокруг Камня и эмоционально размахивал крыльями. Он изрядно подустал и, закончив повествование, уселся Камню на макушку и приготовился отдыхать. Но оказалось, что расслабился он рано: у Камня тут же возникли вопросы, на которые следовало незамедлительно ответить.

— А как выглядит Тамара? Все такая же некрасивая?

Вопрос был, вообще-то, праздным, ибо у Ворона были собственные критерии красоты, и все, кто этим критериям не соответствовал, считался заведомо некрасивым. Правда, он старался по возможности быть объективным.

— Ну-у, — протянул он, подыскивая слова, — она, конечно, стала получше, чем была в детстве, но в основном осталась такой же. Маленькая, худенькая, глазки близко поставлены, носик длинный, такая Буратинка.

— Буратинка? — переспросил Камень.

— Ну Буратино же, — раздраженно отозвался Ворон, который страшно не любил, когда его перебивают, — помнишь, я тебе сказку рассказывал про папу Карло и Карабаса-Барабаса, там еще мальчик был деревянный, из полена выструганный.

— Ах, ну да, ну да, вспомнил. Так что Тамара?

— Она при всей своей некрасивости очень хорошо выглядит. Знаешь, люди это называют «стильно». У нее очень интересно волосы уложены, вот тут длинненько так, — Ворон показал крылом на правый глаз, потом сообразил, что сидит у Камня на макушке и тот все равно ничего не видит, спрыгнул вниз и показал еще раз, — а вот тут прядки, прядки, — снова взмах крылом куда-то в области левой стороны головы, — и все разными цветами выкрашены, то чуть посветлее, то чуть потемнее, короче, в полосочку. Очень симпатично, издалека как будто выгорели и ветром растрепались, а вблизи посмотришь и понимаешь, что это целое произведение искусства. И одевается она интересно, не так, как все. Какие-то балахончики, накидочки, шали, платки, в общем, она свою фигуру так задрапирует, что снаружи и не видно, какая она худющая и страшная. Платок вокруг головы обмотает, концы с кистями вдоль груди болтаются, из-под платка волосы в полосочку развеваются, на шее крупные украшения из самоцветов — красота невозможная, так за этой красотой никто лица-то и не видит. В общем, мастерица она по этому делу. Ну и, конечно, походка у нее просто замечательная, легкая, летящая. Со стороны посмотришь — первая красавица идет, никто и не вглядывается в лицо. Про таких, как Тамара, говорят: женщина с изюминкой. На мой вкус, конечно, она уродина, не то что Люба, но выглядит она на все сто, это я тебе как специалист говорю.

Пассаж про специалиста Камень пропустил мимо ушей, хотя в другое время непременно вцепился бы в неосторожно оброненное слово и ввязался в длительную дискуссию по поводу состоятельности Ворона как эксперта в области человеческой внешности. Но сегодня ему куда интереснее было узнать про уже полюбившихся персонажей.

— А Люба? Какая она стала?

Тут Ворон распушил перья и, забыв про усталость, начал петь дифирамбы внешности своей любимой героини. И красавица-то она, и фигура-то у нее роскошная, и волосы у нее по-прежнему густые, только короткие — Тамара сама ее стрижет, и лицо по-прежнему нежное, и скулы покрыты легким румянцем, и губы пухлые.

— А этот идиот ее не ценит, — обиженно заключил Ворон.

— Какой идиот?

— Да Родислав твой любимый! Имеет такую красоту и не пользуется. Придурок!

— В каком смысле — не пользуется?

— Да в самом прямом. Не спит он с ней.

— А где же он спит? — недоумевающе спросил Камень. — В гостиной, что ли? Ты же говорил, что у них в квартире три комнаты: гостиная, спальня и детская. Или он с дочкой в комнате спит?

— Слушай, ну ты тупой! — возмутился Ворон. — Вот сколько столетий мы с тобой сериалы смотрим, сколько я тебе про жизнь людей рассказываю, а ты все элементарных вещей усвоить не можешь. Можно спать в смысле дрыхнуть, а можно спать в смысле любовью заниматься. Дрыхнет Родислав со своей женой в одной постели, а вот чтоб делом там заняться — так этого нет. Ты не думай, я не просто так говорю, я специально несколько раз целыми ночами за окном на подоконнике сидел, все ждал, может, что произойдет. Я бы, конечно, подглядывать не стал, ты мои принципы знаешь, если б что началось — я бы тут же улетел, но ничего и не было. Просидел только зря, как дурак. Одним словом, он ею как женщиной не интересуется.

— Может, болеет, — предположил Камень. — Или у нее что-нибудь со здоровьем. Он бы и рад, да нельзя.

— Он мне будет рассказывать! Это дитя палеолита еще будет меня учить! — раскаркался Ворон. — Да я первым делом проверил, что там со здоровьем, целую неделю по пятам за ними ходил, сначала за ней, потом за ним, вплоть до ванной и туалета. Тьфу, самому срамно вспоминать, на какие унижения их и моего достоинства пришлось пойти, чтобы до конца все выяснить. Ни одного слова про здоровье ни с родней, ни с друзьями, ни с докторами — ни с кем. Уж у Любы ближе Тамары никого нет, она с сестрой обязательно обсудила бы проблему, если бы она была. И еще у Любы есть школьная подружка, она врач-гинеколог, так ей Люба за всю неделю тоже ни разу не позвонила, то есть она звонила, они разговаривали о том о сем, но о болезни — ни гугу. Ты меня еще спроси, кто такой гинеколог.

— И спрошу! — вызывающе ответил Камень. — У меня нет возможности самому наблюдать жизнь людей, и я имею право чего-то не знать.

— Имеешь, имеешь, — проворчал Ворон. — Гинеколог — это такой доктор по женской части. Я тебе вот что скажу, развалина ты булыжная: Родислав так привык к Любе, что ему уже неинтересно с ней спать. Они вместе двенадцать лет, за двенадцать лет любая страсть остынет, тем более у него работа...

— Ага, рассказывал ты мне, какая у него работа, прямо надорвался он на своей работе-то, — сварливо заметил Камень.

— А что ты думаешь! Скучная работа еще больше утомляет, чем интересная, это я тебе точно говорю. И потом, он хоть и не любит свою работу, но он же ее делает, и на дежурства ходит, между прочим, на суточные, по двадцать четыре часа не спит, думаешь, легко? Он к Любе-то очень хорошо относится, всегда обнимет, поцелует, погладит, они даже засыпают, взявшись за руки, но чтоб еще чего — этого нету.

— А Люба? Как она это воспринимает? Тоже без интереса?

— Ой, да куда ей этим интересоваться?! — заквохтал Ворон. — Она за день так уделается, что еле-еле до постели доползает. И чаще всего она ложится, когда Родислав уже третий сон видит, работы-то по дому полно, ее пока всю переделаешь — уже рассвет наступает. Она прокрадется в спальню тихонечко, халатик скинет, под одеяло скользнет, Родислав в этот момент повернется — он всегда чует, когда она ложится, — за руку ее возьмет и давай дальше сны досматривать. А она приляжет так аккуратненько, чтобы его не побеспокоить, даже если ей неудобно, будет лежать и терпеть, мужа за руку держать. И только когда он ее руку выпустит, вот тогда она уже укладывается, как ей удобно. Вот ведь женщина, а? Мне бы такую жену!

— Перебьешься, — беззлобно откликнулся Камень. — Слушай, а что Николай Дмитриевич действительно такой... даже и не знаю, как назвать-то... Суровый, что ли? Жесткий? Он же вроде в молодости таким не был. Или ты мне не все про те времена рассказал?

— И что ты меня сразу подозреваешь? — обиделся Ворон. — Думаешь, ты такой умный, что должен все обязательно понимать, а если чего не понимаешь, то всенепременно я виноват, плохо объяснил, не так рассказал, да? В молодости с ним рядом мать была, Анна Серафимовна, она одна знала, как с ним правильно обращаться, вот и обращалась, и он был, конечно, не как шелковый, но вполне приличный. И жесткий был, и суровый, и бескомпромиссный, но в присутствии матери голос повысить на женщину не смел, воспитание не позволяло. А с возрастом да с развитием карьеры наш генерал усугубился, то есть жесткости и суровости стало раз в десять больше, а матери рядом больше нет, одна только жена Зинаида Васильевна, а она, как тебе известно, глупая, как пробка. Хорошая она баба, добрая, жалостливая, заботливая, но не дал ей господь ума — что тут поделаешь? Как ляпнет чего-нибудь — так хоть святых выноси. Опять же она при Анне Серафимовне-то рот не больно открывала, побаивалась старуху, а теперь говорит все, что в голову приходит, а приходит туда не очень умное. Ну и Николай Дмитрич, натурально, волю себе дает, и кулаком по столу стукнет, и голос повысит, и разнос устроит, и дверью хлопнет. Жену-то он жалеет, любит и, между прочим, в отличие от Родислава, супружеский долг и по сей день исполняет вполне себе исправно, во всяком случае, для его возраста, а вот Тамару он считает неудачным ребенком, отрезанным ломтем, и никакие разговоры о ее успехах в профессии его не впечатляют. Цирюльница, брадобрейка, головомойка — вот и все эпитеты, которыми он ее награждает. Тамара, между прочим, несколько раз на конкурсах, в том числе и международных, первое место завоевывала, домой призы и грамоты приносила, так Зинаида Васильевна на стенку повесит в рамочке или на шкаф поставит, а Николай Дмитрич снимет и в кладовку засунет, нечем, мол, гордиться, грязную голову хорошо помыть всякий дурак сумеет, а ты только и можешь, что поборами заниматься и взятки у клиентов вымогать, тебя посадят — а ты не воруй. Короче, жуткий тип. Но за это его на службе и ценят, хотя и боятся как огня. Никому спуску не дает, и самому себе в первую очередь. Сам на службе убивается, но и от других требует. Рук ни разу не замарал, взяток не брал, служебным положением не злоупотреблял, брал только то, что положено. К примеру, эта история с телевизором для Родислава. Да, он воспользовался министерской очередью на дефицит, потому что в районном управлении, где работает Родислав, очередь была, но на другой телевизор, похуже, так Головин встал в свою очередь на общих основаниях, вместе с рядовыми сотрудниками, и ждал, пока его черед подойдет, хотя мог как генерал без очереди все приобрести. Ему и предлагали сколько раз, мол, товарищ генерал, да что ж вы, как все, в общей очереди стоите, давайте мы вам прямо в кабинет телевизор принесем или, если хотите, домой доставим, поставим, подключим, отрегулируем, придете и начнете сразу смотреть. Нет, ни в какую. Та же история с детским садом для Лели. Садов-то несколько, министерство не бедное, ну и, как водится, один садик получше, другой похуже. В том, который самый лучший, свободных мест за просто так не было, хотя для генерала, конечно, нашлось бы, если бы надавил на рычаги. Но Николай Дмитрич давить не стал, определил внучку туда, где места были. Конечно, по сравнению с обычным садиком этот — просто райские кущи, там и питание другое, и врачи хорошие, и помещение просторное, и игрушек побольше, и дача в шикарном месте, туда детишек на все лето увозят. Хороший садик, одним словом, но все-таки не самый лучший.

— Да, тяжелый случай, — прокомментировал Камень. — Сколько ж ему лет-то?

— Ему? Сейчас посчитаю. — Ворон молитвенно сложил крылья и уставился на высокую ветку ближайшей ели. — Он шестнадцатого года, сейчас там у них семьдесят пятый заканчивается, стало быть, ему пятьдесят девять.

— Послужит еще. До скольких лет у них там генералы служат?

— Кажись, до семидесяти, но я не очень уверен. До шестидесяти пяти — точно, а возможно, и дольше.

— Да, еще послужит, — задумчиво повторил Камень. — И если я хоть что-то понимаю в людях, крови он своим домашним еще попортит. А Аэлла? Ты ее видел? Как она?

Ворон затравленно оглянулся, прокашлялся, дернул клювом.

— Ты что? — перепугался Камень. — Что с тобой?

— А ты сам не чуешь?

«Змей!» — с ужасом подумал Камень. Неужели старый товарищ утратил бдительность и подполз так близко, что позволил Ворону себя учуять? Теперь скандала не миновать, Ворон начнет обижаться, дуться, дело дойдет до взаимных оскорблений, потом Ворон улетит, хлопнув крыльями, как дверью, и прощай просмотр сериала. Ах, как некстати! На самом интересном месте.

— Я ничего не чувствую, — осторожно ответил Камень слегка дрогнувшим голосом.

— Да жаром повеяло! У меня моментально в горле пересохло. И в пот бросило. Не иначе Ветер где-то по пустыне шарахался, а теперь сюда заявился.

«Слава богу! — подумал Камень. — На этот раз обошлось».

Спустя несколько мгновений он и сам почувствовал дуновение сухого горячего воздуха в правый бок, отчего сразу же перестал ныть сустав. Хорошо! Сухой жар ему сейчас очень кстати, он всегда отлично помогает.

— Что там насчет Аэллы? — раздался веселый голос. — Я же просил без меня не рассказывать.

— Я и не начинал еще, — хрипло пробурчал Ворон. — Ты бы хоть влаги поднабрался, когда в гости идешь, чудовище ты невоспитанное! У людей, между прочим, приличный человек в гости с пустыми руками никогда не является. Ну вот что ты притащился в таком сухом горячем виде? Я говорить не могу, у меня от тебя в горле першит.

— А Камню нравится, — беспечно отозвался Ветер, — у него косточки болят, ему сухой горячий воздух очень полезен, правда, Камешек?

— Правда, — признался тот. — Ты уж потерпи, Ворон, сделай милость, я свой ревматизм полечу чуток.

— Да уж потерплю, отрава ты подагрическая, что с тобой сделаешь. Вы тут полечитесь, а я пока на озеро слетаю, нормальным воздухом подышу, все равно я в таких условиях рассказывать не могу.

Он демонстративно закашлялся и улетел. Ветер заботливо облетел вокруг Камня, забиваясь в самые маленькие щелочки и трещинки, чтобы горячий воздух проник как можно глубже в измученную болезнями и сыростью глыбу.

— Ну как? Хорошо?

— Хорошо! — стонал Камень.

— А так?

— Еще лучше.

— А вот так?

— Как в раю. Прямо чувствую, как боль отпускает. Спасибо тебе, дружище.

— Да не на чем. Ты мне про Аэллу расскажи, про любимицу мою.

Камень, расслабленный сухим теплом и отступившей болью, с удовольствием пересказал все, что узнал от Ворона: про карьеру Аэллы, ее замужества и нового любовника, которого случайно увидела Тамара.

— И все? — недовольно воскликнул Ветер.

— Пока все. Больше Ворон ничего не успел рассказать.

— Ну я не знаю... — Камень почувствовал, как шевельнулась плотно облегающая его тело воздушная масса. — Это халтура какая-то, а не просмотр сериала. Он хотя бы сказал, как она сейчас выглядит? Все такая же красавица, как была в юности?

— Не сказал. Но, наверное, такая же. Куда красота денется, если она есть?

— Тоже верно, хотя бывает по-всякому. Слушай, я устроюсь между деревьями и посплю немножко, ладно? Устал чертовски, пока тащил к тебе эту жару, старался, чтобы она дождем не пролилась. Не обидишься?

— Что ты! Спи, Ветрище, отдыхай, набирайся сил. Я тоже подремлю.

* * *

— Тамара Николаевна! — к Тамаре подлетела девушка-ученица с вытаращенными глазами. — Вас к телефону Аэлла Константиновна!

Руки Тамары — в одной расческа, в другой ножницы — на мгновение замерли над головой сидящей в кресле дамы.

— Ира, я работаю, — спокойно ответила она.

Она не любила отвлекаться во время работы, особенно когда делала стрижку «сэссун» — новое слово в парикмахерском деле, — требующую отточенной техники и высокой концентрации внимания.

— Но ведь это же сама Аэлла Константиновна!

— Я работаю, — терпеливо повторила Тамара. — Скажи, что я перезвоню ей, когда освобожусь.

— А вдруг ее уже не будет на месте?

— Иди, Ира, — улыбнулась Тамара.

Она не могла сердиться на эту восторженную молоденькую ученицу, далеко не первую, кто терял рассудок при одном упоминании имени Аэллы Александриди, знаменитого пластического хирурга из расположенного рядом Института красоты. Пациентки института зачастую становились клиентками салона «Чародейка», информация о лучших специалистах-медиках и лучших мастерах-парикмахерах плавно циркулировала из двери в дверь, и в салоне всегда были осведомлены обо всем, что происходило в институте, равно как и наоборот. Аэлла Константиновна была постоянной клиенткой «Чародейки», делала здесь маникюр и педикюр, а стриглась и укладывала волосы только у Тамары, которой хватало выдержки не расхохотаться открыто, когда Аэлла, садясь к ней в кресло, говорила:

— Томочка, я опять к тебе записалась, пусть все видят, какие именитые клиентки к тебе в очереди стоят, это поднимет твой престиж в глазах окружающих.

Тамаре Головиной, победительнице конкурсов в Москве, Риге и даже в Польше, мастеру, которого вызывали к себе перед ответственными выступлениями самые знаменитые актрисы и певицы, давно уже не нужно было поднимать собственный престиж, но Аэлла упорно не хотела этого замечать и тешила себя иллюзией собственной благотворительности. Эта иллюзия приносила ей такое глубокое удовлетворение, что Тамаре жаль было лишать подругу своей сестры столь невинной радости. Особенно забавным показалось Тамаре, что ученица Ирочка и в самом деле испугалась: а вдруг, когда Тамара Николаевна перезвонит, Аэллы Константиновны уже не будет на месте? Наверное, случись так — и мир рухнет.

Краем глаза Тамара видела, как неугомонная ученица подбежала к администратору Татьяне и что-то горячо зашептала ей на ухо. Администратор всплеснула руками, подхватилась и через весь зал направилась к Тамаре.

— Тамарочка, Аэлла Константиновна ждет у телефона, может быть, передать что-нибудь?

— Мне нечего ей передавать, кроме того, что я перезвоню. Это же она мне звонит, а не я ей.

— А вдруг она хочет записаться к тебе?

— Ну, пусть записывается у тебя. Таня, я работаю. Мое дело — стричь, твое дело — записывать клиентов.

— Но ведь Аэлла Константиновна...

— Таня, — резко сказала Тамара, — я все сказала.

Татьяна трусцой побежала назад к телефону и что-то залепетала в трубку.

— Скажите, Тамарочка, это доктор Александриди вам звонит, да? — с горящими от любопытства глазами спросила сидящая в кресле дама.

— Да, — коротко ответила Тамара.

Она уже примерно представляла, что будет дальше, и ей стало скучно.

— А вы с ней хорошо знакомы?

— Достаточно хорошо.

— Тамарочка, вы не могли бы поговорить с ней, чтобы она меня посмотрела? Меня беспокоит вот здесь и здесь... — Дама завертела головой, демонстрируя Тамаре складки под подбородком.

— Не вертитесь, пожалуйста, я работаю, — строго произнесла Тамара. — Я, конечно же, могу поговорить с Аэллой Константиновной, но нет никаких гарантий, что она возьмется вас посмотреть. Она очень занята, у нее много пациентов.

— Я понимаю, Тамарочка, я все понимаю, — заторопилась дама. — Вы ей только скажите, что я работаю в управлении торговли Мосгорисполкома, а мой муж — начальник отдела в Минторге. Я буду очень ей благодарна. Очень, — с нажимом повторила она.

— Хорошо, — равнодушно откликнулась Тамара. — Я все передам.

— И вам я тоже буду очень благодарна, вот увидите.

— Я поняла.

Не надо ей ничего от этой разъевшейся бабищи, пусть отстанет. Но Аэлле Тамара, конечно, все передаст, Аэлла любит пациентов «с возможностями».

— Тамарочка, вы просто волшебница, — дама вспорхнула с кресла с неожиданной для ее комплекции прытью, — под вашими руками я всегда молодею лет на пятнадцать.

«На десять», — мысленно поправила ее Тамара, не склонная к самообману. Новая стрижка подчеркнула глаза и брови и скрыла дефекты расплывшегося овала лица. За работу Тамара сама себе поставила «пять с плюсом» — вставшая с кресла дама действительно мало походила на ту, которая в это кресло села полтора часа назад.

Дама отработанным жестом вынула из сумки и положила перед зеркалом большую плитку швейцарского горького шоколада.

— Еще раз спасибо, Тамарочка. Так я вам позвоню насчет доктора Александриди?

— Звоните.

Дама отправилась к кассе расплачиваться, а Тамара, поймав взгляд администратора Татьяны, подняла руку с растопыренными пальцами, что означало: пять минут перерыв — и можешь приглашать следующего. Всего пять минут, чтобы посидеть после полуторачасового стояния у кресла, дать ногам отдых и позвонить Аэлле. Что у нее там стряслось? Что за срочность?

— Тома, ты можешь ко мне зайти? — спросила Аэлла без долгих предисловий.

— Что-нибудь случилось? Я работаю, у меня смена до девяти вечера.

— Ладно, я сама зайду. Буду уходить — заскочу на минутку. Я тут кое-что собрала для Любы, хотела сама завезти, но у меня в ближайшее время не получится. Отвезешь ей?

— Конечно, приноси. Я как раз завтра к ней поеду.

— Отлично! Тогда до встречи.

Ну вот, очередная подачка от благодетельницы. К чести Аэллы надо сказать, что то, что Тамара сердито именовала подачками, было отнюдь не дешевым и не бросовым. Корзины с фруктами, только сегодня доставленные самолетом из Баку или Тбилиси, бутылки с дорогими импортными спиртными напитками, новая, в пакетах и с бирками, одежда для Любы и детей, такие же новые скатерти, постельное белье, посуда и обувь, причем все такое, какое в московских магазинах не купишь, и не потому, что редко бывает, а потому, что не бывает вообще.

Но на этот раз Аэлла Александриди превзошла сама себя. Она вошла в салон «Чародейка» с сумкой через плечо, большим пакетом в одной руке и портпледом в другой. К счастью, клиентка Тамары в этот момент сидела под феном с волосами, накрученными на бигуди.

— Вот, здесь детское, для Лели теплая курточка, финская, и сапожки на меху, будет гулять — не замерзнет, — Аэлла вынула из большого пакета пакет поменьше и показала Тамаре. — Вот это, — она вытащила другой пакет, — для Коли, здесь американские джинсы и две рубашки, модненькие, канадские. Ну и по мелочи, трусики, маечки, очень хороший трикотаж, австрийский, качество обалденное. А вот здесь, — она показала на портплед, — шуба для Любаши. Я, собственно, потому и хотела побыстрее ей отдать, холода стоят дикие, а она ходит черт знает в чем, промерзает до костей.

— Шуба?! — Тамара ушам своим не верила. — Ты отдаешь Любе свою шубу?

— Ну я тебя умоляю! — Аэлла смешно наморщила носик. — У меня и так шесть шуб. Шесть! Куда мне столько? Солить? А этот грузинский апельсиновый магнат, которому я дочку на выданье в порядок привела, притащил сегодня седьмую. Что мне с ней делать? Пусть Любаша носит и радуется.

— Но я не знаю, Аэлла... — растерялась Тамара. — Совсем новая шуба... Это как-то... Давай ты лучше Любе какую-нибудь свою старую шубу отдашь, если тебе не жалко, а новую сама носи.

— Хитренькая какая! Свои старые шубы я уже люблю, я их носила, они мне дороги как память о моих мужчинах и моих клиентах, а эта совсем новая, ни разу не надеванная, я ее еще не успела полюбить, поэтому мне ее не жалко. — И Аэлла задорно расхохоталась. — Бери! Следующая твоя будет.

— Не поняла...

— Ну, следующая шуба, которую мне подарят, будет твоей. Ждать недолго осталось, я только что одну дамочку из богатой армянской семьи починила, так что награда найдет героя буквально на днях.

Тамара пришла в себя и включилась в игру.

— А если они подарят не шубу, а что-нибудь другое?

— Все равно будет твое. Мое слово — закон.

— А если это будет машина?

— Машина? — Аэлла задумалась, потом лукаво улыбнулась. — Ладно, уговорила, новую машину возьму себе, а старую тебе отдам. А что? Вполне приличная двадцать четвертая «Волга» цвета «белая ночь». Или побрезгуешь?

— Да я не из брезгливых, — засмеялась Тамара. — Я же сальные волосы до сих пор клиенткам мою, правда нечасто, обычно это делают ученицы, но мой отец, например, думает, что я только этим и занимаюсь. Аэлла, ты извини, у меня клиентка под феном сидит.

— Все-все-все, убегаю, — заторопилась Аэлла. — Любаше скажи, что я вырвусь к ней, как только смогу. У меня новый поклонник, ну, ты, наверное, уже знаешь, мы же с вашим салоном как в одном общем дворе живем, так вот он пока ни на один вечер меня не отпускает. Ничего, скоро любовный пыл поутихнет, и я стану посвободнее.

Она поцеловала Тамару и умчалась, оставляя после себя шлейф из запаха дорогих французских духов.

Тамара не утерпела и слегка раздвинула застежку «молнию» на портпледе. Показалась пола из нежной светло-серой каракульчи.

— Это вам, Тамара Николаевна?

Тамара и не заметила, как в комнату отдыха вошла молоденькая Леночка, только недавно перешедшая из учениц в мастера.

— Это моей сестре, — сухо ответила Тамара, отчего-то смутившаяся, как будто ее застали за неблаговидным занятием.

— Какая женщина! — восхищенно вздохнула Леночка. — Всем помогает, всем все раздает, ни для кого ничего не жалеет.

Тамара промолчала, она знала, что Леночке Аэлла тоже помогла: когда у той заболела мать и нужно было достать швейцарское лекарство, Аэлла без всяких просьб его достала и даже денег не взяла. Просто пришла однажды стричься к Тамаре, заметила, что у одной из учениц заплаканное лицо, спросила у Тамары, что случилось, а через три дня принесла лекарство и попросила передать девушке.

Последней клиенткой в этот день у Тамары была знаменитая спортсменка, олимпийская чемпионка по спортивной гимнастике.

— Вы сейчас домой? — спросила она, разглядывая в зеркале более чем удовлетворительный результат Тамариных профессиональных усилий.

— Да.

— Вас подвезти?

Тамара знала, что у гимнастки есть машина, и подумала, что, может быть, стоит воспользоваться ее любезностью и отвезти Любе подарки, иначе придется завтра тащить пакет и портплед на метро и автобусе.

— Мне на Юго-Запад, — неуверенно проговорила она.

— Отлично, мне на проспект Вернадского, — весело ответила спортсменка. — Нам по пути.

Увидев на пороге сестру, Люба ахнула.

— Что-то случилось?

— Угу, — улыбнулась Тамара. — К вам пришел Дед Мороз, правда, с опозданием на две недели, но зато с подарками.

Люба не могла поверить своим глазам, долго рассматривала шубу, не решаясь надеть, потом кинулась к телефону, чтобы позвонить Аэлле и поблагодарить. Тамаре с трудом удалось удержать ее.

— Да погоди ты! Во-первых, ты ее еще не примерила. Аэлла тебя спросит, а тебе и сказать нечего. А во-вторых, ей сейчас не до тебя, у нее романтическое свидание. Позвонишь завтра днем ей на работу. Давай надевай, я уже вся извелась.

Надев шубу, Люба преобразилась, став похожей на царственную особу, чему немало способствовал, наряду с ее фигурой, высокий «королевский» воротник.

— Обалдеть! — искренне восхитилась Тамара. — Как по тебе сшита. Аэлла ее все равно носить не смогла бы.

— Почему?

— Это не ее фасон. Ты же высокая, и то — гляди! — тебе шуба по щиколотку, а Аэлла намного ниже тебя, на ней эта шуба по земле волочилась бы. Только к этому воротнику нужна другая прическа.

— Какая другая? У меня отличная прическа, ты же сама меня стригла.

— Любаня, я тебя не стригла, а подравнивала концы, чтобы ты могла носить свои длинные волосы а-ля Марина Влади и чтобы эта длина подходила под твое зимнее пальто, которому лет больше, чем твоей дочери, и под дурацкую шапку, которую ты продолжаешь носить, несмотря на все мои просьбы и увещевания. К этой шубе нужна совсем другая голова. И, кстати, головной убор тоже нужен другой.

— Какой?

— Ну, уж во всяком случае, не твоя кроличья шапка с ушами! Женщины вообще не должны носить шапки, им головы не для этого даны.

— А для чего? — глупо спросила Люба, все еще не пришедшая в себя до конца.

— Головы женщинам даны для того, чтобы иметь мозги и носить волосы и шляпы. С мозгами у тебя все в порядке, волосы тоже хорошие, осталось научить тебя носить шляпу — и моя миссия в этом мире будет выполнена, — пошутила Тамара.

Она надела на сестру свою шляпу из темно-зеленого фетра с широкими полями.

— Вот, смотри. Понимаешь, о чем я говорю? К твоему лицу поля нужны поменьше, и цвет мы выберем другой, чтобы к шубе подходил. Но согласись, что так гораздо интереснее, чем в твоем немыслимом кролике. Только стрижка нужна другая. Пошли в ванную, я тебя немедленно подстригу, и завтра пойдешь на работу, как королева. Сделаю тебе или «гарсон» или «паж» — я еще подумаю, но главное, чтобы с челкой, тем более твои волосы позволяют. Сделаю тебя похожей на Мирей Матье.

— В немыслимом кролике? — Люба наконец обрела способность смеяться.

— Без ничего! На голове будет классная стильная стрижка — и этого вполне достаточно.

— Я замерзну.

— Потерпишь один день. Я понимаю, у тебя нет времени ездить по магазинам и искать шляпку, но я знаю, где продается то, что тебе нужно, и завтра сама после работы заеду и куплю. Потом тебе привезу, все равно мне завтра Лельку из садика забирать. Когда Родька придет?

Люба посмотрела на часы — уже почти десять.

— Не знаю, — призналась она. — Он в девять часов звонил, сказал, что ему нужно обвинительное заключение закончить. Наверное, еще не скоро.

— Пошли, — Тамара потянула сестру в сторону ванной.

— Погоди, — сопротивлялась Люба, — а ужинать? Ты же с работы, ты голодная.

— Потом, потом, — приговаривала Тамара, усаживая ее на табурет и раскладывая извлеченные из сумки фирменные английские ножницы и расчески — свое богатство, с которым она никогда не расставалась и не оставляла в салоне. Эти ножницы и расчески ей достала все та же Аэлла Александриди.

Когда она закончила преображение сестры, на часах было половина двенадцатого, а Родислав все еще не вернулся. Тамара быстро перекусила и засобиралась домой.

— Может, останешься? — уговаривала ее Люба. — Ну куда ты поедешь в такую позднятину? Оставайся, ляжешь в гостиной, тебе никто не помешает.

— Нет-нет, я поеду, мне завтра вставать рано, у меня смена с семи утра, я вас всех перебужу. И вообще, я люблю спать в своей постели.

Выскакивая из подъезда, Тамара столкнулась с Родиславом. Вид у него был расстроенный и какой-то пришибленный.

— Проблемы? — спросила она.

— А как же без них, — хмуро усмехнулся он.

— Ладно, тогда до завтра.

— Пока, — он вяло махнул рукой и вошел в лифт.

* * *

Проблемы у следователя Романова действительно были, правда, он, как и всегда, надеялся, что все как-нибудь образуется и рассосется. Ему нужно было закончить обвинительное заключение, чтобы завтра, в последний день установленного срока предварительного расследования, окончательно подготовить уголовное дело для передачи в суд. Он уже почти закончил нудную писанину с полным перечислением эпизодов хищения продуктов из пекарни, когда позвонил Сердюков.

— Как там дело моей крестницы Щупровой? Ушло в суд?

— Еще на прошлой неделе.

— А ты экспертизу не забыл?

— Какую экспертизу?

— Образец помеченной стеклотары и образец химвещества, которым мы метили.

— Ах, эту! Сделал, конечно.

Родислав постарался, чтобы голос его звучал как можно более равнодушно, словно вопрос был самым обыкновенным, а ответ — самым естественным. На самом деле сердце его екнуло и на мгновение остановилось: он вспомнил, что не провел эту чертову экспертизу. И теперь адвокат может прицепиться к тому, что ее нет, и, стало быть, оспорить все материалы дела и выводы следствия. Суть состояла в том, что, когда из заветного ящика у приемщицы Щупровой были извлечены неучтенные и, соответственно, не оплаченные бутылки, на которых обнаружены химические метки, следовало эти бутылки отправить на экспертизу вместе с конвертом, в котором находился образец той самой «собачьей пасты». Сделать это необходимо для того, чтобы потом никто не мог сказать: мало ли какие помеченные неизвестно чем бутылки вы там обнаружили! Может быть, это еще кто-то пытался провести контрольную закупку, сдали Щупровой помеченные бутылки, потом что-то не срослось, акт не составили, а бутылки остались. Или вообще юные любители-химики баловались, взяли дома пустые бутылки и мазали чем ни попадя, а потом сдали и на вырученные деньги в кино пошли и мороженое купили. В общем, толковый адвокат найдет что сказать, если в деле не будет соответствующего акта экспертизы.

Экспертизу, конечно, можно провести по постановлению суда и в период судебного следствия, но для этого нужно, чтобы конверт с образцом химического вещества был приложен к акту, который составили в момент подготовки к контрольной закупке. Акт в деле был. И акт проведения контрольной закупки тоже был. А вот конверта там не было. Родислав смутно припоминал, что сунул конверт в стол, чтобы на следующий день, после получения акта контрольной закупки и письменных объяснений всех ее участников, при возбуждении уголовного дела приобщить к нему оба акта. Акты он приобщил, а вот конверт... Конверта в деле не было.

Он перерыл весь стол, переворошил по листочку все содержимое сейфа — ничего. В столе и сейфе после подготовки к недавней проверке режима секретности царил идеальный порядок. Но злополучного конверта с образцами там не было. Родислав понял, что, скорее всего, он его просто выбросил, когда наводил порядок. И что теперь делать? Если бы конверт нашелся, он завтра же побежал бы к судье договариваться и наверняка договорился бы, судья Воронец была нормальной теткой, сама в прошлом работала следователем прокуратуры и трудности следственной работы знала и понимала как никто. Но конверта не было! Не было его. Оставалось надеяться только на то, что у Щупровой не будет толкового и внимательного адвоката и никто ничего не заметит.

Он ворочался в постели, не мог уснуть и чувствовал, что съеденный за полночь ужин комом стоит в желудке, не желая перевариваться. В такое позднее время, наверное, спать хочет не только мозг, но и вся пищеварительная система.

— Родинька, ты не спишь? — донесся до него едва слышный шепот Любы.

— Нет.

— Что-то случилось?

Конечно, случилось. За ужином он не стал ничего рассказывать, понимал, что уже поздно и надо ложиться, да и Люба была такая счастливая, возбужденная, показывала ему новую шубу и новую прическу. Но теперь он не сдержался и рассказал.

— Ты правильно сделал, что не стал ничего Славику

говорить. Зачем его заранее расстраивать? Может быть, и в самом деле все обойдется.

— А если не обойдется?

— Не надо сразу думать о плохом, надо надеяться на хорошее. — Рука Любы погладила его по плечу, и Родиславу сразу стало спокойнее. — Тебя можно простить, у тебя вон сколько дел одновременно в производстве, разве ты можешь за всем уследить? У каждого следователя бывают ошибки и оплошности, ты мне сам сколько раз рассказывал про своих коллег, которые то тут что-то недоделают, то там недоглядят, то забудут что-то, то перепутают. Вы все люди, вы из плоти и крови, и у каждого из вас есть своя жизнь, свои домашние проблемы, свои заботы, свои болезни. Каждый может ошибиться, ничего страшного в этом нет. Конечно, я бы понимала, если бы из-за твоей ошибки невиновный оказался бы за решеткой — тогда да, это действительно страшно. А если приемщица Щупрова вместо тюрьмы окажется на свободе, то, я думаю, никто очень сильно не пострадает. Ты имеешь право на ошибку, и если все сложится неблагоприятно, я надеюсь, Славик тебя поймет и простит. Да я не просто надеюсь — я в этом уверена. Славик Сердюков — твой добрый товарищ, он твой коллега, и у него наверняка тоже случаются промахи и ошибки.

Родислав облегченно вздохнул, повернулся и уткнулся лбом в ее плечо.

— А хочешь, я завтра после работы заеду к тебе в контору, и мы еще раз вместе просмотрим каждую бумажку у тебя в столе и в сейфе? — предложила Люба. — Завтра Тамара заберет Лельку, так что я смогу прийти домой попозже. В таких случаях всегда лучше смотреть свежим глазом, у тебя глаз, что называется, замыленный. Хочешь?

— Хочу, — полусонно пробормотал Родислав.

На следующий день Люба, как и обещала, приехала вечером к нему на работу, они заперлись в кабинете и снова перебрали по листочку все бумаги. Но конверт так и не нашелся.

Прошло еще две недели, дело по обвинению Щупровой начало слушаться в суде первой инстанции, и оправдались самые худшие ожидания Родислава. Адвокат, молодой, резвый и желающий сделать быструю карьеру, докопался до экспертизы, и дело было прекращено «за недоказанностью». Оперативник Сердюков долго кричал в кабинете следователя Романова, что таким, как Романов, не место на следственной работе, что он своей безалаберностью и ленью может угробить любую долгую и кропотливую работу оперов и что за такие служебные промахи в приличном обществе бьют морду и руки не подают, и ушел, хлопнув дверью. Родислав с тоской думал об «оконном» деле, которое так и не продвинулось, застыв на постыдных 27 рублях, и на проведение следственных действий по которому осталась после второго продления сроков всего неделя. А ведь этим делом тоже Сердюков занимался. Можно представить, в какое бешенство он придет, узнав, что в суд передано обвинение в обмане покупателей всего на 27 рублей вместо как минимум 900!

* * *

— Ну что, все довольны? Про Аэллу рассказал, про Родислава рассказал, теперь я могу, наконец, пойти поесть, попить и поспать? — с притворной ворчливостью спросил Ворон.

— Погоди, а как Аэлла выглядит-то? — не унимался Ветер. — Ты про все рассказал, а про внешность? Я же должен реально представлять себе ту, которую полюбил всей душой.

— Полюбил он, — пробурчал Ворон. — Подумаешь, герой-любовник нашелся... Ну, что тебе сказать? Лицо, конечно, красивое, как и было в юности, глаза большие, яркие, темные, ресницы черные, длинные, вверх загибаются, брови густые, но она их, по-моему, выщипывает, потому что раньше они как-то погуще были, такие почти прямÑ‹нькие, а теперь потоньше и такой изогнутой полосочкой. Не знаю, я в этих бабских делах не очень-то сведущ. Волосы в крупный завиток, черные, но с ранней сединой, которую она у Тамары в салоне закрашивает. Фигура, конечно, подкачала, в юности-то она такая налитая была, аппетитненькая, с тонкой талией и пышным бюстом, а теперь как-то это все... не знаю. Лично мне не нравится. Ноги коротковаты оказались, попа низкая, и вся она какая-то маленькая, повыше Тамары, конечно, но с Любочкой не сравнить. Вот уж кто красотка так красотка! Шикарная женщина. Нет, не то я говорю, — спохватился он, — не то. Люба роскошная, а Аэлла — шикарная. Вот так будет правильно. Разницу улавливаете?

Камень и Ветер дружно заверили его в том, что разницу они, без сомнения, уловили и в основном про Аэллу все поняли.

— Но это, конечно, если очень уж придираться, — честно признался Ворон. — Если внимательно присмотреться, то у Аэллы ноги волосатые и на лице некоторая растительность имеется, но она за этим следит в оба глаза, с лица все пинцетиком удаляет, часами перед зеркалом сидит и — дерг! дерг! дерг! И как только ей не больно. Я как представил, что у меня из крыльев будут по одному перышку выдергивать — чуть в обморок не свалился. И с ногами она что-то такое хитрое проделывает у себя в институте, чтобы волос было поменьше. В общем, старается изо всех сил. И если сильно не присматриваться, то она, конечно, женщина эффектная, да еще одевается по-заграничному, вся в импорте с ног до головы. Я как-то в СССР один фильм смотрел, не помню, как называется, так там один персонаж так и говорил: «На мне же ниточки отечественной не было!» Вот прямо про Аэллу сказано. Все, пацаны, не могу больше, устал и проголодался, полечу за пропитанием.

Ветер и Камень от всей души пожелали ему приятного аппетита и спокойной ночи, и Ворон удалился с осознанием честно выполненного долга.

— Нет, какая женщина, а? — восхищался Ветер. — Какая широта натуры, какая доброта! Шубу не пожалела! Ты таких встречал, Камень?

— Издеваешься? Кого я вообще в своей жизни мог встречать? Лежу тут уж сколько тысячелетий, хорошо, если раз в сто лет какие-нибудь путешественники забредут и на ночлег устроятся. Так по пальцам можно пересчитать, скольких человеков я своими глазами видел, и то, по Вороновым, людских пальцев слишком много окажется. Все, что я о людях знаю, я знаю со слов Ворона.

«И Змея», — мысленно добавил Камень, но вслух произносить этого не стал, зная добродушное легкомыслие Ветра и его полное неумение хранить секреты, ни собственные, ни чужие. Проболтается Ворону — потом разборок не миновать.

— Но я-то людей повидал, — со знанием дела произнес Ветер, — и могу тебе ответственно заявить, что такие, как Аэлла, встречаются чрезвычайно редко. Ах, какая женщина, какая женщина! Все, решено, буду любить ее до конца жизни. Ладно, Камешек, я тоже, пожалуй, отправлюсь, все равно я уже остыл, тебе от меня пользы никакой нет. А у меня Кубок мира по биатлону, как бы не опоздать.

— Ты что, биатлоном увлекаешься? — несказанно удивился Камень.

— А как же! Биатлон — это даже покруче футбола. Вот представь: прилетаю я, скажем, в Рупхолдинг...

— Это еще что за фрукт?

— Это не фрукт, а город такой, в Норвегии. Ну вот, прилетаю я туда, нахожу уютное местечко, сажусь в затишке и жду. Наблюдаю. Выбираю себе парочку спортсменов, за которых буду болеть, и еще парочку, которые, наоборот, мне не нравятся, затаиваюсь и ловлю момент. Как только мои фавориты на огневой рубеж прибывают, я затихаю и всем ребятам вокруг даю знак, чтоб умолкли и не высовывались, создаю условия для точной стрельбы. А уж когда стреляют те, кто мне не нравится, тут я себе волю даю! И не дую, как придурок, сильно и ровно, а так, знаешь, налетами, то утихну, а как только он прицелится и на спусковой крючок начнет нажимать, тут я как выступлю! Пуля в молоко уходит. Или, наоборот, начну дуть ровненько, он поправку на меня сделает, а я в самый ответственный момент возьму и заткнусь. Развлекуха! Сплошной адреналин.

— Но это же нечестно, — возмутился Камень. — Ты создаешь одним спортсменам благоприятные условия, а другим мешаешь. Это нарушает объективность.

— Да брось ты! Ветров на свете много, не я — так другой кто-нибудь прилетит и свой порядок наведет, без нас нигде не обходится, ни в одном виде спорта, если соревнования на открытом воздухе. В этом же и смысл, что мы, ветры, всегда есть, и надо суметь выиграть в нашем присутствии. В общем, ничего ты, Камень, в людских делах не смыслишь. Полетел я.

Камень подождал, пока уляжется взвихрившийся воздух, и вполголоса позвал:

— Змей, а, Змей!

— Тут я, не кричи, — почти сразу же послышался ответ. — Не глухой еще пока, слава богу.

— Все слышал?

— Вроде все.

— И что скажешь?

— Ты про что? Про Родислава?

— Да нет, с ним-то как раз все понятно. Про Аэллу что скажешь? Неужели с годами она стала умнее и добрее?

— Да прям-таки! — прошипел Змей. — Наш быстрокрылый репортер правильно про Головина-старшего сказал: тот с возрастом усугубился. Хорошее выражение. Так вот Аэлла тоже с возрастом усугубилась, она такая и детстве была, мы же с тобой это обсуждали. Она совершенно не выносит, когда кто-то оказывается лучше ее, богаче, счастливее, удачливее. Она во всем должна быть самой лучшей и самой первой. А тех, кто хуже, беднее и несчастнее, можно и пожалеть, и облагодетельствовать, и помочь им. Она обожает сирых и убогих, помогая им,

Аэлла чувствует себя доброй и могущественной феей и таким способом самоутверждается. У нее ведь есть еще одна особенность: она свято верит в собственные впечатления и мысли не допускает, что может ошибаться. Вот показалось ей, что человек несчастен, — и все, дальше она уже не разбирается, не видит очевидного, не замечает того, что просто в глаза бросается, она уверена в правильности собственной оценки и не подвергает ее сомнению. Давным-давно на свадьбе Любы и Родислава она решила, что Родислав женится на «этой простушке» не по любви, а потому, что родители заставили, что Люба ему не пара и что этот брак не будет счастливым. Прошли годы, Люба и Родислав живут вполне счастливо, у них родились дети, супружескими изменами там и не пахнет, ну да, между ними нет интимных отношений, но об этом знаем мы с тобой, а Аэлла-то не знает и знать не может. Внешне семья Романовых выглядит очень благополучной, и отношения между супругами добрые и доверительные, и бытовые условия — не в пример многим, все-таки трехкомнатная квартира, и зарплата вполне достойная. С какого перепугу Аэлле считать их несчастненькими, жалеть и осыпать благами? Люба на свадьбе была в неудачном платье и с неудачной прической и выглядела не лучшим образом? Родислав не смотрелся счастливым женихом, был бледным и напряженным? Люба в те времена жила в бараке, в одной комнате с родителями, бабушкой и старшей сестрой? У Любы не было таких нарядов, как у Аэллы? Это все было давно, и с тех пор многое переменилось. Наряды, как у Аэллы, у Любы, конечно, не появились, но жильем Романовы обзавелись достойным, и вся их жизнь показывает, что брак у них достаточно счастливый. Так нет же, Аэлла вбила себе в голову, что Люба некрасивая и неинтересная, что Родислав ее не любит, что живут они бедно и плохо.

— Думаешь, все так?

— Ну а как же! И с Тамарой точно такая же история! Тамара давно уже не нуждается в укреплении собственной репутации, она — величина самодостаточная, к ее услугам обращаются точно такие же богатые, влиятельные и знаменитые люди, как и к доктору Александриди, а что доктор, разве это понимает? Ведь все же очевидно, все происходит на ее глазах, но она упорно ничего не видит, не замечает и продолжает осыпать Тамару благодеяниями. Вишь ты, машину ей обещала подарить! Рокфеллер в юбке. Аэлле нужно, чтобы ее благодарили, чтобы ею восхищались, в глаза заглядывали, она без этого жить не может, это для нее как наркотик. Вот посмотришь, как только кто-нибудь из тех, кого она облагодетельствовала, крепко встает на ноги и становится успешным или счастливым, всю Аэллину любовь к этому человеку как рукой снимает. Он начинает ее раздражать тем, что у него все в порядке и он теперь тоже в своем роде первый и лучший. С этим она мириться не сможет.

— И что будет делать? — с интересом спросил Камень.

— Увидим, — загадочно хмыкнул Змей.

— Да не темни ты! Ты же смотрел? Признавайся, смотрел?

— Вперед я не заглядывал, чтобы тебе удовольствие не портить, но в прошлом покопался маленько, просто ради любопытства, чтобы проверить собственную теорию.

— Проверил?

— Проверил. Помнишь, в дачной компании была девочка Таня, белокурая такая, на скрипке играла и про черную старуху рассказывала?

— Помню.

— Так вот, играла девочка Таня на своей скрипке, играла и доигралась до аспирантуры при консерватории. Папа у нее был при должности, но он умер, когда Тане было семнадцать лет. Она, конечно, девочка талантливая и трудолюбивая, но не до такой степени, чтобы свободно конкурировать с теми, у кого есть связи. Уж не знаю, помнишь ты или нет, может, тебе наш оперенный корреспондент рассказывал, что в СССР в то время главным словом было слово «блат», без блата ничего не получалось, ни колбасы хорошей купить, ни хорошую работу получить. Заканчивает наша Таня аспирантуру, и предлагают ей место в симфоническом оркестре оперного театра где-то на Севере, не то в Красноярске, не то в Ханты-Мансийске. Она, естественно, ехать не хочет, у нее в Москве мама одна остается, а мама после смерти папы стала сильно болеть, и на Север ехать ей никак нельзя — здоровье не позволяет, и одну оставлять страшно. Кинулась наша Таня к Аэлле за помощью, Аэлла тогда еще только-только начинала свою карьеру, собственных связей у нее почти не было, так она к матери обратилась, к Асклепиаде. Та позвонила кому-то, поговорила, и взяли Таню не куда-нибудь, а в оркестр Московского театра оперетты. Уже хорошо, согласись. Тут в аккурат у Аэллы случилась одна из первых суперудачных пациенток, которой она с помощью матушкиных консультаций подбородок починила, и у этой пациентки муж оказался чиновником из Министерства культуры, членом комиссии, которая отбирала молодых музыкантов для участия в международном конкурсе скрипачей. Аэлла подсуетилась, и девушку Таню отобрали на конкурс. Как ехать? В чем ехать? В чем выступать? Ни одного приличного наряда у Тани нет, обувь кошмарная, сумка доисторическая. Догадываешься, кто ее собирал и одевал для поездки за рубеж?

— Догадываюсь, — вздохнул Камень.

— И поехала наша Таня демонстрировать свои музыкальные способности. И завоевала она там второе место. Вернулась в Москву, ее сразу же в ансамбль скрипачей Большого театра пригласили. А что Аэлла сделала?

— Не знаю. А что она сделала?

— А ничего она не сделала, — с нескрываемым торжеством объявил Змей. — Ни-че-го. Даже не позвонила Тане и не поздравила ее с победой. Аэлла вообще перестала ей звонить и как-либо интересоваться ее жизнью. Таня, конечно, сама звонила еще некоторое время, но Аэлла либо просила сказать, что ее нет дома, либо говорила, что в данный момент очень занята, и обещала перезвонить, но не перезванивала. Таня начала ее раздражать своей успешностью. Потом Таня собралась замуж за певца, баритона из Музыкального театра, пригласила Аэллу на свадьбу — та не пришла, причем без всяких объяснений. А потом знаешь, что произошло? Аэлла у кого-то в гостях познакомилась с журналистом, который писал о театре. Журналист был ушлый, любил собирать всяческие сплетни и знал, что жену баритона из Музыкального театра Татьяну в свое время опекала Аэлла Александриди. Вот подкатывается он к Аэлле и говорит, мол, в Музыкальном театре намедни премьера состоялась, мне о ней написать надобно, там одну из главных партий исполняет... — и называет фамилию Татьяниного мужа. Я знаю, что вы с этой семьей знакомы и ее успехи вам небезразличны, так что вы не волнуйтесь, я про этого баритона хорошо напишу, а уж вы не забудьте о моей любезности. А Аэлла ему в ответ: «Я к этой семье не имею никакого отношения, и вы можете с чистой совестью писать все, что думаете. Если баритон вам не понравился — так и напишите, не стесняйтесь. Мое хорошее отношение к вам от этого хуже не станет». Ну, журналист тут же почуял, чем пахнет, и хитренько так спрашивает: «Хуже не станет, а лучше?» Аэлла, не будь дура, тоже все поняла и отвечает: «Очень может быть». И через два дня в газете «Советская культура» вышла критическая статья про премьеру, в которой Татьяниного мужа просто с грязью смешали. Вот такая история.

— Жуть какая, — произнес Камень голосом, полным отвращения. — Неужели Аэлла на такое способна?

— Своими глазами видел, — заверил его Змей. — Так что рядом с ней безопаснее оставаться убогим и несчастным, тогда она хотя бы не навредит. Слушай, я чего хотел спросить-то: помнишь, Родиславу приятель-оперативник говорил, что в Новый год по телевизору какое-то очень хорошее кино будут показывать?

— Ну, — подтвердил Камень.

— Как оно называлось?

— «Ирония судьбы» и что-то еще про мытье в ванной, я запамятовал.

— И что, действительно хорошее кино?

— Да я не знаю, Ворон не рассказывал. Наверное, сам не видел.

— Ох, этот наш романтический колибри! — воскликнул Змей. — Всякую чушь у них там по телевизору смотрит, а новое кино пропустил! Как ты думаешь, долго он будет питаться и спать?

— Думаю, порядочно, он же сколько дней уже без сна и отдыха, притомился, бедняга.

— Тогда я, пожалуй, сползаю кино посмотрю, очень мне любопытно. Когда, говоришь, его показывали?

— Вроде первого января, если я не путаю. Может, второго.

— Ладно, первое и второе рядышком, разберусь. Если интересное кино — перескажу тебе.

— Спасибо. А я, наверное, тоже подремлю пока.

Камень простился с другом и погрузился в думы, которые быстро перешли в глубокий крепкий сон.

* * *

Это утро в семье Головиных началось со скандала. Тамара надела новый наряд, который сшила по ее рисункам знакомая портниха. Наряд получился изысканным и элегантным, не похожим ни на одно изделие, висящее в московских универмагах. Наряду с чувством стиля Тамара обладала живым воображением и ничем не ограниченной фантазией истинного художника, что позволяло ей придумывать для себя удивительные по своей необычности и очень идущие ей туалеты. Бабушка Анна Серафимовна в свое время научила обеих внучек шить, но за такой сложный крой, который придумывала Тамара, брались только опытные мастерицы.

— Это что? — с нескрываемым подозрением спросил Николай Дмитриевич. — Опять новое платье? Где взяла?

— У портнихи сшила.

— В ателье?

Можно было бы соврать, чтобы избежать лишних разговоров, но не такова была Тамара Головина. Глядя прямо отцу в глаза, она сказала правду:

— На дому. А какая тебе разница?

— Какая разница? — Судя по голосу, Николай Дмитриевич начал медленно закипать. — Какая разница?! А эта твоя портниха платит налоги за то, что шьет на дому? Она вообще фининспектора когда-нибудь в глаза видела?

— Это не мое дело, — спокойно ответила Тамара.

— Как это — не твое дело? Ты сама поощряешь финансовые нарушения, и эти надомники наживаются, грабят государство благодаря таким беспринципным особам, как ты! Господи, кого я вырастил! Мать! Мать, поди сюда, полюбуйся на нашу дочь, которая идет рука об руку с преступниками! Я всю жизнь положил на то, чтобы избавить нашу страну от правонарушений, а она им потакает и делает все для того, чтобы их стало еще больше! Сними это немедленно и надень то, что купила в советском магазине!

— Не сниму. Я это сшила и в этом пойду на работу. — Тамара, уже полностью одетая, стояла перед зеркалом в прихожей и укладывала расческой волосы.

— Нет, не пойдешь! Это позор — иметь такую дочь! Если я узнаю, что ты тоже, как и эта твоя портниха, делаешь прически вне своего рабочего места, я выгоню тебя из дома! Немедленно переодевайся.

— И не подумаю.

На крик прибежала Зинаида Васильевна, которая, кидая на дочь умоляющие взгляды, принялась успокаивать разгневанного супруга:

— Коля, Коленька, успокойся, тебе нельзя волноваться, у тебя давление...Тома, переоденься, раз папа просит, ну что тебе стоит... Коля, присядь, я накапаю тебе успокоительное... Тома, ну что ты стоишь, сделай, как папа велит, не упрямься, ты же видишь, он разволновался, а ему на работу идти...

— Мне тоже на работу идти, — невозмутимо ответила Тамара.

— Преступница! Взяточница! Спекулянтка! — кричал Николай Дмитриевич.

Терпение Тамары лопнуло, она схватила сумку и выскочила из квартиры, бросив напоследок:

— Если бы такие, как я, не спасали вашу затхлую экономику, в стране уже давно была бы революция от бедности и дефицита.

Она уже почти дошла до метро, когда поняла, что впопыхах забыла дома шаль. Шаль была очень красивой и приобретенной специально для этого наряда. Вернее было бы сказать, что шаль была не приобретена, а сделана, потому что к придуманным Тамарой туалетам невозможно было подобрать аксессуары из имеющегося в магазинах ассортимента. Спасали только клиентки или Тамарина собственная изобретательность. Она только еще отдала портнихе рисунки, чтобы та начала делать выкройки, а уже приступила к планомерным поискам нужной ткани для шали. Ткань она искала два месяца и нашла, но не в Москве, а в Тарту, куда поехала на экскурсию. Нитки и шнуры для задуманных кистей она приобретала на Западной Украине, в Ужгороде, где была в гостях у подруги, а бисер для столь необходимого по замыслу рисунка ей прислали из Вильнюса.

Осознав, что шали на плечах нет, Тамара моментально почувствовала себя голой, ей казалось, будто все на улице замечают, что в ее наряде не хватает чего-то очень важного, показывают на нее пальцем и смеются. Такое ощущение, что идешь в пальто, под которым нет юбки: вроде ты и одета, и все с виду прилично, но на самом деле далеко не все в порядке, и все это понимают. Настроение у Тамары испортилось еще больше, мало того, что отец с раннего утра завелся, так еще и шаль... Ах, как досадно!

Но никто не показывал на нее пальцем и не смеялся

вслед, и от этого Тамара расстроилась еще больше. Неужели никто не замечает, что не хватает шали, неужели в целом городе нет ни одного человека, который понял бы и оценил ее замысел? Не полностью одетая женщина вступила в конфликт с художником...

— Простите, пожалуйста, вы не уделите мне несколько секунд?

Тамара отвлеклась от своих угрюмых мыслей, подняла голову и уставилась на высокого худого незнакомца, остановившего ее. Она уже шла по проспекту Калинина, до салона оставалось метров двести, и несколько секунд не грозили перерасти в катастрофическое опоздание на работу. Наверное, гость столицы, который спросит, как пройти на Красную площадь или к Библиотеке имени Ленина, потому что только приезжий может так неторопливо расхаживать по Калининскому без пятнадцати семь утра.

— Я вас слушаю, — любезно улыбнулась Тамара.

— Я никогда не осмелился бы давать вам советы, видя ваш туалет. Я отдаю себе отчет в том, что разговариваю с человеком, обладающим потрясающим вкусом и чувством цвета, но вы позволите мне высказать одно соображение? Это не совет, а именно соображение.

Она взглянула на незнакомца с интересом и сразу же отметила длинные седоватые волосы, забранные сзади в хвост, затейливо повязанный шейный платок и брючный ремень, обтянутый такой же, как и платок, тканью. «Любопытная идея, — мелькнуло у нее в голове, — надо будет взять на вооружение. Платок и пояс, например, или платок и сумочка. Может получиться очень славно».

— Я вас слушаю, — повторила она и улыбнулась еще приветливее.

— Мне кажется, с этим туалетом хорошо смотрелась бы шаль из сиреневого креп-сатина, с длинными кистями, гладкая, без набивного рисунка, но по краям нужен орнамент из бисера или паеток. Как вы считаете?

Тамара потеряла дар речи. Высокий незнакомец в

точности описал ту самую шаль, которую она забыла дома. Неужели нашелся все-таки человек, который видит и чувствует, как она сама?

Она молча стояла и смотрела на него, вбирая глазами каждую черточку, каждую самую маленькую деталь его внешности и одежды. Вот сейчас он уйдет, растает, и они никогда больше не встретятся, и через какое-то время Тамаре уже будет казаться, что этой встречи и не было вовсе, и этот удивительный человек, который думает, чувствует и видит точно так же, как она, просто привиделся ей во сне. Нужно как можно лучше запомнить его, впитать в себя, чтобы потом вызывать в памяти, когда захочется, и не усомниться в том, что это было на самом деле.

— Вы со мной не согласны? — огорченно спросил он. — Вы молчите, значит, вы не согласны. Жаль. Простите.

— Подождите, — Тамара схватила его за руку и судорожно сжала худую кисть с длинными сильными пальцами. — Я с вами совершенно согласна. И вы абсолютно правы. У меня есть такая шаль. Я делала ее специально для этого костюма, но второпях забыла взять из дома. Скажите, очень заметно, что шали здесь не хватает?

— Только мне. — Он улыбнулся, и эта улыбка, обнажившая чуть длинноватые не очень ровные зубы, показалась Тамаре самой замечательной улыбкой на свете. — Больше никто ничего не поймет, уверяю вас. Просто я очень придирчив во всем, что касается одежды. Но в целом вы выглядите великолепно! И если позволите мне совсем уж банальный комплимент, то скажу: вы очень красивая женщина. Самая красивая из всех, которых я встречал в своей жизни. Еще раз прошу прощения, не смею больше вас задерживать.

— Задержите меня, — неожиданно для себя самой сказала Тамара. — Задержите меня еще. Пожалуйста.

— Но вы куда-то торопились...

— На работу! — спохватилась она и совсем по-детски спросила: — Что же делать?

— Где вы работаете?

— В «Чародейке», — она указала рукой на стоящее неподалеку здание.

— С семи утра?

— Да, я парикмахер.

— Почему-то я так и подумал. — Он снова улыбнулся, открыто и ласково. — Значит, с семи и до...? До двух? До трех?

— До двух.

— Значит, ровно в два я буду вас ждать на этом же месте. Договорились?

— Да! — почти крикнула она и чуть спокойнее добавила: — Да. Я обязательно приду. Только вы обязательно ждите меня. Я не могу вас потерять, просто не имею права.

— Вы меня не потеряете, потому что я вас нашел, — бросил он на прощание загадочную фразу.

В этот день Тамара Головина превзошла сама себя. Творимые ею прически были не просто совершенны — они делали их обладательниц красивыми и счастливыми. Одна часть ее мозга думала о волосах, стрижках, прядях, укладке и окраске, другая же постоянно возвращалась к утреннему незнакомцу и заодно ко всем мужчинам, которые были в ее жизни. Вопреки неутешительным прогнозам мамы Зины мужчины неизменно испытывали к Тамаре жгучий интерес, за ней активно ухаживали, и некоторые даже звали замуж, но она, пройдя за две-три недели период первоначального интереса, быстро остывала к очередному ухажеру и прекращала с ним всяческие отношения, даже приятельские. Все эти мужчины казались ей скучными, пресными и обыкновенными, ей же хотелось связать себя прочными отношениями с личностью творческой и неординарной. Пусть он будет пекарем или маляром, но он должен гореть на своей работе и придумывать что-то новое и нерядовое, он должен быть творцом, и совсем необязательно творить в сфере искусства, творить можно где угодно, хоть в столярном деле, хоть в педагогическом. Творцов Тамаре не попадалось, а попадались почему-то обыватели, про которых она пренебрежительно говорила: «Жуткие мещане». Зинаида Васильевна каждого нового поклонника Тамары воспринимала как потенциального жениха, требовала, чтобы дочь привела ухажера «в дом» и познакомила с родителями, была навязчиво любопытной и после каждого возвращения Тамары со свидания требовала подробностей. Тамара со смехом отнекивалась, она давно уже оставила попытки объяснить матери, что замужество не является для нее приоритетом и самоценностью, что она прекрасно себя чувствует вне брака, что она точно знает, каким должен быть «ее» мужчина, и что такой пока еще ей не встретился. Мама Зина то и дело впадала в истерические причитания на тему «останешься одна, без мужа и детей, на старости лет некому будет стакан воды подать, и в кого ты такая переборчивая, и тот тебе не годится, и этот нехорош, ладно бы еще сама что-то собой представляла, а то ведь ни кожи ни рожи, а туда же, от хороших мужиков морду воротишь», а Тамара молча терпела: ну что тут сделаешь, если матери ума бог не дал.

В этом году Тамаре исполнилось тридцать три, и она считала, что для личной жизни у нее впереди еще масса времени, Зинаида же Васильевна полагала, что дочь давно и окончательно перешла тот рубеж, за которым молодая женщина превращается в старую деву, и очень переживала. По ее мнению, Тамара должна была выскакивать замуж за первого попавшегося, за кого угодно, лишь бы состоять в браке, чтобы все было как у людей. Однако же препятствием к осуществлению этих планов была не только позиция самой Тамары, но и нетерпимость Николая Дмитриевича, который, разумеется, не позволил бы ввести в дом «кого угодно».

«Только бы он пришел, — думала Тамара, щелкая ножницами и взмахивая расческой, — только бы не передумал. Таких, как он, больше нет, и будет просто преступлением не удержать его».

Наконец ушла последняя клиентка, Тамара быстро скинула белый нейлоновый халатик и переоделась, сложила в сумку дефицитные английские инструменты, подкрасила губы, проверила прическу. Кажется, все в порядке. Только шали не хватает. Она улыбнулась своему отражению, подмигнула и вдруг замерла, охваченная леденящим предчувствием: он не придет. И это будет ужасно. Это будет означать конец всем ее надеждам, потому что другого такого мужчины нет. По лестнице со второго этажа она спускалась на подгибающихся ногах и, выходя из стеклянной двери на проспект Калинина, боялась посмотреть в ту сторону, где он должен был ждать.

Но он ждал. Он стоял ровно на том самом месте, где рано утром остановил ее, и в руках у него был огромный букет. Тамара еще не дошла до него, когда вдруг отчетливо поняла: они будут вместе, чего бы это им ни стоило.

— Я боялась, что вы не придете, — честно призналась она вместо приветствия.

— Я тоже боялся, что вы не придете. У нас с вами не только одинаковый вкус, но и одинаковые мысли. Странно, правда?

— Правда. Только не странно, а страшно.

— Почему страшно?

Тамара открыто посмотрела ему в глаза. С ним нельзя лукавить, кокетничать и притворяться, можно все испортить.

— Страшно, что это окажется неправдой и быстро закончится, — просто ответила она.

Он протянул ей цветы, слегка коснулся пальцами ее руки.

— Григорий Аркадьевич Виноградов, приехал на несколько дней из Горького. Холост. Мастер по пошиву одежды.

— Тамара Головина, — она решила обойтись без отчества, — не замужем. Парикмахер. Живу в Москве.

— Я могу пригласить вас пообедать?

— Вы должны, — улыбнулась Тамара.

Он повел ее в «Прагу», где, как выяснилось, заранее заказал столик. Всю дорогу до ресторана они еще соблюдали вежливость и обращались друг к другу на «вы», но за закуской перешли на «ты» и даже не заметили, как стали на полном серьезе обсуждать возможность переезда Тамары в Горький. Началось все с вполне невинного вопроса о гостинице, в которой остановился Григорий.

— Я живу в «Белграде». Раньше я всегда останавливался в «России», у меня там есть знакомый администратор, так что на одноместный номер я мог рассчитывать в любой момент, но теперь, после пожара, мне как-то боязно.

В феврале в гостинице «Россия» был большой пожар, несколько десятков человек погибли, и хотя официально было объявлено, что причина пожара — невыключенный паяльник, который забыли в радиорубке, в населении упорно ходили слухи о том, что это был умышленный поджог, диверсия и террористический акт, такой же, как за месяц до этого в метро.

— А говорят, что бомба в одно и то же место дважды не падает, — заметила Тамара. — Если где-то был пожар, то можно быть уверенным, что в ближайшее время там ничего подобного не случится.

— Это смотря как понимать термин «место», — возразил он. — Если понимать его как конкретный этаж в конкретной гостинице, то, возможно, я бы с тобой согласился. А если понимать слово «место» как «город»? И слово «бомба» можно понимать не как «пожар», а как «несчастье». В январе у вас взрыв в метро с человеческими жертвами, в феврале — пожар в гостинице, я уже начинаю побаиваться находиться в столице. У нас в Горьком куда спокойнее. Сколько лет твоим родителям?

Переход оказался для Тамары настолько неожиданным, что она немного растерялась.

— Отцу шестьдесят один, маме пятьдесят пять, а что?

— О, так они у тебя совсем еще молодые! — почему-то обрадовался Григорий. — Молодые и полные сил, да?

— В общем, да, — улыбнулась Тамара. — Мама только-только вышла на пенсию, а папа работает и собирается работать еще долго. Почему ты спросил?

— Хочу быть уверенным, что тебя ничто не держит в Москве, кроме работы.

— А разве работа — это мало? — насторожилась Тамара.

Господи, не допусти, чтобы он сейчас сказал, будто работа — это совсем не важно, это полная ерунда, главное — семья, домашний очаг и дети. Господи, сделай так, чтобы он ничего подобного не думал.

— Работа — это очень важно, — серьезно произнес Григорий. — Но работа — это то единственное, что можно устроить. Все остальное устроить нельзя, оно такое, какое есть. Ты меня понимаешь?

Конечно, она понимала, как понимала каждое его слово, каждый взгляд и каждый вздох, но она боялась поверить, потому что это было невероятно, это было невозможно и слишком хорошо, чтобы быть правдой. Совершенно очевидно, что именно Григорий имел в виду: если у нее старые, больные и нуждающиеся в уходе родители, то этого нельзя изменить, а работу найти всегда можно, и ничто не помешает ей переехать из Москвы в Горький, если, разумеется, она захочет.

Теперь, после выхода Зинаиды Васильевны на пенсию, Тамаре уже не нужно было через день забирать племянницу из детского сада, и она провела с Григорием целый день до глубокой ночи. Они гуляли по Москве, сходили на выставку самоцветов, ради которой Григорий и приехал в столицу, и Тамара, затаив дыхание, слушала, как он рассказывает о камнях, которыми любит дополнять дизайн одежды. Оказалось, что сейчас для туалета известной горьковской певицы он ищет камень под названием «лабрадор» — Тамара о таком даже и не слыхала. По словам Григория, этот камень отличается игрой красок металлических блестящих оттенков, чаще всего они бывают синими или зелеными, но Григорий хотел найти наиболее редкий камень, который отливал бы красками всего спектра, и сделать из него брошь. Еще Тамара узнала, что хризопраз является самым ценным камнем из семейства халцедона, что его название в переводе с греческого означает «золотой лук», и это совершенно не поддается объяснению — ведь камень имеет яблочно-зеленый оттенок, что его цвет может побледнеть при солнечном освещении или от тепла, но иногда его можно освежить, если завернуть камень во влажную ткань.

Они поужинали в какой-то забегаловке на липком от грязи столе — если днем можно было попасть практически в любой ресторан, то вечером это оказывалось совершенно невозможным для человека, у которого не было соответствующих знакомств. Пригласить его домой Тамаре даже в голову не пришло, она очень хорошо представляла себе реакцию отца на длинные волосы ее нового знакомого и шелковый шейный платок.

На другой день Григорий уехал в Горький. Он звонил ей каждый день, а через две недели приехал снова, на два дня, и опять они гуляли по Москве, обедали в ресторане, ужинали где придется и разговаривали. На этот раз Тамара пришла к нему в гостиницу. Дежурная по этажу, увидев постояльца с гостьей, сделала было выразительное лицо, но, рассмотрев Тамарину одежду, приняла ее за иностранку и промолчала. Тамара не сомневалась, что при выходе из гостиницы ее остановят люди в серых костюмах, но ничего не случилось.

— Странно, — рассмеялась она, когда они с Григорием отошли от гостиницы на пару кварталов, — я была уверена, что твоя дежурная по этажу сразу же стукнула, куда надо, что ее постоялец привел к себе иностранную гражданку, и меня ждала проверка документов. Оказывается, я ничего не понимаю в людях.

— Ты все понимаешь, — он мягко обнял ее за плечи, — просто я ей заплатил, чтобы она никому не звонила.

— Ты?! Заплатил? — изумилась Тамара. — Когда? Мы же вместе пришли и вместе ушли, и ты никуда не отлучался. Когда же ты успел?

— Еще утром, — Григорий безмятежно улыбался.

— Утром? Значит, ты был уверен, что я к тебе приду сегодня?

— Тамара, мы ведь с тобой уже поняли, что думаем и чувствуем одинаково. Если сегодня утром я понял, что мы должны быть вместе, значит, ты должна была понять то же самое и тоже сегодня. Разве нет?

— Да, — ответила она счастливым голосом.

Он приезжал то раз в две недели, то раз в месяц, потом Тамара взяла отпуск и уехала к нему в Горький. Григорий встретил ее на вокзале, отвез к себе домой, а на другой день они занялись поисками будущего места работы для Тамары. Мастера из Москвы с такой репутацией и дипломами победителя всевозможных конкурсов готовы были взять в любое место, но Тамара искала не место, а руководителя, которому она могла бы доверять, такого, который хотя бы отчасти разделял ее мнение о парикмахере не как о человеке, выполняющем чисто гигиенические процедуры, а о мастере красоты и гармонии. Почти в самом конце отпуска ей показалось, что она такого руководителя нашла — это был человек, которому поручили создать и открыть новый салон наподобие московской «Чародейки». Выделили помещение, сейчас в нем шел ремонт, а сам салон должен был открыться через несколько месяцев, как раз к 8 Марта 1978 года в качестве подарка «нашим милым горьковчанкам».

Без малого месяц совместной жизни в одной квартире показал, что первое впечатление не было обманчивым: Тамаре и Григорию было так хорошо вдвоем, что мысль о возможности жить и существовать отдельно друг от друга казалась просто кощунственной.

— Как ты считаешь, я должен делать тебе официальное предложение в присутствии родителей и просить у них твоей руки, или с учетом нашего возраста обойдемся ритуалом попроще? — спросил он.

— Я поговорю с мамой и отцом. Надеюсь, они учтут и

наш возраст, и то, что ты все-таки живешь в другом городе, — пообещала Тамара.

Но возраст невесты и жениха — Григорию исполнилось уже сорок пять — для мамы Зины и Николая Дмитриевича, как оказалось, никакого значения не имел. Вернее, возраст, как выяснилось позднее, не имел значения в смысле необходимости «смотрин», на которых равным образом настаивали оба родителя, однако для решения вопроса о замужестве это обстоятельство оказалось, к немалому удивлению Тамары, весьма важным.

Сначала Тамара попробовала поговорить с матерью.

— Я выхожу замуж, — сообщила она как бы между прочим.

— Слава богу! — всплеснула руками Зинаида Васильевна. — Наконец-то я дождалась, что ты будешь пристроена. Кто он?

— Григорий Аркадьевич Виноградов, — Тамара умышленно сделала вид, что не поняла смысла вопроса.

Разумеется, маму Зину интересовало вовсе не это.

— Чем он занимается? Где работает?

— Он работает в Горьком. Мастер по пошиву одежды.

— Портной?!

В голосе матери Тамара услышала такой неприкрытый ужас, что невольно улыбнулась.

— Мама, а чем плох портной? Я — парикмахер, он — портной, мы оба трудимся в сфере обслуживания и оба стараемся сделать людей более красивыми и более счастливыми. По-моему, мы очень гармоничная пара.

— Сколько ему лет? — требовательно вопросила мать.

— Сорок пять.

— Да он же старик по сравнению с тобой! Он всего на десять лет моложе меня. Ты ему в дочери годишься.

— Мама, он старше меня всего на двенадцать лет. Что ты паникуешь?

— Нет, ну это совершенно невозможно! Ты собираешься привести сюда, в этот дом какого-то безродного старика из провинции, который захламит всю квартиру своими обрезками и тряпками! Тома, ты сошла с ума! За тобой такие чудесные мальчики ухаживали, такие достойные, из хороших семей, а ты выбрала непонятно что.

— Я выбрала мужчину, которого буду любить всю жизнь, — сказала Тамара, умышленно четко произнося каждое слово. — И я не собираюсь приводить его в ваш с папой дом. За свой идеальный порядок можешь не беспокоиться.

— И где же вы будете жить? — спросила Зинаида Васильевна, прищурив глаза. — У него есть своя жилплощадь в Горьком и вы собираетесь ее обменять на московскую квартиру? Думаешь, это будет так легко? Получите в результате обмена какую-нибудь живопырку на окраине города. Или ты рассчитываешь, что мы с отцом тоже поучаствуем в обмене и согласимся расстаться с этой квартирой?

— Я ни на что не рассчитываю, я уеду к нему в Горький.

— Что?! — задохнулась Зинаида Васильевна. — Что ты сказала?

— Я сказала, что уеду к мужу. Что тебе непонятно?

— Как — уедешь? А как же я? Как же мы с папой? Ты нас бросишь?

Тамара начала раздражаться.

— Мам, давай уже будем последовательными. Ты хотела, чтобы я вышла замуж? Вот, я выхожу. Ты не хочешь, чтобы сюда приходил посторонний мужчина? Он не придет, я уеду к нему. Чего еще ты хочешь?

Мама Зина подавленно молчала.

— Я понимаю, чего тебе хочется, — продолжала Тамара. — Чтобы я была замужем, чтобы у меня были дети, но чтобы и я, и мои дети находились здесь, у тебя под боком, а муж чтобы существовал как-нибудь отдельно, не мозолил тебе глаза и не создавал беспорядка, но чтобы он был регулярно, помогал мне материально и с детьми. Так не бывает, мамуля, очнись.

— Он еврей?

Тамар решила, что ослышалась.

— Что ты спросила?

— Он еврей? — повторила Зинаида Васильевна.

— Какое это имеет значение? Ты что, антисемитка? Я за тобой этого не замечала.

— Раз портной, значит, точно еврей, — задумчиво проговорила мать.

Тут Тамара не выдержала и сорвалась:

— Я не позволю тебе обсуждать его национальность! И вообще чью бы то ни было национальность, потому что это неприлично! Уважающие себя люди думают о человеческих качествах, а не о национальности! Ты меня даже не спросила, какой он — добрый или злой, щедрый или жадный, жестокий или мягкий, ты не спросила, как он ко мне относится, тебя интересуют только профессия, зарплата, жилплощадь и национальность! А вот меня профессия и национальность не интересуют вообще! Ни капельки не интересуют! Мне все равно, чем человек занимается и что написано у него в паспорте в графе «национальность», для меня важно, как он думает и чувствует и как поступает. Тебе это понятно? Чтобы ты успокоилась, скажу тебе, что Григорий по паспорту русский, но если ты антисемитка, то мне с тобой не о чем разговаривать.

Зинаида Васильевна перепугалась, поняла, что давление результатов не дает и Тамара уступать не собирается, и решила изменить тактику: попытаться уговорить строптивое чадо, воззвав к дочерним чувствам.

— Ну что ты, Томочка, что ты, доченька, я ничего такого не имела в виду... просто папе может не понравиться, что он портной. Ты же знаешь папу, он уважает настоящие мужские профессии, вот Родика он очень ценит за то, что тот — офицер милиции. Был бы твой Григорий тоже милиционером, или военным, или ученым каким-нибудь, на худой конец, папа был бы доволен. А так... Даже не знаю, что он скажет. Когда ты его приведешь к нам?

— Когда Григорий сможет вырваться в Москву, — сухо

ответила Тамара. — Я не знаю, когда это будет. Может быть, через неделю или через две.

— Ну ты там смотри, чтобы он был прилично одет, — посоветовала мать. — У него есть хороший костюм и галстук? Папа уважает, когда мужчина в костюме и в галстуке, а не в этих ужасных джинсах и свитерах, как бродяга какой-то.

Тамара набрала в грудь побольше воздуха и приказала себе не орать, хотя это было ужасно трудно.

— Мама, когда человеку сорок пять лет, он как-нибудь сам разберется, в чем ему приходить в гости. Даже если он придет голый, даже если папе он не понравится, я все равно выйду за него замуж. Тебе понятно? Или еще раз повторить?

— Почему ты со мной так разговариваешь? — обиделась Зинаида Васильевна. — Я все-таки твоя мать, а не чужая тетка. И если твой Григорий папе не понравится...

— Я не спрашиваю твоего совета, выходить мне за него замуж или не выходить, — отчеканила Тамара. — Я ставлю тебя в известность о принятом мною решении. Это понятно?

— И почему ты такая грубая, Томочка? — горестно вздохнула мать. — Всю жизнь я с тобой мучаюсь. Но ты хотя бы с папой заранее поговори, а то для него это будет такой удар, такой удар...

Тамара понимала, что мать права, нельзя приводить Григория в дом, предварительно не поговорив с отцом, который может повести себя непредсказуемо. Она выбрала момент, когда Николай Дмитриевич пришел со службы не очень поздно и находился в спокойном расположении духа. Услышав, что старшая дочь собралась наконец замуж, Головин заулыбался, а узнав, что жених занимается портновским ремеслом, кивнул:

— У нас все профессии почетны. Я надеюсь, он не шьет на дому?

— Только для самого себя, — горячо заверила его Тамара. — Ну и для меня, конечно, тоже будет шить. Но это ведь не возбраняется законом?

— Не возбраняется. А почему он до сих пор холост? Ты говорила, ему сорок пять лет?

— Он разведен.

— Ах, вон что, — протянул Николай Дмитриевич, и в его голосе впервые появилась подозрительность. — Там и дети есть? Он платит алименты?

— Нет, детей в браке у него не было.

— Почему?

— Пап, я не знаю. Это не мое дело. Может быть, жена не смогла родить. Или не захотела.

— Ты уверена, что дело только в этом? — нахмурился Головин.

— Папа, я не понимаю твоего интереса... Что ты прицепился к его первому браку? Это было давно, он развелся больше десяти лет назад. Не волнуйся, я семью не разбивала и любящих супругов не разлучала.

— Меня не это беспокоит, а перспективы твоего материнства. Может быть, дело не в его первой жене, а в нем самом? Ты уверена, что у тебя будут дети в этом браке? Я бы советовал тебе еще раз все взвесить и обдумать, прежде чем выходить замуж.

Тамара ничего не ответила на это. Григорий честно рассказал ей о том, что у него детей быть не может, и она собиралась вступать в брак с открытыми глазами, но говорить об этом родителям не намеревалась. Они и так-то не очень высокого мнения о ее женихе, зачем еще добавлять поводы для недовольства.

— Он приедет через два дня, — ровным голосом сказала она отцу. — Ты не возражаешь, если я приведу его к нам, чтобы вы с ним познакомились?

— Ну конечно! Конечно, приводи, а как же иначе! Обязательно приводи. Я не могу отдать дочь в руки человеку, которого в глаза не видел.

В субботу рано утром Тамара встречала на вокзале поезд из Горького. Григорий появился на платформе в светло-сером костюме, поверх которого была надета распахнутая дорогая дубленка. Никакого галстука — он их не носил в принципе, верхняя пуговица голубоватой в тонкую полоску сорочки расстегнута, на шее повязан шелковый темно-голубой с едва заметным рисунком платок. По мнению Тамары, из вагона к ней вышел самый красивый мужчина на свете. Но она отдавала себе отчет в том, какой будет реакция отца на такой внешний вид. А еще длинные, стянутые в хвост волосы... И перстень на безымянном пальце правой руки... Она-то скандал переживет, ей не привыкать, да и вообще все равно, а вот для Григория это будет крайне неприятно. И сделать ничего нельзя. Она не позволит себе ни слова сказать ему насчет того, как следует одеваться, чтобы понравиться ее отцу, она искренне считает, что это недопустимо, неприлично и просто неуважительно по отношению к Григорию. У него такой вкус, какой есть, и Тамаре его вкус очень нравится, а то, что этот вкус придется не по нраву ее родителям, ни в коем случае не должно стать проблемой Григория. Она любит его таким, какой он есть, и не станет пытаться ничего менять в угоду отцу и маме.

— Ты чего-то боишься? — Он сразу заметил, что с Тамарой что-то не так.

— Боюсь, — честно сказала она. — Мои родители — люди старого воспитания, они не приемлют сегодняшние вкусы, особенно такие, как у нас с тобой. Они всю жизнь критикуют мои наряды и прически, но я привыкла и не обращаю внимания. А вот если они начнут открыто критиковать тебя, боюсь, сцена может выйти не слишком приятной. Мне очень не хочется, чтобы мама или отец тебя чем-нибудь обидели.

— А ты не бойся, — лучезарно улыбнулся Григорий. — Художника легко обидеть, это правда. Но у тебя в гостях я буду не художником, а мужчиной, который твердо намерен на тебе жениться, и как бы меня ни обижали, на мое намерение это повлиять не может. Спасибо, что предупредила меня, я буду готов к самому неприятному. Я же понимаю, что через это все равно придется пройти, если мы с тобой хотим быть вместе. Мы же хотим?

— Хотим, — убежденно ответила Тамара.

Ей вдруг стало легко и спокойно.

Вопреки опасениям, званый обед прошел весьма мирно. Мама Зина больше молчала и исполняла роль добросовестной хозяйки, приносила из кухни блюда и уносила грязную посуду, то и дело бросая исподтишка тревожные взгляды на Николая Дмитриевича, который держался расслабленно и миролюбиво, по поводу прически Григория, его перстня и шейного платка не произнес ни слова и, казалось, с большим интересом слушал гостя, вдохновенно рассказывавшего о камнях, которыми он интересовался и которые активно использовал в дизайне одежды в виде пуговиц, брошей и заколок. Особенно живо отреагировали родители на сообщение о том, что камни еще со времен Средневековья применялись в литотерапии для лечения разных болезней, например, аметист, горный хрусталь, алмаз, лазурит, малахит, лунный камень, изумруд и тигровый глаз хорошо помогают при головных болях, а аквамарин, янтарь, гранат и турмалин — при болях в суставах. При болезнях сердца рекомендуется розовый опал, авантюрин, топаз, бирюза и розовый кварц, а при ишиасе — аметист, хризолит, хризопраз, яшма, жемчуг и рубин. Зинаида Васильевна тут же заявила, что у мужа артрит, а Григорий посоветовал носить в кармане брелок или любую другую безделушку из соответствующего камня.

— Не знаю, честно говоря, где проходит граница между медициной, магией и фантазией, но некоторым моим знакомым эта наука очень помогла, — сказал Григорий. — И я своими глазами видел и убедился, что некоторым моим клиенткам определенные камни носить было противопоказано, они начинали хуже себя чувствовать, и жизнь шла наперекосяк. Что здесь закономерно, а что случайно — судить не берусь.

Руки Тамары Григорий не просил — они еще по дороге с вокзала условились, что это будет лишним и надуманным, сам Головин о предстоящем замужестве дочери тоже ни словом не обмолвился, и Тамара сочла это добрым знаком: отец не хочет смущать гостя и старается сделать его первое пребывание в доме максимально комфортным.

Обед закончился, и Григорий собрался уходить. Тамара вышла на лестницу проводить его и договориться о следующей встрече.

— Я бы ушла вместе с тобой, — извиняющимся тоном сказала она, — но надо все убрать и помыть посуду, мама и так все сама сделала...

— Я понимаю, — он поцеловал ее и слегка дернул за нос. — Я буду ждать в гостинице. Когда сможешь — приходи.

Тамара вернулась в квартиру и застала отца сидящим в кресле перед включенным телевизором.

— И за это ничтожество ты собираешься выходить замуж? — спросил он, не отрываясь от экрана, по которому бегали за мячом футболисты.

Сердце у нее упало. Выходит, отец только притворялся радушным хозяином, на самом деле Григорий ему не понравился. Ну что ж, война — значит, война. Сдаваться Тамара не собиралась.

— Он не ничтожество. Григорий — умный, добрый и во всех отношениях достойный человек.

Она старалась сохранять спокойствие, но голос предательски звенел, выдавая напряжение, готовое выплеснуться криком.

— Он — ничтожество, — отец по-прежнему не поворачивался к ней, но было видно, что за происходящим на экране он не следит. — Одна его прическа чего стоит. Где ты видела, чтобы мужик в его возрасте носил женскую прическу?! Он что, педераст? У него перстень на руке! У него платок на шее! А эти его бредни насчет камней и их целебного воздействия? Это же уму непостижимо! Может, он еще и в бога верит? Может, он вообще какой-нибудь сектант! Ты где откопала это чудовище?! На какой помойке ты его нашла?! Да я больше чем уверен, что он шьет на дому и не платит налоги, он мало того что педераст, так еще и вор, который обманывает государство! По нему Уголовный кодекс плачет! Ты что, слепая? Ты ничего не видишь, не понимаешь? Я не допущу, чтобы моя дочь привела в дом уголовника, который в любой момент может сесть в тюрьму. Или ты надеешься, что я буду его отмазывать и вытаскивать?

Только не кричать, только не повышать голос, надо сосредоточиться и постараться найти правильные слова, которые успокоят отца.

— Его не нужно отмазывать и вытаскивать. Григорий — честный и очень порядочный человек, он ни копейки не украл у государства. Он настоящий мастер, его знает и уважает весь город, к нему огромная очередь на пошив, у него одеваются все самые известные люди в Горьком, и актеры, и певцы, и партийные и советские руководители и их жены. И он нормальный мужчина, можешь мне поверить. Да, он необычно выглядит, у него необычная прическа, он носит не галстуки, а шейные платки, но, папа, пойми, если бы он был таким, как все, если бы у него был такой вкус, как у всех, он не стал бы самым лучшим мастером в своем городе. Одинаковых много, а выдающихся — единицы, они потому и становятся выдающимися, что отличаются от других.

Николай Дмитриевич наконец повернулся к дочери лицом.

— Я запрещаю тебе встречаться с ним. Ни о каком замужестве не может быть и речи. Забудь его и выбрось из головы. Лучше оставайся старой девой, чем женой такого выродка.

Тамара чувствовала, что терпения и сил хватит только на несколько секунд, и эти оставшиеся секунды надо было использовать по максимуму.

— Папа, я тебя очень прошу не оскорблять Григория.

Еще раз повторяю: он умный, честный и достойный человек, я его люблю и хочу выйти за него замуж.

— А я тебе еще раз повторяю: забудь об этом! — заорал Головин. — Я не потерплю в своем доме вора и педераста! Если ты пойдешь против моей воли, ты мне больше не дочь! Убирайся к своему портному и живи как хочешь! Но имей в виду: если ты уйдешь к нему, у тебя больше не будет родителей.

— Значит, не будет! — выкрикнула в ответ Тамара, выскочила из гостиной, хлопнув дверью, и убежала в свою комнату.

Достав из шкафа большую сумку, с которой она обычно ездила в командировки и на экскурсии, Тамара начала торопливо складывать самое необходимое, с чем можно пару дней перекантоваться у Любы. Потом, когда минуют выходные и отец уйдет на службу, она придет сюда и соберет в чемодан остальные вещи. С каким удовольствием она бы бросила все и уехала вместе с Григорием в Горький прямо завтра же вечером! Но нельзя, на работе она предупредила, что будет работать до 6 марта, и трудовая книжка в «Чародейке» лежит, и заявление об уходе она еще не написала. Сейчас начало декабря, ей нужно прожить в Москве еще три месяца. Ничего, она поживет у сестры, заодно и с детьми поможет.

— Томочка, — в комнату заглянула мать и застыла, увидев сборы. — Что случилось? Папа так кричал... Я на кухне посуду мыла, так не разобрала ничего, только слышу — вы друг на друга кричите. Что произошло?

— Папа выгнал меня из дома, — сообщила Тамара, укладывая в сумку теплую байковую пижаму.

— Ка-ак?! — ахнула Зинаида Васильевна, опускаясь на стоящий у самой двери стул. — За что?

— За Григория. Папа запретил мне даже думать о нем, не то что замуж за него выходить. И еще он назвал его педерастом и вором.

— А ты?

— А я сказала, что Григорий очень хороший и я его люблю.

— А он?

— Он сказал, что если я посмею пойти против его отцовской воли, то я ему больше не дочь. И если я посмею уйти к Григорию, то могу считать, что у меня больше нет родителей.

— А ты?

— Как видишь, я собираюсь пойти против вашей воли. Пока поживу у Любаши, а через три месяца уеду в Горький и выйду замуж.

— А он?

— Ну что — он? Что — он? — Тамара сердито запихнула в сумку плотно набитую косметичку с туалетными принадлежностями. — Он считает себя правым. Сидит и смотрит футбол. На этом свете же не существует ни одного правильного мнения, кроме его собственного. Избаловала его Бабаня, царствие ей небесное, ни в чем не перечила, всегда подчеркивала его правоту, вот он и живет такой всегда и во всем правый. Еще и Любаша добавила, тоже никогда с вами не спорила, всегда шла у вас на поводу. А вы и рады. Думаете, Любочка у вас правильная дочка выросла, послушная, а я — урод. Мало того, что некрасивая, так еще и строптивая, и непослушная, и мнение собственное имею, и наглость имею о нем заявлять, да не просто заявлять, а отстаивать. Давить надо таких, как я. А если давить вовремя не получилось, то хотя бы из дома выгнать, тоже неплохо.

Она повертела в руках книгу с закладкой и прикинула, влезет ли она в сумку. Похоже, что уже не влезет. Жалко бросать на середине, но, с другой стороны, когда ей читать? С Любашей всегда найдется о чем поговорить, да и с детьми в свободное время надо повозиться. А книг и у Любы дома много, у них с Родиком хорошая библиотека, еще от Евгения Христофоровича осталась.

— Томочка, ну что ты такое говоришь, — залепетала Зинаида Васильевна, — никто тебя из дома не выгоняет...

— Да? Ты пойди спроси у папы, он тебе ответит.

— Но он же не всерьез, он так просто сказал, для красного словца...

— А я — всерьез. Я не позволю оскорблять человека, которого люблю, и называть его вором и педерастом. И я не хочу жить под одной крышей с людьми, которые позволяют себе такое поведение. Это понятно?

— Томочка, но он действительно похож на этого... на педераста... И потом, по-моему, он все-таки еврей.

— Мама!!! — завопила Тамара. — Ну хоть ты-то! Господи, ну почему же ты такая курица безмозглая!

Она схватила сумку и выбежала в прихожую одеваться. Натягивая зимние сапоги, она слишком резко рванула вверх молнию, в которую попал край длинной шерстяной юбки. Молния застряла, и Тамара, чертыхаясь, принялась вытаскивать ткань. Краем глаза она видела, что мать вышла из ее комнаты и вошла в гостиную, где сидел отец. Сначала донесся ее робкий голос, а потом загремел бас Головина:

— И пусть убирается на все четыре стороны! Она мне больше не дочь! Слышать о ней больше не желаю! И тебе запрещаю с ней видеться!

«Ну вот и все, — с неожиданным спокойствием, но все-таки с горечью подумала Тамара. Молния наконец оказалась застегнутой, оставалось только надеть пальто и обмотать сверху длинный вязаный шарф. — Наступила полная ясность. У меня больше нет родительского дома. Ладно, будем жить дальше».

Оказавшись на улице, она нашла в кошельке монетку и позвонила из автомата Любе. Никто не ответил. Ну конечно, суббота, они, наверное, всей семьей гуляют. Или в гости к Кларе Степановне поехали. После того как в прошлом году умерла Софья Ильинична, а маленького Колю родители забрали к себе, Клара стала остро чувствовать свое одиночество и требовала, чтобы сын непременно приезжал к ней по выходным с внуками, и это при том, что она постоянно приезжала к Романовым и имела возможность видеться с Николашей.

Тамара медленно дошла до кинотеатра, рядом с которым располагалась стоянка такси. В былые времена здесь всегда стояла очередь, а машины подъезжали крайне редко, теперь же, после повышения цен на такси в два раза, на стоянке не было ни одного человека, зато томились водители четырех таксомоторов с призывно горящими зелеными огоньками за лобовым стеклом. Тамара бросила сумку на заднее сиденье, сама уселась впереди.

— В гостиницу «Белград».

— Сделаем! — радостно отозвался таксист и завел двигатель. — Не возражаете, если я закурю?

— Курите. И мне дайте, пожалуйста, сигарету, — попросила Тамара.

Водитель протянул ей мягкую белую с красным рисунком пачку «Явы» и коробок спичек. Тамара прикурила и с наслаждением сделала первую затяжку.

— У вас что-то случилось? — сочувственным тоном спросил водитель.

— С чего вы взяли?

— Такая интересная женщина — и одна тащит тяжелую сумку. Да к вам должна очередь из поклонников стоять, они драться должны за право поднести вам сумку до машины. А вы одна.

— А меня из дома выгнали, — со спокойной улыбкой сообщила Тамара.

— Кто?! Муж?

— Отец. Пришлось собрать вещи и ехать к сестре.

— А сестра живет в гостинице? — с явным недоверием спросил таксист.

— Нет, в гостинице живет будущий муж. Видите, я вам все рассказала, ничего не утаила.

Но водитель был расположен побеседовать о чужих неприятностях более подробно.

— Вы же сказали, что переезжаете к сестре. А теперь выходит, к жениху.

— Сестры дома нет, я ей позвонила. Придется подождать, пока она появится. Вот я и собираюсь пережидать в гостинице. Еще вопросы есть?

Он понял, что пассажирка к длинным разговорам не склонна, и умолк.

В гостинице Тамара благополучно миновала швейцара, который без пропуска никому входить не позволял. Вероятно, увидев похожую на иностранку даму с багажом, выходящую из такси, он решил, что она имеет полное право здесь поселиться. Тамара не стала подниматься на этаж, где был номер Григория, она позвонила ему от стойки администратора и расположилась в холле. Через несколько минут он появился рядом с ней.

— Все так плохо? — спросил он, указывая глазами на стоящую у ее ног дорожную сумку.

— Хуже некуда, — вздохнула Тамара. — Отец мне запретил выходить за тебя замуж.

— А ты? Послушалась?

— Еще чего! — фыркнула она совсем по-детски. — Пришлось из дома уйти. Поживу пока у сестры, а в начале марта приеду к тебе.

— А может быть, не стоит ждать начала марта? Давай я увезу тебя прямо сегодня. Сдам билет на завтра и возьму два на сегодня, а?

— Не получится, Гришенька, у меня работа. Я обещала доработать до 6 марта, за это время они постараются найти мне замену.

— Н-да, работа, — задумчиво повторил он. — С этим ничего не поделаешь. Но хотя бы приехать ко мне в Горький на пару дней ты сможешь?

— Конечно. Только не обещаю, что это будет суббота или воскресенье, у меня же скользящий график.

— Так это и хорошо! Мне и не надо, чтобы это было в выходные, мне надо, чтобы ЗАГС был открыт. Ты приедешь как можно скорее, мы подадим заявление, а поскольку все самые изысканные свадебные платья в городе шьются у меня, заведующая ЗАГСом меня отлично знает и назначит дату регистрации, когда тебе удобно. И не будем ждать марта, давай поженимся как можно скорее.

— Давай, — согласилась Тамара. — И давай сегодня вместе поедем к моей сестре. Я хочу вас познакомить.

— Она не похожа на твоего отца?

— Она чудесная! Моя Любаня — самая лучшая сестра на свете, добрая, светлая, умная, и я ее обожаю!

— А ее муж? Ты говорила, он работает в милиции и твой отец его уважает. Ты уверена, что он не такой, как твой отец, и нормально меня воспримет?

— Кто? Родька-то? Да он совершенно нормальный мужик, вот увидишь. Они оба очень хорошие. И дети у них замечательные.

Григорий отнес Тамарину сумку к себе в номер, и они отправились гулять. Периодически Тамара звонила сестре, и когда Люба наконец ответила, они вернулись в гостиницу, забрали сумку, сели в такси и поехали к Романовым.

День, который начался так неудачно, закончился весело и радостно. Григорий сразу понравился Любе, быстро нашел общий язык с Родиславом, а пятилетняя Леля не слезала с колен гостя, что для всех означало только одно: этот человек — добрый и хороший, в нем нет злобы и зависти, которые девчушка непременно почувствовала бы и начала капризничать и прятаться. Она не капризничала и не убегала от Григория, и все были счастливы за Тамару, которая наконец нашла своего мужчину.

* * *

Тамара отвела племянницу в детский сад и вернулась домой — теперь ее домом стала квартира Романовых. Она по-прежнему не любила заниматься теми хозяйственными делами, которые считала необязательными и «мещанскими», но ей очень хотелось помочь Любе и сделать что-нибудь полезное, поэтому она переоделась в спортивные брюки и футболку и взялась гладить скатерти и салфетки, постиранные накануне. Тамара искренне не понимала, почему нельзя сдавать белье и прочие вещи в прачечную, где и постирают, и накрахмалят, если уж так приспичило, и погладят, и все Любины доводы о том, что к белью не должны прикасаться чужие руки, которые все равно все сделают не так, оставались для старшей сестры пустым звуком.

Она перегладила уже все скатерти и принялась за салфетки, когда послышался короткий, какой-то неуверенный звонок в дверь. Тамара пошла открывать.

На пороге стояла Зинаида Васильевна, бледная и как будто даже похудевшая за те несколько дней, которые миновали после обеда с Григорием.

— Доченька, — виновато произнесла она, — значит, я правильно посчитала, ты сегодня во вторую смену.

— Я сегодня выходная. Проходи, мама, раздевайся.

Тамара сделала шаг назад, пропуская мать в квартиру, потом не выдержала, обняла ее и расцеловала.

— Ты, оказывается, храбрая, мамуля, папу не побоялась. Или он не знает, что ты ко мне пошла?

— Ой, конечно, он ничего не знает, — возбужденно затараторила Зинаида Васильевна, — он бы меня убил, если бы узнал. Когда ты ушла, он сразу перестал кричать и так, знаешь, серьезно мне говорит: я, говорит, про Тамарку больше слышать не желаю, она мне не дочь, и ты не смей к ней бегать, и звонить по телефону тоже не смей. Считай, что ее нету. Представляешь? И замолчал. Вот как замолчал тогда — так и молчит до сих пор.

— Что, совсем молчит? — не поверила Тамара. — Ни одного слова не говорит?

— Зина, подай, Зина, принеси, Зина, выключи, Зина, включи — вот и все, что он говорит. Ужас, доченька, ужас! Ты бы возвращалась, а? Ну сколько можно дуться? И папа будет рад, и тебе хорошо будет. Что ты у Любы теснишься, как будто у тебя своего дома нет! Возвращайся, хватит уже.

Тамара вздохнула. Ничего-то мать не поняла. Она отчего-то считает произошедшее пустой мелкой ссорой, каких в семье Головиных были сотни, если не тысячи, наподобие скандала из-за коробки конфет или бутылки коньяка. Ну, подумаешь, повздорили отец с дочерью из-за бытовой мелочи, не уходить же из дома из-за этого!

Она усадила мать на кухне, налила ей чаю, поставила на стол коробку с недоеденным накануне тортом и снова взялась за утюг.

— Мама, я не могу вернуться. Папа меня выгнал, ты это понимаешь? Не я сама ушла, а он так поставил вопрос: или вы с ним, или Григорий. Я выбрала Григория. Если я вернусь, это будет означать, что я предала Григория и сделала выбор в вашу пользу. А я не собираюсь его предавать, я собираюсь выходить за него замуж, причем в самое ближайшее время.

— Но, Томочка... — Зинаида Васильевна растерялась, она явно ожидала чего-то другого. — Ты что, серьезно решила идти за него замуж? Я была уверена, что ты передумаешь. Особенно после того, что сказал папа.

— А что сказал папа? Ну что такого невероятного сказал папа, после чего я должна была передумать? Он что, открыл мне глаза на Григория? Он рассказал мне про жениха что-то такое, чего я не знала? Папа назвал его вором, но это неправда. Папа назвал его педерастом, но и это неправда. Это чистой воды клевета. И ты надеешься, что, наслушавшись этой мерзкой клеветы, я изменю свое решение? С какой стати? А завтра папа скажет тебе, что я лесбиянка и убийца, так что, ты перестанешь меня любить? Ты ему поверишь и отвернешься от меня?

— Боже мой, Тома, ну что ты такое говоришь? Папа никогда про тебя такого не скажет...

Тамара с грохотом опустила утюг на металлическую подставку. Все бесполезно, мать не слышит ее, а если и слышит, то не понимает.

— Да какая разница, скажет он такое про меня или нет? Я пытаюсь объяснить тебе, что у меня есть собственное мнение о человеке и собственное отношение к нему, и ничьи слова, ни твои, ни папины, на мое мнение и отношение повлиять не могут. Это понятно? Или я плохо объясняю?

— Ты разговариваешь со мной, как со слабоумной, — обиделась Зинаида Васильевна. — Я все прекрасно понимаю, поэтому и говорю тебе: перестань дуться и возвращайся домой. Попросишь у папы прощения, скажешь, что все поняла и...

— И что? Что я больше так не буду? — перебила ее Тамара. — Я буду, мама. Я — бу-ду. Я буду делать то, что считаю правильным. И прощения я просить у папы не собираюсь, потому что мне не за что извиняться, я никого не обижала и не оскорбляла, в отличие от него. И если папа не скажет мне, не тебе — я подчеркиваю, а лично мне, что он берет свои слова назад и готов принять Григория как своего зятя, я домой не вернусь. Поживу у Любаши до начала марта, а потом уеду в Горький. И между прочим, через пять дней я туда еду подавать заявление в ЗАГС.

— Тома! — всплеснула руками мать. — Но это же ужасно! Ты собираешься не послушаться папу?

— Ой, мам, перестань, а? Я всю жизнь его не слушаюсь, и ничего, пока не пропала, как видишь. Ты вспомни, как он орал, когда я сказала, что поступаю в ПТУ учиться на парикмахера, ты вспомни, как он не разговаривал со мной три с половиной месяца! Три с половиной месяца он каждый день видел меня дома и проходил, как мимо пустого места, он меня не замечал, не отвечал, когда я к нему обращалась. Забыла? И ничего, я сделала по-своему и добилась успеха в своей профессии. А эти конфеты несчастные и бутылки с коньяком, которые я приносила домой? Тоже ведь по неделе не разговаривал со мной и полностью игнорировал. А я что, перестала принимать подарки? Конечно, нет, я их принимала, принимаю и буду принимать, пока их будут дарить, потому что это как высокая оценка сделанной мною работы. Мне это приятно, понимаешь? И человеку, которому я помогла стать красивым, приятно сделать такой подарок. Мы оба радуемся, и он, и я. И я, по-твоему, должна лишить и себя, и моего клиента этой радости только потому, что папе это не нравится? А что еще нужно сделать, чтобы отец остался доволен? Луну достать? Звезды погасить? Скажи, что? Мир не может крутиться вокруг одного только Николая Дмитриевича Головина, мир не может и не должен ему угождать и заглядывать в глаза: вам понравилось? Вы довольны?

Тамара резко замолчала. Что это она, в самом деле? Мать наверняка не понимает ни слова из этой длинной тирады, такие рассуждения слишком сложны для нее. Она любит отца, всю жизнь преданно ему служила, и ей даже в голову не приходит, что он может быть не прав. Бабушка Анна Серафимовна бдительно следила за тем, чтобы ее сына никто из домашних не рассердил и не расстроил, и отец много лет жил в убеждении, что в его семье все поступают только так, как ему нравится. Ну что ж, теперь ему придется смириться с тем, что не всегда все происходит так, как он хочет.

Она посмотрела на мать и вдруг заметила, как та сутулится, и лицо у нее не только побледнело, но и осунулось. Бедная мама! Она ведь переживает и не знает, как помирить мужа с дочерью, потому что оба упрямые и неуступчивые. Но самое главное — она не понимает, чью сторону ей принять. Муж прав по определению, потому что он всегда прав, но и дочь жалко, и хочется, чтобы она наконец вышла замуж и устроила свою жизнь. И что же делать, если муж не хочет ни в чем уступить, а дочь не желает идти отцу навстречу?

Тамара отошла от гладильной доски, присела за стол рядом с матерью, обняла ее.

— Мамуля, я понимаю, как тебе тяжело. Но и ты меня пойми. Я люблю тебя, люблю папу, но и Григория я люблю. Как мне разорваться между вами? Я не могу пойти на поводу у тебя и папы, потому что не могу и не хочу наступать на горло собственной личности, понимаешь?

Мать только горестно вздохнула, и Тамара подумала: «Нет, ничего она не понимает. Зря я стараюсь что-то объяснить. Она хочет, чтобы в семье был мир и покой любой ценой, и не понимает, что есть люди, которые готовы эту невероятную цену платить, как Любаша, а есть другие, такие, как я, как Гриша, которые за мир и покой платить собственной душой не собираются. Мама никогда этого не поймет».

Зинаида Васильевна поднялась, сполоснула под краном чашку и направилась к двери. Тамара провожала ее с тяжелым сердцем. Подавая матери шубу, она снова подумала о том, как постарела мама за эти несколько дней. Или она постарела уже давно, просто Тамара этого не замечала? Мама всегда была статной и красивой, с натянутой кожей и полными яркими губами, и еще неделю назад Тамаре казалось, что она не постареет никогда, по крайней мере, в ближайшие лет двадцать Зинаида Васильевна не изменится и останется все такой же красавицей. Сейчас перед Тамарой стояла потухшая немолодая женщина с опущенными плечами и скорбно поджатыми губами. Она взяла руку матери и прижала к своей щеке.

— Мам, прости, но я не могу вернуться. Я очень по тебе скучаю, но я не могу. Пойми меня, пожалуйста.

Зинаида Васильевна погладила дочь по лицу, молча кивнула и вышла из квартиры.

* * *

— Ужасно, — прошептал Камень. — Посмотри, что там у меня под глазами щекочется? Блоха, что ли, ползает?

Ворон подскакал поближе, приподнялся на цыпочки, но ничего не разглядел — Камень был очень большим, и глаза у него располагались довольно высоко. Пришлось подпрыгнуть и немножко взлететь.

— Ну да, блоха, как же, — протянул он удивленно. — Это у тебя из глаз течет. Ты никак плачешь?

— Я? Не может быть!

— Как же не может, когда я сам вижу. Ты из-за чего расстроился? Из-за Тамары?

— Да я больше про ее мать думаю, про маму Зину. Тамара — что? Она сильная, умная, она не пропадет. А вот мать у нее... Добрая, хочет, чтобы всем хорошо было, а ума нет. Когда у доброты ума нет, получается одно сплошное страдание. Вечно ты меня расстроишь, вечно ты всякое грустное рассказываешь, а я переживаю.

— Ага, давай, давай, — каркнул Ворон, — вини меня во всем. Я всегда у тебя плохой. Я что, виноват, что люди такие идиоты и не могут жить спокойно и правильно? Мое дело — посмотреть и рассказать, не я же им поступки подсказываю.

— И Николай Дмитриевич меня огорчил, — продолжал причитать Камень. — Надо же, в самом начале-то я думал, что он нормальный мужик, крепкий такой, немногословный, справедливый, а теперь выходит, что он самый настоящий самодур. Жену изводит, дочку из дома выгнал...

— Ну! — поддакнул Ворон. — Так и сказал: не являйся сюда больше никогда. Это ж надо так сказать родной-то дочери! И как у него язык повернулся? Больше никогда. С ума сойти!

— Да ты-то что переживаешь? — голос Камня из страдальческого вдруг превратился в скептический. — Ну ладно я, я — существо мягкое, добросердечное, мне всех жалко, а для тебя «больше никогда» вообще любимое словосочетание. Ты никаких других слов не знаешь, только и умеешь твердить: больше никогда! Больше никогда! Пророк несчастный.

Ворон не на шутку разобиделся. Во-первых, слова Камня были абсолютно несправедливы, Ворон был знатным и опытным рассказчиком, и никто не мог бы упрекнуть его в бедности лексики. Конечно, он не умел пользоваться разными заумными словами, которыми зачастую злоупотреблял поднаторевший в философской науке Камень, но зато он знал много таких слов, которые подслушивал в разных эпохах, там, где смотрел «сериалы». Этих слов Камень не знал и без Вороновых пояснений даже не мог себе представить, что означает, например, «требовать сатисфакции» или «забивать стрелку». И во-вторых, Ворон терпеть не мог, когда его попрекали Эдгаром По. И разумеется, молчать он не собирался.

Он напыжился, набирая в грудь побольше воздуха, чтобы дать товарищу достойную отповедь.

— И как же тебе не стыдно? Ты с виду такой умный и образованный, а несешь всякую чушь! Подумаешь, какой-то писака от нечего делать навалял стишки с дурна ума, так вы теперь с этими стишками носитесь как с писаной торбой. И не про меня они вовсе, а про дядьку моего, я его хорошо помню, он моей матери помогал меня воспитывать, когда моего папашку коршун прибил. И чего он такого особенного сделал-то, дядька мой? Ну, прилетел он к этому любителю почитать на ночь, ну, сообщил ему, что, дескать, дама его сердца умерла насовсем и они никогда больше не увидятся. Чего такого-то? Что он плохого сделал? Так нет же, мало того, что этот Эдгар По, не к ночи будь помянут, стишки навалял, так еще все остальные писаки переводить кинулись на все языки. Как будто заняться больше нечем! Одних только переводов на русский язык целых девять штук. Это виданое ли дело? И каждый изощряется, изощряется, образованность хочет показать! А у кого русских слов не хватает, тот вообще английскими пользуется, тоже мне, переводчик называется. Остальные-то хотя бы по-русски пишут: больше никогда, или просто никогда, или все прошло, один даже выпендрился, написал: приговор. А этот...

— Зенкевич, — ехидно подсказал Камень.

Это было одно из любимейших его развлечений — вывести Ворона на разговор о поэме Эдгара По и подливать масло в огонь. Тщеславный Ворон знал наизусть не только текст поэмы, но и все существующие ее переводы и любил щегольнуть своими знаниями, но, поскольку знаний у Камня было не меньше, все обычно выливалось в дискуссию на литературоведческую или семантическую тему.

— Сам знаю, — огрызнулся Ворон. — Зенкевич этот уж не знал, как ему от других отличиться, взял и прямо по-аглицки написал: nevermore. И между прочим, все их попытки дядьку моего и весь наш род в его лице унизить бесславно провалились. В переводе Пальмина — статный ворон, свидетель святой старины.

— И в его же переводе — злой вещун, вестник злой и мрачный посол ада, — отпарировал Камень.

— А у Топорова я волхв, прорицатель и вообще державный.

— И у него же нечисть, нежить и безжалостный каратель, — продолжал подзуживать Камень.

— Голь назвал меня пророком, всеведущим и важным, как патриций! Будешь спорить?

— Да что спорить-то? Тот же Голь назвал тебя кривоносым, изгоем, и взор у тебя адский.

— А Пальмин, Зенкевич, Бальмонт и Брюсов сравнивают меня с лордом!

— Ага, особенно Брюсов и Зенкевич. Они тебя еще и с леди сравнивают. Как думаешь, почему?

— Не смей! — Ворон не на шутку рассвирепел. — Я не потерплю грязных намеков на свою сексуальную ориентацию.

— Да почему же на твою-то? — от души потешался Камень. — Ты ж клялся и божился, что поэма написана не про тебя, а про твоего дядюшку. За его ориентацию ты можешь поручиться?

Вот за что Камень любил своего старого друга, так это за полное отсутствие у него чувства юмора и патологическую серьезность в интимных вопросах. Ворон не заметил подвоха и начал рассуждать вслух:

— Вообще-то дядька был неженатый... Он за моей матерью долго ухаживал, особенно после того, как батю коршун задрал... Не знаю, было там у них чего или нет, я сам не видал, а мать ничего не рассказывала... Но слухов насчет дядьки тоже никаких не было... Там, где я рос, у нас была одна соседка, дятлиха, во все свой длинный нос совала и на всех стучала, жуткая сплетница была, так она непременно рассказала бы, если бы что-то узнала... А ты что, всерьез думаешь, что это сравнение с леди — оно не просто так? Думаешь, у Эдгара По были основания? — спросил Ворон с нескрываемым беспокойством.

Камень, видя искреннее огорчение друга, не мог больше сохранять мину глубокого наукообразия и рассмеялся.

— Да не переживай ты! Во-первых, это же не про тебя написано, а во-вторых, даже если это правда и твой дядюшка дал Эдгару По реальный повод, то что в этом страшного? Смотри на вещи шире. Среди людей вон сколько геев, им даже однополые браки кое-где разрешили, так почему этого не может быть у воронов?

— В моем роду?! — завопил Ворон. — Среди моих кровных родственников?

— Ох, да расслабься ты! Николая Дмитриевича костеришь на чем свет, а сам ничем не лучше. Не отвлекайся, державный патриций, дальше рассказывай.

— Дальше? — Ворон задумался. — А я на чем остановился? Вечно ты меня сбиваешь.

— Тамара ушла из дома и поселилась у Любы, — подсказал Камень.

— А, ну да. Живет она себе у Любы, съездила в Горький, они с Григорием подали заявление и в середине февраля расписались.

— И что? И все? А свадьба? Ты мне про свадьбу подробности давай.

— Так нечего рассказывать, вот ей-богу. Тамара матери позвонила, пригласила ее с отцом на свадьбу, Головин и сам не поехал, и жену не пустил. Люба с Родиславом, конечно, съездили, но тайком от Николая Дмитриевича, потому что тот специально Любе сказал, чтобы не смела к Тамаре ездить. Он знаешь какое слово придумал для Тамариного замужества? Позорная случка. Во как! Я сам слышал, как он Любе говорил: ты, конечно, выгнать сестру не можешь, пусть она у тебя живет, если больше негде, но ехать к ней на празднование этой позорной случки я не позволю. Так Любе и Родику пришлось тайком ездить, они вызвали Клару Степановну сидеть с детьми, улетели в Горький самолетом, поприсутствовали на свадьбе и вечером сели в поезд до Москвы. Представляешь, праздновали, а сами тряслись, как бы отец не позвонил им домой. Они Клару, конечно, предупредили, но не были уверены, что она сможет спокойно соврать. Ну, и мама Зина, конечно, тоже была в курсе.

— Ну и как, обошлось? — с тревогой спросил Камень.

— Обошлось, слава богу. Люба с утра, до самолета еще, на всякий случай позвонила родителям, поговорила с отцом, так что ему вроде и звонить ей было незачем.

— А сама свадьба как прошла?

— Нормально. Тихо, по-семейному, очень узким кругом. У Тамары-то в Горьком никого нет, кроме Григория, хорошо хоть Люба с Родиком приехали, так что Григорий позвал только двух своих близких друзей с женами — и все. Деликатный он, тактичный, тонкий. Я считаю, что Тамаре очень повезло.

— Согласен. А что на Тамаре было надето?

— О-о-о, ей Григорий такой наряд построил — ни в сказке сказать, ни пером описать. Тамара-то женщина умная, понимала, что в тридцать три года напяливать на себя белое платье с пышной юбкой смешно, да и вообще она эти белые платья не жалует, называет их мещанством. Ей Григорий сделал костюм из шифона, серый с фиолетовым — это его самые любимые цвета. Он говорит, что это цвета покоя. Сверху пиджачок облегающий, юбка ассимметричная, летящая, ворот какой-то необыкновенный, фигурный, на лацкане брошка из чароита — кр-р-расота неописуемая. А у него серый костюм с фиолетовым отливом, шейный платок из той же ткани, что у Тамары, и заколка на платке тоже из чароита, такого же дизайна, как брошка. В общем, смотрелись они как в голливудском кино. Расписались, посидели в ресторане, потом всем гуртом проводили Любу с Родиславом на вокзал, Тамара осталась еще на два дня, ей на работе три дня отгула дали на свадьбу.

— Щедро, — заметил Камень.

— Чего щедро-то? Так по закону положено, всем давали. Это ты тут лежишь колодой и ничего не знаешь, а я все ихние законы изучил, пока летал. Думаешь, Николай Дмитрич зря кричал, что по Григорию Уголовный кодекс плачет? Думаешь, он только частнопредпринимательскую деятельность имел в виду?

— Конечно. А что же еще?

— А вот и не только, — Ворон хитро прищурился, слетел с ветки и приземлился перед самым носом у Камня. —

Там еще одна статья была, — сообщил он, понизив голос до шепота, — за гомосексуализм. Представляешь?

— Нет, — честно признался Камень. — Не представляю. Как это можно? Они же цивилизованные люди, коммунизм строили — и вдруг такое! А ты меня не разыгрываешь?

— Да как бог свят! — побожился Ворон. — Чтоб я пропал, если вру. У кого хочешь спроси. И привлекали по этой статье, и сажали.

— Средневековье какое-то! — возмутился Камень. — Дикость. Хорошо, что они коммунизм не построили с такими-то воззрениями. Могу себе представить, какое уродство у них получилось бы. Что-то мы опять отвлеклись. Ты, друг мой пернатый, как-то рвано рассказываешь, в твоем повествовании сплошные дыры.

— Где дыры? — забеспокоился Ворон. — Какие дыры? Я тебе все подробно, подряд...

— Подробно, да? — в Камне проснулось настроение попридираться. — А помнишь, ты говорил, что какой-то человек следит за Любой и Родиславом? Что-то я его в твоих рассказах не вижу. А помнишь, как Аэлла обещала Тамаре отдать подарок, который ей сделает богатая армянская семья? Ну и где он? Что ты молчишь?

Ворон задумчиво ковырял лапкой землю под правым боком у Камня.

— Что ты там ищешь? Подарок от армянской семьи? — напустился на него Камень. — Признавайся, недосмотрел? Сначала терпения не хватило досмотреть, а потом попасть туда не мог?

— Ну да, — покаянно вздохнул Ворон, потом гордо вскинул голову и с вызовом добавил: — Ну и что? Ну, не смог. Можно подумать, что ты все можешь. Лежишь тут, к земле прирос, под тебя даже вода уже не течет, а туда же — командуешь! Ты сам попробуй попади хоть куда-нибудь, а потом попрекай. Если тебе не нравится, как я рассказываю, — пожалуйста, я могу ничего не говорить, буду сам смотреть сериал, как захочу. А ты лежи тут в отрыве от мировой цивилизации и жди, когда Ветер прилетит и хоть какую-никакую новость тебе расскажет.

— Ладно, ладно, не маши крыльями, — успокоил его Камень. — Не смог так не смог. Но ты при случае узнай, все-таки интересно.

— Узнаю, — пообещал Ворон, мгновенно успокаиваясь и готовясь к взлету.

— И насчет человека, который следил за Романовыми, не забудь! — крикнул Камень ему вслед. — Нам важно его в самом начале поймать, как только он появится, а то так и не поймем, кто он и откуда. Так что ты помногу-то не пропускай.

— Ла-а-адно! — донеслось ему в ответ.

* * *

Родислав вернулся из Горького умиротворенным и расслабленным, ему очень понравилась и сама свадьба, и гости — друзья Григория, и он искренне радовался за Тамару, видя ее счастливой. Все было хорошо, и на работу он пришел в приподнятом настроении. Даже бесконечная писанина — неизменный спутник следственной работы — не вызывала в нем сегодня такого отвращения, как обычно.

Он набрасывал план следственных действий по только что возбужденному делу о мошенничестве, когда дверь распахнулась, и в кабинет ворвался Слава Сердюков, тот оперативник, который два года назад высказал Родиславу все, что думает о нем, и с которым отношения с тех пор так и не наладились.

Увидев Сердюкова, Родислав приветливо улыбнулся.

— Улыбаешься? — голос оперативника не предвещал ничего хорошего. — Сидишь, баклуши бьешь? Думаешь, если у тебя тесть генерал и большой начальник, то тебя никто тронуть не посмеет?

— Слав, ты чего? — удивился Родислав. — Не выспался? Или с похмелья?

— Я-то выспался, а вот как ты можешь спокойно спать? Ты хоть понимаешь, что ты творишь? Ты отдаешь себе отчет, что весь отдел БХСС пашет как проклятый, а ты все пускаешь коту под хвост? Думаешь, если начальник следственного отдела не делает тебе замечаний, то ты уже кум королю и сват императору? Да он тестя твоего боится, вот и молчит в тряпочку, хотя любой другой начальник на его месте тебе уже неполное служебное соответствие давно выписал бы. Ну да ничего, я не начальник, мне терять нечего, я тебе в глаза все скажу!

— Слава, успокойся. Скажи толком, что стряслось?

Родислав пытался казаться уверенным в себе, но нехорошее предчувствие накатило на него штормовой волной. За два с небольшим года, которые прошли после той ссоры с Сердюковым, стиль работы следователя Романова не изменился, ему по-прежнему было скучно, и он был рассеянным, не особо добросовестным и часто допускал ошибки и промахи, которые позволяли адвокатам успешно оспаривать в суде результаты предварительного следствия, а зачастую приводили к тому, что дела приходилось прекращать и на более ранних этапах. Да за примерами далеко ходить не надо, буквально три дня назад закончился судебный процесс по делу о хищении путем злоупотребления служебным положением, у Родислава в обвинительном заключении фигурировали семь эпизодов с общей суммой хищений в 1430 рублей, а в приговоре остался только один эпизод, самый незначительный, на 43 рубля. Оперативники землю рыли, головы ломали, придумывая, как накопать эти семь эпизодов, проявили чудеса изобретательности, а он, следователь Романов, не смог закрепить доказательства, правильно провести допросы и сформулировать нужные вопросы в постановлениях о проведении экспертиз и даже не все экспертизы назначил. Одним словом, угробил всю гигантскую работу оперов. Наверное, Сердюков из-за этого взбеленился.

— Что стряслось? А то, что Ляхов выпущен из-под стражи в зале суда!

Точно, фамилия этого расхитителя — Ляхов. Значит, Родислав правильно угадал причину гнева бывшего приятеля.

— Мы целый год бились, чтобы его на чистую воду вывести, он же ворюга, каких свет не видел, и всегда чистеньким оставался! Для нас посадить его — это был вопрос чести! Мы спать забывали, семьи свои неделями не видели, все под него копали, а ты все развалил, кретин! Недоумок! Бездельник! Ты вообще ничего не можешь, только молоденьких секретарш трахать! Думаешь, никто ничего не видит, никто ничего не понимает? Да все понимают, что в этом кабинете тебе цена три копейки, и то как кобелю, а как следователь ты вообще ничего не стоишь.

Родислав резко поднялся из-за стола и сделал шаг по направлению к оперативнику.

— Слушай, ты все-таки выбирай выражения, думай, что говоришь, — произнес он, стараясь унять дрожь в ногах.

— Я что думаю — то и говорю, хватит, мне надоело молчать и делать вид, что все так и должно быть! И выражения выбирать я не собираюсь, слишком много чести для тебя выслушивать правду в деликатных выражениях. Таким, как ты, в приличном обществе руки не подают.

Сердюков сорвался на крик, и Родислав почувствовал, что на него накатывает «это»: он плохо понимал, что нужно делать и что отвечать, его начало мутить. Единственное, что он смог, — это попытаться положить руку на плечо Сердюкова в примирительном жесте, но оперативник, недостаточно хорошо знавший миролюбивый характер

Родислава, расценил этот жест по-своему — как попытку схватиться врукопашную. Он резким движением отбросил руку Романова и схватил того за грудки. Они сцепились, Родислав задел локтем графин с водой, который с грохотом ударился об пол и разбился. На грохот из коридора заглянул какой-то сотрудник, который бросился к ним и разнял. Сердюков еще продолжал что-то кричать, но Родислав уже плохо понимал, что именно, он изо всех сил боролся с подступающей тошнотой.

Через час его вызвал к себе начальник и велел писать объяснительную. А через неделю в управлении состоялся суд офицерской чести, на котором рассматривалось дело о драке на рабочем месте, учиненной майором Романовым и капитаном Сердюковым.

Родислав ходил подавленный и злой. Помимо неприятностей на работе, его преследовал страх, что о случившемся узнает Николай Дмитриевич. И тесть, конечно же, узнал, нашлись доброхоты, которые донесли до него информацию о неблаговидном поведении зятя. Узнал и вызвал Родислава к себе в служебный кабинет для разговора.

— Я ценю тебя за то, что ты честный человек и имя офицера ничем не замарал, — сказал он сурово. — И как отец я тебя ценю за то, что ты Любке хороший муж. Ты ее береги, она одна у меня осталась, Томка теперь мне не дочь, сам знаешь. А вот то, что с работой у тебя не все ладится, — это, конечно, беда. Материалы суда офицерской чести я читал, знаю, что драку не ты затеял, но сам повод для нее тебя не украшает. Ты действительно допускал ошибки, даже твой начальник этого не отрицает. Ты мне скажи честно, ты свою работу любишь?

Родислав подавленно молчал, он не знал, как и что ответить, чтобы не рассердить тестя. Была бы рядом Люба — она бы точно знала, как себя вести, и подсказала бы. Но жены рядом не было.

— Ты сразу не отвечай, подумай хорошенько, — продолжал Головин. — Потому что если ты работу свою любишь и дорожишь ею, то мы подумаем, куда тебя послать поучиться, чтобы ты мог выполнять ее на высоком уровне. Может быть, тебе имеет смысл поехать на курсы повышения квалификации в Волгоград, в Высшую следственную школу, или в Горьковскую школу милиции, там специализация как раз по линии БХСС. Поучишься, вернешься и будешь работать как следует. А вот если ты работу свою не любишь и хочешь ее сменить, тогда другой разговор. Тогда будем думать, где тебе продолжать службу, чтобы от тебя как от специалиста была максимальная польза.

— Я хотел бы сменить место службы, — выдавил Родислав. — Не получается у меня со следствием, душа к нему не лежит. Я не могу с бумагами, мне бы с людьми общаться, чтобы работа была живая...

— Я понял, — кивнул Николай Дмитриевич. — Ни для кого этого не стал бы делать, но для тебя сделаю, потому что Любка — моя единственная дочь. Ради нее стараюсь. Договорюсь, чтобы тебя взяли в Академию МВД, в Научный центр. Прямо сейчас. Поработаешь с полгодика, книжки почитаешь, а в сентябре будешь поступать в очную адъюнктуру, возраст тебе пока еще позволяет. Три года будешь учиться в адъюнктуре, напишешь кандидатскую, защитишься, а там посмотрим. С ученой степенью ты сможешь остаться в академии преподавать, работа живая, с людьми, как ты хотел. Или еще что-нибудь подыщешь себе, что по душе придется. Ну как, годится?

— Спасибо вам большое, Николай Дмитриевич! — выдохнул Родислав.

О таком он даже мечтать не мог. Вернее, мечтать-то он мечтал, потому что видел тех, кому повезло и работать в академии, и учиться в адъюнктуре, видел, как они довольны, как им интересно, как горят у них глаза, но при этом понимал, что без нажима со стороны тестя никто его, следователя Романова, туда не направит на учебу и не возьмет на работу. И просить Николая Дмитриевича бесполезно, ни разу до той поры он своим положением для блага семьи не злоупотребил.

Они еще немного поговорили о Любе и внуках, и Головин дал понять, что время для аудиенции закончилось, у начальника главка много дел.

— Ты, наверное, удивлен, — сказал на прощание Николай Дмитриевич, — что я взялся толкать тебя по службе. На меня не похоже, верно?

— В общем, да, — смутился Родислав.

— Это после Томки. Когда дочерей две, то кажется, что их много, а когда остается только одна, начинаешь понимать, что она — одна. Последняя отрада. Единственная. Костьми лягу, чтобы у нее все было хорошо, ты меня понял? Тебя, кстати, тоже касается. Если узнаю, что ты с Любкой плохо обходишься, что ты ее чем-то обидел, — я тебе не завидую.

— Я понял, Николай Дмитриевич, — улыбнулся Родислав. — На этот счет вы можете не волноваться.

Через неделю на майора Романова пришел запрос из Научного центра Академии МВД, а через месяц он уже ездил на новое место работы.

* * *

— И как прикажешь это понимать? — бушевал Камень. — Это что еще за разговоры про секретарш, с которыми развлекается Родислав? Почему я ничего об этом не слышал? Ты опять халтуришь?

Ворон стоял перед ним понурив голову, как нашкодивший ученик перед строгим учителем.

— Я тебя расстраивать не хотел, ты же за Родислава болеешь, он тебе как родной стал. Я и подумал, что, может, тебе лучше не знать... ну не злись, а?

— Да как же мне не злиться, когда ты такое важное пропускаешь! Давай рассказывай, какие там секретарши.

— Какие, какие, — пробурчал Ворон. — Обыкновенные. Молоденькие. И из ихнего управления, и из суда, и из адвокатуры. И адвокатессы тоже были, так, парочка всего. Ну ты сам подумай, если мужик, которому чуть за тридцать, не спит со своей женой, то с кем-то же он спать должен, правда? Я еще тогда, когда тебе говорил, что он с Любой не спит, неладное почуял, но с тобой обсуждать не стал, потому что ты огорчился бы и начал переживать, а я не люблю, когда ты переживаешь, мне тебя жалко очень... Вот.

— Жалко ему, — Камень слегка сбавил тон, но все равно говорил сердито. — А сейчас тебе меня не жалко? Лежу тут, слушаю тебя, как дурак, уши развесил, а ты меня, оказывается, обманываешь. Ну куда это годится? Ладно, давай ближе к делу. У него с этими секретаршами серьезно?

— Да куда там! — Ворон почуял, что гроза миновала, и слегка приободрился. — Ничего серьезного. Так, по случаю, в служебном кабинете, он даже на квартиры их не водил и домой к ним не ходил. Знаешь, коллективная пьянка, все выпили, все веселые, ну и понеслось. У людей это сплошь и рядом случается во все времена.

— И Люба не догадывается?

— Типун тебе на язык! Пока нет.

Камень угрюмо замолчал, и Ворон начал прикидывать, чем бы эдаким развеселить друга, чтобы отвлечь от грустных дум. Да и подлизаться надо, вину загладить.

— Да! — вспомнил он. — Ты про подарок от армянской семьи спрашивал, так я узнал. Сказать?

— Ну, говори, — мрачно разрешил Камень.

— Они золотое колье подарили, с бриллиантами. Аэлла Тамаре принесла, но та не взяла. Слишком дорогой подарок, говорит, и бессмысленный. Шубу, говорит, я взяла бы, потому что ее можно носить и радоваться, что красиво и не холодно, и старую машину тоже взяла бы, потому что на ней можно ездить и не толкаться по метро и автобусам, а с колье какой прок? Да, красивое, но куда его носить? На работу с белым халатиком? В общем, не взяла. Но согласись, что Аэлла молодец, как обещала, так и сделала.

— Молодец, — равнодушно подтвердил Камень. — Ты не забудь Ветру при случае рассказать, пусть порадуется. Но ты, по-моему, еще одну важную вещь упустил.

— Это какую же? — недовольно встрепенулся Ворон.

— Насчет человека, который следит за Романовыми.

— Ничего я не упустил! Нет его пока.

— Не может быть. Ну ты сам посуди: кто может за ними следить? Кому это нужно? Это может быть связано только с работой Родислава как следователя. Может, он кому-то на хвост наступил, дело какое-нибудь сложное вел. А ты говоришь, он ушел на научную работу. На научной-то работе кому он нужен? Не будет за ним никто следить после перехода в академию. Значит, это было раньше. А ты пропустил.

— Не раньше это было, а позже! Я точно помню! Я этого человека только один раз видел, но это было в год Олимпиады, тогда по всему городу олимпийские мишки висели, во всех витринах, и пять разноцветных колец. И этот человек как раз сидел на лавочке и открывал маленький пакетик с печеньем, а на пакетике тоже кольца разноцветные. Я ничего не мог перепутать!

— Тогда я ничего не понимаю... А что такое адъюнктура, в которой должен потом учиться Родислав? Это что-то вроде Академии ФБР?

— Ну прям! Это та же аспирантура, только для тех, кто носит погоны. Диссертации пишут, кандидатские экзамены сдают, всякая такая муть.

— Аспирантура, говоришь, — задумчиво протянул Камень. — Совсем непонятно. Кому нужен аспирант в погонах? Нет, все-таки ты что-то путаешь, не может этого быть.

— А я тебе говорю, что это было, было, было! — сердито закаркал Ворон. — И нечего меня подозревать. Хочешь, я сразу в год Олимпиады влезу, чтобы ты не сомневался?

— Ну уж нет! Сейчас только семьдесят восьмой год начался, пропускать два года я тебе не позволю. Давай подряд смотреть. Но если окажется, что ты ошибся...

— То что? Ну, что ты сделаешь? — вызывающе спросил Ворон.

— Змея позову, вот что! — выкинул Камень козырного туза.

— Не смей! Даже имени этой пакости холоднокровной при мне не произноси.

— Вот то-то же, — спокойно завершил дискуссию Камень. — Лети давай.

* * *

Родислав дочитал выполненный на пишущей машинке документ и с огорчением отметил, что теперь в нем не было ни одной опечатки. Как жаль! Он с удовольствием сходил бы еще раз в маленькую комнатушку, где сидела лаборантка Лиза, и попросил бы ее исправить ошибки, при этом наклонился бы к ней и вдохнул ее запах — смесь духов и еще чего-то теплого и немного терпкого. От этого запаха у него кружилась голова и пылали щеки. В Научном центре Академии МВД он работал уже два месяца, и из этих двух месяцев один был страстно влюблен в Лизу Спичак, миниатюрную изящную брюнетку, живую и горячую, как огонь, жизнерадостную и веселую, как ребенок, такую прекрасную и такую желанную. Ни одну женщину в своей жизни Родислав не хотел так, как ее, Лизу, — ни свою жену Любу, ни многочисленных случайных любовниц, в связь с которыми он вступал «по ситуации» и в которых никогда по-настоящему не влюблялся. Теперь, после появления в его жизни Лизы, он уже начал сомневаться, а любил ли он когда-нибудь жену — настолько непохожим на ровную спокойную привязанность было то жгучее и головокружительное чувство, которое он теперь испытывал.

— Ну как, Родислав Евгеньевич? — спросил вошедший в комнату научных сотрудников начальник отдела. — Документ можно отдавать? Там все в порядке?

— Еще пара опечаток, — пробормотал Родислав, поднимаясь из-за стола. — Сейчас покажу Лизе, она поправит, и можно отдавать.

— Хорошо, я жду.

Родислав выскочил из кабинета и зашел в комнату лаборантки.

— Что, опять? — огорченно воскликнула девушка. — Я же, кажется, все выправила. Неужели что-то пропустила?

— Вот здесь, — Родислав старался говорить громко, чтобы его голос был слышен в другой комнате, — и еще вот тут.

Он сделал шаг по направлению к Лизе, наклонился и поцеловал ее в губы. Девушка ответила жадно и горячо, обхватив руками его бедра.

— Сумасшедший, — прошептала она, отстраняясь, — сейчас кто-нибудь войдет.

— Мы услышим, — ответил он тоже шепотом. — Ну, все, как договорились?

— Да, я доеду до «Сокола» и буду ждать тебя на платформе, у первого вагона. Только не задерживайся.

— Я постараюсь.

Они встречались в ее квартире — Лиза жила одна, и им никто не мешал. Никто и ничто, кроме необходимости возвращаться домой, к Любе и детям.

Ровно в шесть вечера Лиза заперла кабинет, попрощалась и ушла, а Родислав еще несколько минут поболтал с никуда не торопящимся пожилым старшим научным сотрудником, который всегда задерживался дольше всех.

От станции «Сокол» они еще долго ехали на троллейбусе, и Родислав мысленно считал с каждой минутой убывающее время, которое ему останется провести с Лизой, чтобы вернуться домой все-таки не очень поздно. Сегодня у него было «партсобрание», в следующий раз придется придумать банкет, который устраивает какой-нибудь сотрудник по случаю защиты диссертации или юбилея, или срочный научный отчет, а в самом крайнем случае — так называемую местную командировку, когда для сбора материала для научных исследований сотрудники отправлялись в разные организации, начиная от территориальных органов внутренних дел и расположенных в Московской области исправительно-трудовых колоний и заканчивая Центральным статистическим управлением. Эти чудесные, восхитительные встречи в Лизиной уютной двухкомнатной квартирке происходили реже, чем Родиславу хотелось бы, и он иногда с сожалением вспоминал о следственной работе, которая позволяла без особой дополнительной лжи возвращаться домой сколь угодно поздно и отсутствовать дома по праздникам и выходным дням, достаточно было только сказать Любе, что у него много работы, что он зашивается с документами или что его срочно вызвали. Но если бы он остался на следствии, он не познакомился бы с Лизой и никогда не узнал бы, как это бывает, когда не можешь думать ни о чем, кроме близости с женщиной, когда внутри все вздрагивает от одного только звука ее голоса, когда постоянно преследует ее запах, когда каждое прикосновение к ней вызывает восторг и становится невыразимым и невозможным счастьем.

Едва переступив порог Лизиной квартиры, Родислав

начал судорожно раздеваться — времени оставалось совсем мало, партсобрания, конечно, бывают длинными, но всему есть мера. Уже через минуту он забыл обо всем на свете, в том числе о жене, детях и том самом партсобрании, которое не может длиться до глубокой ночи.

Потом он разнеженно валялся на широком диване, пил сваренный Лизой кофе, курил и думал о том, что у него не хватит сил встать и уйти.

— Ты определился с темой диссертации? — спросила она, устраиваясь рядом с ним под одеялом.

— Пока нет. Время еще есть, — лениво ответил Родислав. — Куда торопиться?

— Но реферат нужно писать уже сейчас, — возразила Лиза, проработавшая в академии целых четыре года, с момента ее основания, и хорошо изучившая порядки. — На дворе май, в сентябре вступительные экзамены в адъюнктуру, без реферата тебя к ним не допустят. Знаешь, Родик, я бы тебе посоветовала взять что-нибудь связанное с региональными особенностями или с исправительно-трудовыми учреждениями.

— Почему? — он удивленно уставился на девушку. — Колонии меня никогда не интересовали, и в провинцию я не собираюсь. С чего у тебя появились такие мысли?

— Дурачок, — она ласково поцеловала его в плечо, — тебе нужна тема, по которой ты сможешь постоянно ездить в командировки, понял?

— Зачем? Уезжать и не видеть тебя?

— Снова дурачок, — она рассмеялась. — У каждой командировки есть две точки: точка отъезда и точка возвращения. Догадываешься?

Теперь он понял, что имела в виду Лиза. Из командировки всегда можно вернуться чуть раньше, может быть, на день, на полдня или даже всего на несколько часов, но это будут часы, которые они смогут провести вместе, не придумывая никаких банкетов и партсобраний. Родиславу не очень понравилось, что Лиза додумалась до этого раньше, чем он сам, и ему совсем некстати припомнились туманные намеки сотрудников отдела на то, что Лиза с ее красотой, живым веселым нравом и неприкрытой сексапильностью никогда не оставалась без внимания мужчин, как преподавателей и научных сотрудников академии, так и слушателей и адъюнктов. Он гнал от себя мысли о том, что у Лизы до него были и другие мужчины, а может быть, он и сейчас у нее не единственный.

Он все-таки собрался с силами, вылез из-под одеяла и начал одеваться. Потом присел на край дивана, потянулся к Лизе, поцеловал ее спутанные волосы.

— Не хочется уходить.

— Надо, — она шутливо погрозила ему пальцем. — Если хочешь, чтобы следующее партсобрание состоялось, с предыдущего следует возвращаться вовремя. Зачем будить лишние подозрения?

Он кивнул, молча соглашаясь, но в то же время червячок ревности снова зашевелился: очень уж она предусмотрительна, и это выдает в ней не столько ум, сколько опыт бывалой любовницы женатых мужчин. Но какое все это имеет значение, если сейчас она с ним, с Родиславом, и если он жить не может без того ошеломляющего, оглушительного восторга, который охватывает его рядом с ней! Такого никогда не бывало ни с Любой, ни с другими женщинами.

Домой он возвращался на такси, так получалось куда быстрее, чем тащиться в троллейбусе до метро, потом ехать на метро с двумя пересадками, потом ждать на остановке автобус, который будет ехать до нужной улицы добрых полчаса. Чем ближе Родислав подъезжал к дому, тем острее начинал чувствовать голод: обедал он в два часа, у Лизы только кофе выпил — ни на что другое времени уже не хватало, а теперь десятый час. Он с удовольствием думал о том, как войдет в чистую просторную квартиру, вдохнет знакомые вкусные запахи Любиной стряпни, снимет форму, переоденется в спортивный костюм, вымоет руки и сядет за стол. И будет разговаривать с Любой, как привык разговаривать с ней все четырнадцать лет совместной жизни, будет рассказывать ей о работе, о коллегах, о том, какой документ он сегодня подготовил и удостоился похвалы начальника отдела, о циркулирующих по академии слухах о грядущих кадровых перемещениях в руководстве министерства, в результате которых Николай Дмитриевич Головин, скорее всего, станет заместителем министра. И конечно, придется рассказать о том партсобрании, на котором он так задержался. Родислав уже примерно представлял, чему оно было посвящено и почему оказалось таким длинным. Врать он не любил, и это проклятое партсобрание, вернее предстоящая ложь о нем, было единственным, что омрачало его возвращение домой.

Дети еще не спали, пятилетняя Леля немедленно забралась к отцу на колени и стала требовать, чтобы он послушал, как она сегодня в детском саду поссорилась с девочкой, которая во время прогулки сорвала на газоне цветочек мать-и-мачехи, понюхала и бросила.

— Цветочек лежал и плакал, ему было больно, — в глазах у Лели стояли слезы, — я даже слышала, как он кричал и звал на помощь, а Маринка пошла дальше и даже не оглянулась. Я ей сказала, что она плохая и злая, потому что обидела цветочек, а она меня стукнула и еще воспитательнице нажаловалась, как будто я ее обзываю. Папа, правда же, цветочки обижать нельзя?

— Правда, принцесса, правда, — с растроганной улыбкой сказал Родислав, целуя ее мокрые глазки, — цветочки обижать нельзя, и вообще никого нельзя обижать, ни зверей, ни растения, ни людей. Ты была совершенно права. Воспитательница тебя наказала?

— Нет, она просто сказала, чтобы я не обзывалась.

— А ты ей сказала, что Марина тебя стукнула?

— Нет, — потупилась Леля.

— Почему? Надо было сказать.

— Я не сказала, — повторила девочка. — Пусть она меня стукнула. Мне за цветочек было обидно. Мне его было так жа-а-алко! — И она снова разрыдалась.

Люба подхватила дочурку на руки, бросив на Родислава укоризненный взгляд, мол, не смог повести разговор так, чтобы ребенок не возвращался к грустной теме.

— Лелечка, цветочку уже не больно, у него быстро все прошло, честное слово. Ведь когда Марина тебя стукнула, тебе же не было больно, правда? Ты даже воспитательнице не сказала об этом и сразу же забыла. Так и у цветочка, у него поболело несколько минуток и прошло. Сейчас он уже здоровенький и веселенький.

— Честное слово? — с надеждой спросила девочка.

— Честное-пречестное. Иди умывайся, чисти зубки и ложись, я буду папу ужином кормить.

Из своей комнаты выглянул тринадцатилетний Коля.

— Привет, пап. А что у вас за шум? Почему ребенок плачет?

— Она уже не плачет, — поспешно ответила Люба, — она уже идет умываться и ложиться спать, да, Лелечка?

— Нет! Я с папой хочу!

— Лелечка, папа только что пришел с работы, — серьезным и каким-то взрослым голосом сказал Коля, — он очень устал, ему надо покушать и отдохнуть. Давай, моя сладкая мышка, пойдем вместе умываться, я тебе помогу, а потом я тебе книжку почитаю, хочешь?

— Хочу!

Леля радостно, забыв про слезы, схватила брата за руку и отправилась в ванную.

— Что у Кольки в школе? — спросил Родислав, приступая к трапезе за красиво накрытым столом. — Что-то он сегодня больно положительный. Опять пару схватил?

— Тройку в четверти и за год, — улыбнулась Люба, наливая из супницы в глубокую тарелку рассольник. — Теперь подлизывается. Ну что с ним сделаешь?! На него совершенно невозможно сердиться. Знает, паршивец, что сказать, как сказать, когда сказать, чтобы его снова все любили. Он добрый мальчишка и по большому счету хороший, только учиться ленится, хотя и способный.

— Это да, — согласился Родислав. — Вкуснотища! Нигде и никогда не ел таких рассольников, как у тебя. А что на второе?

— Голубцы, ты же сам вчера просил. А к чаю пирог с ягодами, твой любимый. Или тебе кофе сделать? Кстати, я сегодня банку растворимого урвала в магазине, возьми завтра на работу.

— Да ну? — удивился он. — Такой дефицит! Тебе повезло.

— В последнее время его стало легче купить, кофе же подорожал в два раза, забыл? И шоколадные конфеты тоже.

Конечно, насчет кофе Родислав забыл, вернее, ему не с чего было помнить, он в магазин уже давно не ходил: все хозяйственные заботы с самого начала их совместной жизни лежали на Любе. А вот про конфеты помнил, потому что регулярно покупал их для Лизы, и обратил внимание, что действительно, ассортимент того, что можно было найти на прилавках, стал побогаче.

— Давай кофейку, — решил он.

— А спать? Ведь не уснешь.

— Усну. И потом, еще рано, а мне столько нужно тебе рассказать.

Он с аппетитом уминал голубцы со сметаной, вдыхая запах кофе, который Люба сначала молола в ручной мельнице, потом заваривала каким-то особенно хитрым способом, отчего напиток получался необыкновенно ароматным и вкусным. Нигде — ни в ресторанах, ни в гостях — ему не доводилось пробовать кофе вкуснее.

— Вы с мамой решили, когда мы детей вывозим на дачу? — спросил Родислав.

— Послезавтра, в субботу. Жалко, что моя мама не может папу оставить одного, если бы она поехала на дачу вместе Кларой Степановной, было бы легче, — посетовала Люба. — Тамара права, папу очень избаловали и мама, и Бабаня.

— Кстати, — оживился Родислав, — Николай Дмитриевич тебе не говорил, что его ждет повышение?

— Повышение? — обрадовалась Люба. — Нет, он ничего не говорил.

— Что ты! У нас вся академия гудит, что одного замминистра снимают, а на его место назначают Николая Дмитриевича.

— Здорово! А что еще у вас в академии происходит? На какую тему было партсобрание?

— Доклад по книгам Брежнева «Малая земля» и «Возрождение». Я чуть не уснул, честное слово! И не пойти нельзя. Скука смертная! У вас на заводе уже обсуждали эту бессмертную литературу?

— Нет, еще все впереди.

Попивая кофе с ягодным пирогом, Родислав неторопливо и в подробностях рассказал жене о работе, о срочном документе, который сегодня подготовил по указанию начальника, и поделился своими размышлениями по поводу темы будущей диссертации.

— Можно взять что-нибудь о личности осужденных за преступления против собственности, но для сбора материала придется не вылезать из колоний, а это означает постоянные командировки, — осторожно забросил он удочку.

— Но тебе это интересно?

— В общем, да, — аккуратно ответил Родислав. — Но меня больше привлекает другая тематика. Я бы с удовольствием занялся проблемами повышения эффективности управления предварительным следствием. Это ново и довольно модно сейчас, наука управления сегодня на коне, а я все-таки столько лет в следствии проработал, кое-что в этом понимаю. Но опять командировки, материал-то надо на местах собирать. Как ты будешь без меня справляться?

— Ой, Родинька, да ты вообще об этом не думай! — воскликнула Люба. — Я отлично справлюсь, ты выбирай ту тему, которая тебе ближе и интереснее, а у нас все будет в порядке, и мамы наши, слава богу, на ногах, всегда помогут, если что. Но все-таки мне кажется, что про личность осужденных — это интереснее. Это же живые люди, каждый со своей судьбой, со своим характером, со своей историей... Неужели тебе это совсем неинтересно?

— Любаша, мне обе темы интересны, но я должен думать о перспективах, понимаешь? Если я буду писать о личности преступника, то мне придется готовить диссертацию на кафедре криминологии, а если про следствие — то на одной из управленческих кафедр. Их у нас в академии несколько. Я тебе уже говорил, что наука управления сейчас на коне, это писк моды, и тех, кто ею занимается, с удовольствием двигают потом на хорошие должности. Ты же знаешь, моя цель — организационно-инспекторское управление Штаба МВД, я хочу туда попасть, а с диссертацией по криминологии у меня шансов куда меньше, чем с диссертацией по управлению.

— Тогда конечно, — согласилась Люба. — Ты делай, как тебе лучше, а насчет командировок даже и не думай беспокоиться. Все будет нормально.

— А что у нас происходит, кроме Лелькиного цветочка и Колькиной тройки?

— Папа устроил маме скандал, — со вздохом сообщила Люба. — Ему в руки попалась квитанция на оплату междугородних переговоров, и он обнаружил, что мама несколько раз звонила Тамаре в Горький. Представляешь, что он устроил?

— Могу себе представить, — Родислав сочувственно

покачал головой. — Бедная мама Зина. Зачем же она в кредит звонила? Купила бы талончик — никто бы ничего не узнал.

— Да ей и в голову не пришло, что папа будет квитанции проверять. Теперь они с Тамарой уходят в глубокое подполье: либо мама покупает талон, либо Тома будет звонить сама днем, когда папы дома нет, либо мама приходит сюда и звонит от нас.

Родислав допил кофе, но из-за стола не встал, он продолжал разговаривать и смотрел на сидящую напротив него Любу. Пока он не закончит говорить о том, что ему интересно, жена не начнет мыть посуду и убирать кухню, она так и будет сидеть, подперев ладонью подбородок, смотреть ему в глаза и слушать. Никто никогда не слушал Родислава Романова так внимательно и заинтересованно, как Люба, никто не помнил всех деталей и мелочей, о которых он упоминал, и ни с кем ему не было так свободно, как с женой, которая никогда его не критиковала и не говорила, что он в чем-то не прав. Правда, в последнее время ему приходится ей лгать насчет партсобраний и банкетов, но это такая мелочь по сравнению со всем остальным! Он безумно любит Лизу, любит до помрачения рассудка, до темноты в глазах, но отказаться от этого спокойного и надежного уюта он не в силах, поэтому о разводе не может быть и речи. Во всяком случае, пока. Тем более тесть ему развода не простит, и тогда прощай карьера.

* * *

Боль в груди становилась все сильнее, Люба уже почти не могла дышать, но продолжала сидеть за столом и слушать мужа. Нельзя показывать, как тебе плохо, нужно делать вид, что все прекрасно, что твой дом по-прежнему является островом мира, покоя и благополучия, только тогда Родислав будет возвращаться сюда с удовольствием. И вообще, будет возвращаться...

У него есть другая женщина, в этом Люба была уверена. Она почувствовала эту «другую» сразу, с первого же дня, когда Родислав однажды вернулся домой не таким, как обычно. На первый взгляд ничего не изменилось, он, как и всегда, переоделся в спортивный костюм, помыл руки и сел ужинать, задавал вопросы о детях и домашних делах, потом сам что-то рассказывал, но Люба отчетливо видела, что мысли его витают где-то в другом месте, а потом, в один прекрасный момент этого же вечера, вдруг почувствовала, что ее сравнивают. Ее с кем-то сравнивают. Родислав смотрит на нее, смотрит, как она сидит, как двигается, он слушает, как она говорит, и сравнивает с другой женщиной. Люба не смогла бы точно сказать, по каким признакам она это определила, но сомнений у нее не было. Как не было сомнений и в том, что сравнение это было не в ее пользу.

В тот вечер впервые за все годы их брака Родислав не взял ее за руку, засыпая. И вообще старался даже во сне не оказаться слишком близко к Любе. Спустя примерно неделю он выступил с инициативой спать под разными одеялами, дескать, он спит беспокойно, ворочается и не хочет мешать жене. Люба молча достала второе одеяло. Она отлично понимала, что все это означает. «Только бы там все не зашло слишком далеко, — твердила она про себя, — только бы он не надумал разводиться, только бы не ушел. Я готова на все, я все вытерплю, только пусть он останется со мной. Я не смогу дышать без него, я сразу же умру».

Она перестала целовать его по утрам, когда будила, но Родислав этого даже не заметил. Она стала очень внимательно продумывать вопросы, которые задавала ему, чтобы не заставлять его выдумывать излишнюю ложь: никаких подробностей про партсобрания, банкеты, юбилеи, затянувшиеся заседания отдела и местные командировки. Она не настаивала на том, чтобы он приводил в гости новых сослуживцев, потому что понимала: эти люди, скорее всего, знают любовницу Родислава, и им будет неловко смотреть Любе в глаза. Конечно, она по-прежнему радовалась, если муж приводил в дом гостей, и была все такой же радушной и хлебосольной хозяйкой, но при этом ее постоянно грызла мысль: «Они все знают, и они тоже сравнивают меня с ней. И получается, что она лучше».

Ей теперь все время было больно. И ей казалось, что никогда она не любила Родислава сильнее, чем в этот первый месяц его новой любви.

* * *

— Любовь Николаевна, вы на автобус?

Ее окликнул Олег из отдела снабжения, молодой красивый парень, который постоянно оказывал Любе знаки внимания, то пропуская ее вперед в очереди в заводской столовой, то помогая нести тяжелые сумки с продуктами, которые она покупала в свой обеденный перерыв, то таская для нее ведра с водой во время общезаводских субботников.

— На автобус, — ответила Люба, оглядываясь и чуть замедляя шаг.

Этот парень ей нравился своей непосредственностью, открытым взглядом и ласковой улыбкой. Все в планово-экономическом отделе, где работала Люба, подшучивали над его детской влюбленностью, но сама Люба эти разговоры всерьез не принимала. Однажды во время коллективной собирушки по случаю наступающего Нового года, которую плановики устраивали вместе со снабженцами, Любина приятельница Наталья, старший экономист, заметила:

— Смотри, Любаня, он же глаз с тебя не сводит. А глазищи-то! В них прямо утонуть можно. Пробросаешься.

— Перестань, — поморщилась тогда Люба. — Он моложе меня лет на пять, а то и больше. Ну что такого необыкновенного он может во мне увидеть? Вон сколько девчонок молодых вокруг — не мне чета. Выдумываешь ты все.

— Я ничего не выдумываю, — очень серьезно ответила Наталья. — С каких это пор ты перестала быть молодой девчонкой и записалась в старухи? И вообще, дело не в возрасте, возраст в таких случаях никакого значения не имеет.

— А что имеет? — равнодушно спросила Люба.

Ей вовсе не был интересен ответ, просто нужно же было поддержать разговор, чтобы не обидеть Наташу.

— Желание. Только желание имеет значение. А направлено желание может быть на кого угодно, хоть на убогого, хоть на старика, хоть на хромую и горбатую тетку. На тебя муж с желанием давно в последний раз смотрел?

— С желанием? — растерянно переспросила Люба.

У нее не было ответа. Она не знала, как это, когда мужчина смотрит с желанием, она знала только, как смотрел на нее Родислав, никаких других взглядов она не видела. Может быть, того, о чем спрашивала Наташа, в ее жизни не было вообще?

— Вчера, — с вымученной улыбкой ответила она тогда.

В тот вечер Олег несколько раз приглашал ее танцевать, и Люба все время ловила себя на том, что старается как-нибудь незаметно разглядеть, как же это он смотрит на нее, чтобы понять, что такое «смотреть с желанием», и узнать, смотрел ли на нее когда-нибудь так Родик. Все ее наблюдения в тот раз показывали, что, пожалуй, нет, ТАК Родислав на нее не смотрел никогда. «Ну и что, — утешала она сама себя, — ну и не смотрел. Почему он непременно должен смотреть на меня ТАК? Олег — это Олег, а

Родик — это Родик, он не похож на Олега, у него другой характер, у него другие глаза, другое лицо, и вообще он совершенно другой человек, поэтому и смотрит по-другому. И потом, Родик старше, а у этого мальчика один сплошной щенячий восторг в глазах. Детский сад. У Родика никогда не было такого восторга, потому что он с детства был серьезным и умным. А может быть, и был этот восторг, просто я была еще совсем глупенькая и неопытная и ничего не замечала. Мы столько лет женаты, что нелепо ждать от Родика такой же пылкой влюбленности».

Когда Люба поняла, что у Родислава появилась другая женщина, она все чаще возвращалась мысленно к тому вечеру, вспоминала свои тогдашние размышления и думала о том, что, наверное, на НЕЕ, на ту, другую, Родислав смотрит так же, как милый мальчик Олег смотрит на Любу: горячо, жадно и умоляюще. Она не могла себе представить такого взгляда у мужа, потому что никогда его не видела. И оттого, что этот взгляд, наверное, существует, но предназначен не ей, Любе становилось еще больнее. Ей даже не было интересно, какая она, эта женщина, сколько ей лет, как она выглядит, где и кем работает, ей было важно только одно: чтобы Родислав остался, чтобы он не ушел.

Но теперь, идя от проходной завода к автобусной остановке в сопровождении Олега, Люба Романова впервые подумала о том, как это, наверное, приятно: чувствовать себя желанной. Она искоса посматривала на молодого человека и пыталась представить на его месте Родислава: вот именно так он смотрит на нее, именно так старается заглянуть в лицо, именно так ловит случайное прикосновение локтем или плечом. Нет, ничего у нее не получалось, никогда Родислав так себя не вел, и представить его таким было невозможно. А ведь с НЕЙ он, наверное, именно такой. Или какой-то другой?

— Вы чем-то расстроены, Любовь Николаевна?

Она резко остановилась и посмотрела прямо в лицо Олегу.

— Просто Люба. Хорошо? Иначе я чувствую себя старухой.

— Это из уважения, — торопливо начал оправдываться Олег. — Я не хотел вас обидеть. И вас совершенно невозможно считать старухой, вы очень молодая и очень красивая. Вы даже не представляете себе, какая вы.

— Ну и какая?

«Боже мой, что я делаю! — пронеслось в ее голове. — Зачем я с ним кокетничаю? Зачем напрашиваюсь на комплимент?» И тут же сам собой в сознании всплыл ответ: «Мне это надо. Я хочу услышать, что я молода, красива и желанна. Мне необходимо это услышать, иначе я просто сойду с ума от мыслей о том, что моя жизнь кончена и я никому больше не нужна. Пусть этот мальчик скажет мне что-нибудь приятное, ведь слова — они же ничего не значат, значат только поступки, а поступков я совершать не собираюсь».

— Вы — лучше всех! — горячо и убежденно произнес Олег. — Вы — самая необыкновенная, самая потрясающая женщина на свете, самая красивая, самая чудесная. Неужели вы сами этого не знаете?

Люба покачала головой:

— Не знаю. Мне никто никогда этого не говорил. Вон автобус идет, побежали.

Они успели вскочить в битком набитый автобус и оказались тесно прижатыми друг к другу. Любе казалось, что разговор на скользкую тему окончен, но выяснилось, что Олег намерен его продолжить. Он склонился к самому ее уху и тихонько проговорил:

— Я готов целыми днями повторять вам эти слова, только согласитесь.

— На что я должна согласиться? — так же тихо спросила она.

— Слушать меня.

Погода стояла теплая, на Любе был легкий костюм из тонкой вискозы, и она вдруг остро почувствовала, что ее грудь плотно прижата к груди Олега. Более того, она почувствовала, что ему это нравится. Очень нравится. Ее захлестнула волна смущения, она попыталась отстраниться, но в переполненном автобусе это оказалось невозможно, единственный маневр, который еще можно было попытаться проделать, — это повернуться к Олегу спиной, но Люба сообразила, что в такой давке это мало что изменит, все равно она останется прижатой к нему.

— Сколько вам лет, Олег? — спросила она, чтобы что-нибудь сказать и тем самым скрыть смущение.

— Двадцать шесть. А что?

— Вы очень молоды.

— Для чего? Для вас?

— Например, — уклончиво ответила она.

— Это не тот пример, — с улыбкой возразил он. — Вы же знаете, что вы мне очень нравитесь, вы не можете этого не знать, потому что я этого и не скрываю. Если бы вы согласились принять мое приглашение, я был бы самым счастливым человеком на свете.

— Приглашение куда?

— Куда-нибудь. В театр, в кино, да просто погулять. Все равно куда, лишь бы остаться с вами вдвоем.

— Наедине? — усмехаясь, уточнила Люба. — Олег, по-моему, вы зарываетесь. Я замужняя женщина, я мать двоих детей, не забывайте об этом.

— Я помню. Но при этом я все время помню о том, что вы — самая необыкновенная женщина на свете, самая красивая и самая чудесная.

— Олег, не бросайтесь словами, — она сделала строгое лицо. — Все это очень сильно смахивает на объяснение в любви. Осторожнее, а то вы заиграетесь. Я ведь могу принять это всерьез.

— А это очень серьезно, — он заговорил еще тише, и Люба невольно приблизила лицо к его лицу, чтобы лучше слышать. — Это и есть объяснение в любви. Вас смущает, что мы при этом едем в переполненном автобусе, а не сидим в красивом месте, и я не стою у ваших ног на коленях и с букетом в руках?

— Да ничего меня не смущает! — она внезапно рассердилась, хотя и не смогла бы объяснить почему. — Вернее, нет, конечно, смущает. Я знаю вас почти два года, и все эти два года вы буквально поедаете меня глазами. Конечно, мне как женщине это очень приятно, это выглядит как один сплошной огромный растянутый во времени комплимент, но... Я не могу ничего с этим сделать, вы понимаете? Я замужем, я люблю своего мужа, а вы значительно моложе меня, и эти три обстоятельства делают неприемлемым для меня ваш комплимент. Я понятно объясняю?

— Очень понятно. — Люба почувствовала, как его губы коснулись ее уха. — Но совершенно неубедительно. Во-первых, вы замужем так давно, что это уже не считается супружеской жизнью.

— А чем же это, по-вашему, считается? — удивилась она.

— Просто совместным существованием двух особей на одной жилплощади. У умных особей такое сосуществование бывает мирным и даже дружелюбным, у глупых — трудным и скандальным.

— Любопытно. А что во-вторых?

— Во-вторых, тот факт, что вы любите своего мужа, никакого значения не имеет. Значение имеет только то, что я люблю вас наверняка гораздо сильнее, и вы не можете этого не понимать.

— У вас и «в-третьих» имеется?

— Обязательно. В-третьих, я моложе вас всего на шесть лет, и это никак не может рассматриваться вами как препятствие к тому, чтобы принять мой, как вы изволили выразиться, комплимент. Шесть лет — это вообще не разница в возрасте, если людям больше двадцати. Когда одному десять, а другому шестнадцать — тогда да, согласен, это существенно, но когда двадцать шесть и тридцать два — это даже обсуждать смешно.

Его горячая ладонь легла ей на талию, и столько уверенности и откровенного желания было в этом простом жесте, такая волна страсти исходила от его кожи и проникала сквозь тонкую ткань ее костюма, что у Любы мурашки по телу поползли. Никогда от Родислава не исходило подобной волны, никогда он не хотел ее с такой силой. А ТУ, другую, он хочет ТАК? Когда он с ней, исходит от него такое же страстное желание?

Наконец автобус доехал до метро. В вагоне было посвободнее, они уже не стояли, плотно прижатые друг к другу, но возник поручень. Ужасный, отвратительный вертикальный поручень, за который держались они оба и по которому его ладонь все время съезжала и упиралась в ее руку. И снова Люба чувствовала мурашки по всему телу и не понимала, откуда они взялись и что означают. Больше всего она злилась сама на себя за то, что не убирает руку. «Это как наркотик, — пронеслось в голове. — Знаю, что плохо, неправильно, но не могу отказаться».

Олег вышел вместе с ней на одной остановке.

— Разве вам здесь выходить? — удивилась Люба.

— Нет, я тебя провожаю.

— А мы уже на «ты»? — Она постаралась добавить в голос некоторую долю сарказма, но получилось почему-то жалобно.

— Давно. Еще с того момента, как я признался тебе в любви. Я не собираюсь предлагать тебе роль дамы сердца, ты — женщина, женщина из плоти и крови, женщина до мозга костей, самая женственная из всех женщин на свете, и я буду обращаться с тобой как с женщиной, по которой с ума схожу.

— Ты действительно сошел с ума, — медленно сказала Люба, присаживаясь на стоящую на платформе скамейку. — Чего ты добиваешься? Ты хочешь разрушить мою семью?

— Нет.

Олег сел рядом и взял ее за руку.

— Я хочу просто любить тебя. Я ждал так долго, пока набрался смелости поговорить с тобой, что могу подождать еще. Я тебя не тороплю. Ты только помни, что я люблю тебя так сильно, как ни один мужчина тебя не любил.

Люба молча поднялась и направилась к эскалатору. Олег пошел следом, но в самом начале эскалатора обогнал ее, встал на ступеньку выше и повернулся к ней. Теперь они снова стояли лицом друг к другу, и Люба вдруг обратила внимание, какое гладкое у него лицо, какие правильные черты, как красиво лежат чистые, хорошо подстриженные волосы, какая смуглая кожа, какие ровные темные брови, и весь он похож на сладкую шоколадную конфету. И еще она почему-то подумала, что тело у него, наверное, такое же смуглое и гладкое. И тут же, еще не успев удивиться своей мысли, устыдилась.

Олег проводил ее до подъезда и на прощание сказал, что будет завтра в половине восьмого утра ждать ее у метро.

Дома Люба кинулась заниматься хозяйством, нужно было до прихода Родислава не только приготовить ужин, но и сделать уборку. Детей вместе с Кларой Степановной они уже отвезли на дачу, но забот по дому все равно оставалось предостаточно, хотя и меньше, чем когда ребята были в Москве. Ей хотелось подумать и еще раз вспомнить все, что произошло по дороге домой, вспомнить по минутам, по секундам, по словам, постараться разобраться в себе и в ситуации, и впервые за все годы замужества Люба подумала: «Хорошо бы, чтобы Родик сегодня задержался». Он, правда, не предупреждал, что придет попозже, но вдруг... Мысль о том, что нужно будет сидеть и слушать его рассказы, внезапно показалась невыносимой. Ей бы самой найти кого-нибудь, кому можно было бы рассказать о том, что сегодня с ней случилось! Но кого? Подругам такое рассказывать стыдно, ведь она всегда и для всех была верной и преданной женой Родислава, и всегда и для всех их семья была образцом, идеалом, и им все завидовали. Как же теперь признаваться в том, что все на самом деле не так уж безоблачно, что Родислав давно уже не спит с ней, что у него теперь есть постоянная любовница, что она, прожив в браке четырнадцать лет и родив двоих детей, так и не узнала до сих пор, что такое настоящая плотская страсть, что муж никогда ее по-настоящему не хотел и что только сегодня она чуть-чуть, самым краешком своего существа прикоснулась к тайне, которая ее манит и завораживает. Была бы рядом сестра Тамара — с ней, может быть, Люба и поговорила бы откровенно. А больше ни с кем она об этом говорить не может. Ей стыдно. Ей неловко.

Как назло, Родислав вернулся с работы минут через двадцать после ее прихода. Люба постаралась, чтобы все было как обычно, она улыбалась, задавала вопросы, подавала ужин, слушала, подперев щеку рукой, а сама думала о своем и одновременно разглядывала мужа. С удивлением заметила мешки у него под глазами и перхоть на воротнике куртки спортивного костюма, в котором он всегда ходил дома. Неожиданно для себя отметила, как он раздался со времен своей юности, лицо округлилось, появился второй подбородок, а над поясом брюк виднеется заметное брюшко. А ведь только сегодня утром ничего этого не было, муж был для нее самым красивым, самым чудесным и самым любимым человеком на свете. Или все это было и утром, и вчера, и месяц назад, и год назад, но она ничего не видела и не замечала? Неужели так бывает, что утром у тебя одни глаза, а вечером — совершенно другие? Неужели так может быть, что еще утром ты любишь человека больше жизни, а вечером смотришь на него как на постороннего, который тебя не любит и который непонятно каким образом оказался с тобой в одной квартире, и ты почему-то обязана его кормить, убирать за ним грязную посуду, стирать ему рубашки и белье, а потом ложиться с ним в одну постель? «Не может быть, — думала Люба, — это морок, наваждение, это какое-то колдовство. Нужно потерпеть до утра — и все пройдет. Утром все станет, как прежде».

Но к утру ничего не изменилось. Наоборот, стало только хуже, потому что Люба впервые заметила, что у Родислава, пока он не почистит зубы, дурно пахнет изо рта. И еще у него на боках нарастают валики жира. «Он — мой муж, — твердила она себе, — он — отец моих детей, и я буду любить его до конца жизни». Но уверенности в этих мыслях не было. Наоборот, они самой Любе казались лживыми и лицемерными.

ВЗГЛЯД ИЗ ВЕЧНОСТИ

ДОРОГА

КНИГА ВТОРАЯ
(ОТРЫВОК)

— **К**акой ужас! — сокрушался Камень. — Поверить не могу, что с Родиславом такое случилось. Ну, секретарши и адвокатессы по случаю — это, конечно, неприятно, но вполне объяснимо. Но такое! Ты меня расстроил, Ворон. Ах, как ты меня расстроил!

— А я, думаешь, сам не расстроился? — Ворон и в самом деле чуть не плакал. — Твой Родислав изменил моей Любе. Да будь моя воля, я бы его с потрохами склевал! И она из-за него мучается, бедняжка, и еще Олег этот масло в огонь подливает, к измене склоняет. Если и Люба теперь изменит Родиславу — я этого не переживу! Я брошу тогда этот сериал на полдороге, черт с ним, не буду досматривать, а то у меня сердце не выдержит.

— Какая семья была! — поддержал его Камень. — Образцовая, показательная, хоть картины с них пиши. Всем на зависть! И такая пошлость... Нет, это просто уму непостижимо! Такая любовь, такое взаимное доверие, такая теплота — и вдруг на тебе, какая-то Лиза, какой-то Олег. В голове не укладывается.

Они долго сетовали на превратности судьбы, потом чуть не поссорились, выясняя, кто именно, Люба или Родислав, виноват в том, что такой чудесный брак дал трещину. Ворон, естественно, отстаивал интересы Любы и с пеной у клюва доказывал, что виноват Родислав, потому что первым начал изменять жене, Камень же твердо стоял на том, что в любой супружеской измене виноваты оба супруга, ибо если один из них ищет чего-то на стороне, стало быть, другой ему этого недодает, и, таким образом, с Любы вину тоже снимать нельзя. Ворон не соглашался, злобно каркал, бил Камня клювом по боку, размахивал крыльями у него под носом, в то время как Камень считал свой подход диалектическим и, как истинный философ, отстаивал свою позицию, апеллируя к различным категориям этики.

Ворон выкричался, охрип и улетел смотреть дальше, а Камень немедленно призвал на помощь Змея.

— Что скажешь? — требовательно вопросил он.

Змей немного подумал, потом подполз поближе и улегся, образовав вокруг Камня толстое зеленоватое переливчатое кольцо.

— Ничего однозначного тебе не скажу. Ты — философ, тебе и решать. Могу только добавить некоторые детали, которые наш когтистый источник информации опустил в своем рассказе. Ты его не ругай, он все это видел, ничего не пропустил, просто он у нас с тобой глуповатый и не понимает, какие это важные вещи.

— Например, что? — живо заинтересовался Камень.

— Ну, например, то, что у Любы в ванной полотенца четырех цветов. У Родислава темно-красные, у Николаши светло-зеленые, у Лели розовые. А теперь угадай с трех раз, какого цвета полотенца у самой Любы.

— Голубые, — брякнул наугад Камень.

— Не угадал. Вторая попытка.

— Черные.

— Третья попытка.

— В цветочек! Или в полосочку. В общем, разноцветные.

— Опять мимо. У Любы, мил-друг, полотенца белые. Как в гостинице или в больнице. И это при том, что подружка Аэлла все годы постоянно делает им подарки в виде импортного постельного белья и полотенец, так что этим добром семья обеспечена во всех цветовых вариантах и на долгие годы вперед. Ты понимаешь, что это означает?

— Нет. А что это означает?

— Да то, что она не хочет ничем никому мешать, ничем выделяться, чтобы никого не раздражать. Она даже отказалась от цвета полотенец, чтобы ее цвет, не дай бог, кому-то глаз не резанул. Она старается быть как можно более незаметной в своей семье, не в том смысле, что ее не должны замечать, а в том, чтобы никому не помешать и для всех быть удобной и комфортной. Она стремится ни для кого не быть раздражителем — вот так я бы сформулировал.

— Думаешь? — с сомнением произнес Камень.

Теория Змея показалась ему какой-то, прямо скажем, неубедительной.

— Уверен. Придумай другое объяснение, почему женщина, имеющая в своем распоряжении полшкафа разных полотенец всех мыслимых расцветок и рисунков, выбирает для себя казенный белый цвет. Придумай — и я с готовностью буду его обсуждать. А пока ты думаешь, я тебе еще одну детальку нарисую. Вот ты знаешь, какую музыку Люба любит?

— Понятия не имею. Ворон ничего об этом не говорил.

— Ну еще бы! Наш оперенный корреспондент сам в музыке ни черта не смыслит, поэтому внимания на нее не обращает. Так вот, Люба у нас любит Скрябина, Прокофьева и джаз.

— И что с того? — не понял Камень, который о музыке знал только понаслышке, сам никогда ее не слыхал и слабо представлял себе, о чем могут говорить музыкальные пристрастия людей.

— А Родислав классическую музыку не приемлет вообще, он любит рок и советскую авторскую песню, ну там Окуджаву, Высоцкого, Галича, Клячкина, Кукина, Городницкого и иже с ними.

— А, этих знаю, — обрадовался Камень. — Мне Ворон пел. Со слухом у него, конечно, не так чтобы очень, так что мелодию я оценить не могу, но стихи помню. И насчет рока тоже что-то помню, живьем, само собой, не слыхал, но Ворон рассказывал. Ну так что же?

— А то, что Родислав Скрябина, Прокофьева и джаз на дух не выносит, не понимает, но, как бы сказать... стесняется, комплексует из-за того, что не понимает и не любит, потому что принято считать, что все культурные люди должны любить Скрябина и Прокофьева, а продвинутые должны обязательно тащиться от джаза. А он, понимаешь ли, не любит и не тащится, вот ведь беда какая. Так Люба покупает пластинки с той музыкой, которая ей нравится, прячет в бельевой шкаф и слушает, когда Родислава дома нет. Чтобы он, не дай бог, не начал раздражаться. А при нем делает вид, что ей эти «Зеппелины» и «Юрай Хипы» нравятся, вместе с ним слушает, когда ему приспичит музычкой побаловаться.

— Н-да-а, — протянул Камень озадаченно. — Вот не подумал бы, что у них так далеко все зашло. Это же получается, что Люба себе во всем на горло наступает, только бы быть для всех белой и пушистой, а Родислав и остальные этим пользуются, так, что ли?

— Именно так, — подтвердил Змей. — И только благодаря этому их семья производит на всех впечатление благополучной, а Люба считается идеальной женой.

— Что значит «считается»? — недовольно заметил Камень. — Она и есть идеальная жена. Да, это трудно — наступать себе на горло во всем, но зато это позволяет Любе быть такой женой, о какой мечтает каждый человеческий самец. Скажешь, нет?

— Ну почему же? — усмехнулся Змей. — Скажу твердое «да». Вопрос в том, правильно ли это.

— Что — правильно? Быть идеальной женой? Конечно, правильно.

— Да с этим-то я не спорю. Вопрос в другом: правильно ли иметь такой идеал жены, что женщине приходится давить саму себя, чтобы ему соответствовать. Идеал-то кто придумал? Мужики. В смысле, человеческие самцы. Они его под себя придумывали, понимаешь? Создали такую модель, какая им удобна для существования, и внедрили в сознание человеческих самок, дескать, вот вам образец для подражания, а если вы не соответствуете, то и не обижайтесь тогда, что мы вас бросаем и жить с вами не хотим. А женщин они спросили, когда модель свою придумывали, могут ли женщины быть такими? Не спросили.

— Ну, это ты зря. У самок тоже есть свое представление об идеальном самце, и они тоже самцов не спрашивали, удобно ли им быть такими. Просто придумали и начали требовать, чтобы самцы соответствовали, а иначе начинаются скандалы, выяснения отношений и домашняя лесопилка.

— Так в том-то и беда! — воскликнул Змей. — Ты, как

настоящий философ, зришь в корень проблемы, только не можешь ее сформулировать. А все потому, что твоя философия оторвана от естественно-научных знаний, она такая, знаешь ли, вещь в себе, ни с чем окружающим не соприкасающаяся. А естественные науки, в частности, медицина и особенно наука о мозге, давно уже доказали, что мужчины и женщины устроены совершенно по-разному не только в смысле деторождения, но и в смысле мышления, отношения с миром и эмоционального строя. Мужчины, когда придумывали свой идеал жены, ориентировались только на себя, они и в голову не брали, как на самом деле устроены женщины и какими они могут быть, а какими не могут в принципе. Ту же ошибку допустили и женщины, когда формулировали для себя идеал мужчины. Да вот хоть самый простой пример возьми: самки хотят, чтобы самец был добытчиком, приносил к очагу мясо, но при этом находил время заниматься детенышами и имел физические и душевные силы быть с самкой мягким, нежным и любящим и помогать ей поддерживать огонь в очаге.

— А что в этом плохого, скажи на милость?

— Плохого-то ничего, только оторвано от реалий. Если самец умеет быть добытчиком, это означает, что он жесткий, отважный, грубый, сильный, быстрый и что он тратит на добывание пропитания все свои силы и время. Когда ему детенышами заниматься и очаг поддерживать? Откуда у него возьмутся нежность и мягкость? Если нежность и мягкость, тогда уж не добытчик, а так, мальчик на побегушках. Нежный и мягкий и на детей время найдет, и самке поможет, и ласковое слово ей скажет, но мяса в избытке к очагу уже не притаранит. Одно исключает другое. Понимаешь, о чем я?

— Понимаю, — задумчиво ответил Камень. — Получается, чтобы быть идеальным мужем, самец должен уметь добывать пропитание, а потом прикидываться нежным и мягким, то есть обманывать, так, что ли?

— Ну, примерно. Зато если он на самом деле добрый и нежный, то обманывать и прикидываться добытчиком он уже не сможет. Можно подделать чувства и эмоции, а способности и физическую мощь подделать нельзя, они или есть, или их нет. И вот если доброму и мягкому все-таки приходится притворяться добытчиком, знаешь, что получается?

— Что?

— Он становится шакалом. Пропитание-то надо добыть, а как, если нет ни силы, ни прыти, ни умения, ни жестокости, если он не может противнику на спину прыгать и глотку рвать? Значит, приходится воровать или мародерствовать, чтобы жена была довольна. И тысячи нормальных приличных самцов ввязываются в авантюры ради быстрого обогащения, позволяют себя использовать, потом оказываются в долгах или, еще хуже, в тюрьме. Имущество отбирают, семья страдает. А все почему? Потому, что самки придумали принципиально невозможный идеал и требуют, чтобы самцы ему соответствовали. И у самок такая же история: самцы хотят, чтобы в быту самки полностью растворялись в мужьях и ничем их не раздражали, то есть не имели собственной индивидуальности, но в постели чтобы были именно индивидуальны и неотразимы. А как женщина может быть в сексе индивидуальной и неотразимой, если эту индивидуальность ей пришлось в себе затоптать, чтобы, не приведи господь, своему самцу чем-нибудь не помешать? Никак не может. Вот поэтому и получается, что яркие и сексуальные женщины остаются одни, с ними все с удовольствием крутят любовь, но жениться на них никто не хочет, потому что чуют: не станет она давить в себе собственную неповторимость. А покорные и готовые себя затоптать легко находят мужей, только эти мужья очень скоро начинают им изменять с яркими и сексуальными, но при этом разводиться ни в какую не хотят, потому что постель — это одно, а жизнь бок о бок — совсем другое. Вот такой парадокс. Люди сами себе его создали, а теперь мучаются и не знают, как правильно жить.

— А ты знаешь?

— Что?

— Как правильно жить.

— Эх, мил-друг, да кабы я знал, как правильно жить, мне б цены не было, — с горечью произнес Змей. — Вся моя мудрость в том и состоит, что я точно знаю одно: ничего-то я не знаю. Слушай-ка, ты не заболел часом?

Змей плотнее прижался к Камню, на несколько мгновений замер, потом приподнял голову:

— Тебя, по-моему, знобит. И бронхи у тебя забиты мокротой, я слышу. Да ты, брат, простыл! Чем тебя полечить?

— Только Ветром, больше меня уже ничего не берет. Вот если он прилетает из Сахары, тогда мне хорошо помогает.

— Так, может, позвать его? Я знаю, где искать, он мне сказал, когда улетал.

— Да толку-то его искать! — безнадежно выдохнул Камень. — Он в Норвегии с биатлоном балуется, откуда там теплый сухой воздух? Там сырость и холод собачий.

— А что же делать? — огорчился Змей. — У тебя явно начинается бронхит, если немедленно не принять меры, он может перерасти в пневмонию.

— Буду терпеть, — сдержанно, с мужественной скорбью заявил Камень.

— Нет, это нельзя так оставлять, — забеспокоился Змей. — Скажи Ворону, пусть принесет тебе оттуда какое-нибудь средство, у людей полно всяких таблеток и микстур. Да вот хоть горчичники пусть принесет, штучек сто, и облепит тебя. Надо же как-то бороться с бронхитом.

— Нельзя, — строго сказал Камень. — Ничего оттуда приносить нельзя. Ты же знаешь правила. Не дай бог, что-нибудь нарушим, потом хлопот не оберешься. Ну представь, Ворон упрет из аптеки сотню горчичников, никто не заметит, потом придет ревизия, обнаружит недостачу, схватят материально ответственное лицо и в тюрягу упекут. Кому это надо?

Змей отполз на некоторое расстояние, послушал окружающий мир, потом повернул голову в сторону Камня.

— Но ты же можешь сделать так, чтобы никто не пострадал, — осторожно произнес он. — Ты же умеешь.

— Замолчи! — крикнул Камень и уже тише добавил: — Замолчи немедленно. Даже думать об этом не смей. Этого тоже нельзя делать. Мало ли что я умею. Нельзя — и все. Нельзя вмешиваться ни в прошлое, ни в будущее. И вслух никогда об этом не говори, чтобы никто не услышал.

Змей с интересом посмотрел на друга.

— Ты хочешь сказать, что никогда не нарушаешь правила? Никогда-никогда? Вот умеешь изменять реальность, но лежишь тут тихой сапой и никогда не пользуешься этим? Прости, мил-друг, но не верю.

— Ну и не верь, — сердито огрызнулся Камень. — Не больно-то и хотелось.

Это было его большой тайной, состоящей из двух тайн поменьше. Первой, кроме него самого, владели Ворон и Змей: Камень умел изменять реальность, причем в любых масштабах, от жизни маленького комара до исхода грандиозных сражений. Даже Ветру об этом знать не полагалось — разболтает по легкомыслию. А вот второй тайной Камень владел единолично: иногда он все-таки нарушал запрет и кое-что изменял. Так, по мелочи. Когда очень уж хотелось, когда начинало болеть сердце и не было сил терпеть и сопротивляться соблазну. Когда-то давно, еще в далекой молодости, Камень не был таким умным и менял реальность направо и налево, сообразуясь с собственными представлениями о благе и справедливости. И только с годами он понял всю мудрость запрета и стал его соблюдать. Для всех — соблюдать свято. И только он один знал, что все-таки иногда нарушает. Правда, Змей почему-то усомнился... Неужели он, Камень, где-то допустил прокол и дал основания себя подозревать? Впрочем, Змей мудрый и хитрый, он чего не знает точно — о том догадаться может.

Камень не на шутку огорчился. Мало того, что у Любы с Родиславом все плохо, мало того, что бронхит начинается, так еще и Змей что-то заподозрил. Неудачный сегодня день.

* * *

В конце июня Родиславу поручили принять участие в работе над темой, требующей постоянных выездов в командировки: многие сотрудники захотели летом уйти в отпуск, а материал-то собирать надо, никто план научно-исследовательской работы не отменял, вот его и «пристегнули», как «пристегивали» почти ко всем темам, над которыми работал отдел: начальник знал, что майор Романов в сентябре будет поступать в адъюнктуру, поэтому включать его в какую-нибудь тему на постоянной основе бессмысленно, парню просто надо пересидеть несколько месяцев, так пусть помогает другим или выполняет внеплановые поручения.

Он с удовольствием уехал, предварительно договорившись с Лизой, что возьмет, как и полагается, билеты на поезд, которые потом сдаст в бухгалтерию для отчета, а сам вернется самолетом, купив билет на собственные деньги, и явится из аэропорта прямо к любимой. Таким образом, у них будет целых двадцать бесконтрольных часов, которые они проведут вместе, не расставаясь ни на минуту. Родислав подгадал таким образом, чтобы возвращение пришлось на субботу и Лизе не нужно было работать.

Это были упоительные двадцать часов счастья, которые они провели, не вылезая из постели. К вечеру, когда должен был прибыть поезд, Родислав вернулся домой, и вернулся, как всегда, с удовольствием: во время пребывания у Лизы им жаль было тратить время на приготовление еды, они перехватывали бутерброды, запивая их кисловатым и довольно противным на вкус растворимым кофе, да и в командировке кормили отнюдь не разносолами, и он соскучился по настоящей вкусной пище. Кроме того, ему не терпелось рассказать Любе о своих новых впечатлениях, полученных в поездке. Лизе он, конечно, тоже кое-что рассказал, но совсем немного: ей это не было интересно, да и потом, им и без того было чем заняться.

Однако дома, наевшись и перекинувшись с женой буквально несколькими словами, Родислав почувствовал, что его сморило. Он засыпал на ходу. Еще бы, больше суток не спал, сперва отработал день на выезде, потом помчался в аэропорт, летел, ехал к Лизе, и у нее тоже глаз не сомкнул. Он устал и смертельно хотел спать.

— Родинька, как же ты измучился в этой поездке, — сочувственно сказала Люба. — Пойдем, я помогу тебе принять душ, а то ты прямо в ванной уснешь. Помоешься — и сразу ложись.

Она отвела его в ванную, заставила сесть в воду, намылила и поливала душем, а он перестал бороться со сном и то и дело задремывал. Потом она вытирала его темно-красным пушистым полотенцем, и Родислав Романов чувствовал себя самым счастливым человеком на Земле.

Двадцать часов страстной любви — и впереди покой, прохладная чистая постель, крепкий долгий сон, а затем вкусный сытный завтрак. Хорошо, что завтра воскресенье, и хорошо, что ребята на даче, никто и ничто не помешает ему выспаться. Дача, дача... Наверное, придется завтра ехать за город к детям, повидаться и отвезти продукты. А он так хотел побыть дома!

— Завтра к детям надо... — пробормотал он, засыпая.

— Не надо, я сегодня уже съездила, — донесся голос Любы. — Все купила и все отвезла. Конечно, если ты хочешь...

— Я сплю, — тихо выдохнул он. — Я хочу только спать. Я очень устал.

— Спи, Родинька, спи, мой золотой.

Он мгновенно провалился в сон, успев подумать только о том, как он счастлив.

Следующая командировка не заставила себя ждать, и снова были купленные официально железнодорожные билеты и приобретенный за свой счет билет на самолет, и снова были чудесные, но пролетевшие так быстро часы, проведенные с Лизой. Потом были и третья командировка, потом еще одна, четвертая...

В середине августа Родислав возвращался из очередной поездки, на этот раз из Ленинграда. У него был билет на «Красную·стрелу», выезд в 23.55, прибытие в Москву в 8.25 утра. Как и было запланировано, он сел в самолет вечером, закончив работу и отметив командировочное удостоверение, и около полуночи оказался в столице. Телефон Лизы не отвечал, но это Родислава не остановило. Он взял такси и поехал на улицу Маршала Бирюзова, где жила Лиза. Дверь ему никто не открыл. Он несколько раз нажимал кнопку звонка, пока не заметил засунутый в щель между дверью и косяком листочек бумаги. В записке Лиза сообщала, что у нее внезапно заболел отец, живущий в Дмитрове, и ей пришлось уехать к родителям. Там же был и номер их телефона. Но что толку с этого номера, если по нему неоткуда позвонить, кроме как из дому? Номер не прямой московский, а междугородний, областной, из автомата по нему не позвонишь. Родислав крякнул от досады, поразмышлял некоторое время, посмотрел на часы — почти половина первого, и отправился домой. Ему повезло сразу же поймать частника, и он еще успел на последний поезд метро. «Скажу Любе, что устал и соскучился, поэтому поменял билет и прилетел, — думал он по дороге. — Жаль, конечно, что так вышло, но ничего не поделаешь. Люба будет рада, покормит меня, уложит спать, а перед этим мы поговорим. Надо будет обязательно рассказать ей про того питерского подполковника, с которым мы сцепились по поводу секретных документов. Как-то нехорошо мы с ним расстались, кажется, он на меня злобу затаил. Наверное, я был не прав... Во всяком случае, неприятный осадок у меня остался. Расскажу Любе, она как-то так ловко умеет расставлять все по своим местам, что кажется, будто все нормально и ничего особенного не случилось. Эх, черт возьми, жалко, что у нас запрещено двоеженство! У меня была бы идеальная семья с двумя женами: с одной я бы спал, а с другой дружил и растил детей».

Он умел почти всегда и почти во всем находить не только минусы, но и плюсы, и подходя к своему подъезду, Родислав был уже доволен, что все получилось так, как получилось. По крайней мере, сегодня ему не придется прятать глаза, когда Люба начнет сокрушаться над его усталостью и измученным видом, он явится домой не из постели любовницы, а действительно прямо с самолета. Ну, не совсем прямо, конечно, но и не из постели, и следы усталости на его лице, помятый вид и синева под глазами будут именно от работы в командировке и от жизни в ведомственной гостинице, а не от безудержных любовных утех. Все-таки в том, чтобы приходить домой с чистой совестью, тоже есть своя прелесть!

Он открыл дверь квартиры, зажег свет, сменил ботинки на тапочки и на цыпочках направился в спальню. Темно и тихо, Люба, конечно, уже спит, и надо разбудить ее осторожно, так, чтобы она не испугалась.

После яркого света в прихожей темнота спальни показалась ему кромешной, и первые несколько секунд он ничего не различал, кроме смутного пятна зашторенного окна. Потом глаза адаптировались к темноте, он тихонько подошел к кровати, очертания которой были какими-то не такими... «Да постель же не разобрана! — сообразил Родислав. — Она аккуратно застелена и накрыта покрывалом. Любы здесь нет. Может быть, она спит в детской?» Мысль показалась ему вполне разумной, хотя и слабо аргументированной: зачем спать в комнате детей, если есть спальня? Тем более Лелькина кроватка совсем маленькая, а Колькин диван хоть и достаточно длинный, но слишком узкий для человека, привыкшего к двуспальной кровати. Но где-то же Люба должна спать? Если не в спальне, то в детской или в гостиной, где тоже есть полуторный «гостевой» диван и еще раскладное кресло-кровать.

Но ни в детской, ни в гостиной жены не оказалось. Ее вообще не было дома. «Да она же у родителей! — осенило его. — Ну конечно, она не ждет меня сегодня вечером, я должен приехать только утром, и она планирует встать пораньше и вернуться домой, чтобы приготовить мне завтрак и встретить меня. Правда, странно, что она ничего мне не сказала накануне, я же звонил ей из Питера, но, возможно, желание поехать к маме с папой возникло внезапно, или у них что-нибудь стряслось, как у Лизы. Может, мама Зина прихворнула или Николай Дмитрич. А вдруг что-то с детьми? Моя мама позвонила, и Люба рванула на дачу». При мысли об этом Родислав похолодел. Телефона на даче не было, номер сняли еще много лет назад, когда умер Евгений Христофорович, которому телефон полагался как заслуженному ученому. После его смерти номер отдали в поселковый травмпункт, где телефонная связь нужнее: в те времена телефонизация в Московской области еще была в зачаточном состоянии, и номера были дефицитом. Если нужно, Клара Степановна звонила с почты, а позвонить на дачу было невозможно. Что делать? Как узнать, что случилось? Первым порывом Родислава было позвонить Головиным, он уже схватил было телефонную трубку, но опомнился: почти два часа ночи, если Люба мирно спит у родителей и там все в порядке, то он разбудит и переполошит все семейство. А если жена на даче и там тоже все в порядке, то его звонок Головиным посеет ненужную панику. Люба — человек разумный и ответственный, утешал себя Родислав, если бы с детьми что-то произошло и Люба уехала к ним, она обязательно оставила бы ему записку, потому что не могла быть уверена, что сумеет вернуться к его возвращению. Если она записку не оставила, то, стало быть, полностью уверена, что ничто не помешает ей быть дома вовремя, чтобы встретить мужа с поезда. А если она полностью уверена, значит, ничего катастрофического не случилось.

Он поставил на огонь чайник, заварил себе свежего чаю, отрезал кусок белого батона, щедро намазал сливочным маслом, положил сверху толстый кусок своего любимого «Российского» сыру и с аппетитом съел бутерброд. Еды в холодильнике было много, но Родиславу лень было заглядывать во все эти кастрюльки, мисочки и судочки, и возиться с разогреванием тоже не хотелось, он сделал еще один бутерброд и запил его сладким чаем. После чего разделся и забрался в постель.

Но уснуть не удавалось. В последний раз он спал на этой кровати один, без Любы, без малого шесть лет назад, когда Люба была в роддоме. В командировках ее тоже не было рядом, но это же совсем другое дело! Подсознание давало четкую установку: это командировка, и жены здесь нет и быть не может, так что в поездках Родислав преотлично засыпал один, но здесь, дома, в этой спальне, на этой кровати, он не привык к одиночеству. Он ворочался, то одеяло казалось ему слишком жарким, и Родислав отбрасывал его, то он начинал замерзать и снова укрывался до самого подбородка, то ему хотелось пить, то курить. В конце концов он зажег висящее над изголовьем бра и открыл книгу. Сначала показалось интересно, но очень скоро он поймал себя на том, что совершенно автоматически складывает буквы в слова, не вдумываясь в смысл. Встал, снова выпил чаю, покурил. Сна не было.

Наконец ему удалось задремать, но из тревожной полудремы его вырвал донесшийся с улицы через распахнутое настежь окно звук захлопнувшейся автомобильной дверцы. «Люба!» — почему-то подумал он и выскочил на балкон.

Это действительно была его жена. И рядом с ней — красивый молодой человек, который вполне недвусмысленно целовал ее на прощание. Люба погладила его по волосам и скрылась в подъезде, а молодой человек сел в машину и уехал.

«Господи, — с ужасом подумал Родислав, — что это? Что это было? Люба провела ночь у этого парня? Она мне изменяет?!»

И снова накатило «это». Он ничего не соображал, ноги приросли к полу, руки затряслись, подступила тошнота. Он даже не слышал, как открылась входная дверь, и только увидев Любу прямо перед собой, понял, что она уже здесь.

— Ты дома? — в ее голосе не было ничего, кроме испуганного удивления. — Твой поезд должен прийти только через два часа.

— Я все видел, — выдавил он.

Люба молча сняла платье, накинула легкий пеньюар и вышла на кухню. Родислав услышал, как загремела посуда и полилась вода из включенного крана. Он постарался взять себя в руки и пошел вслед за женой.

— Люба, я все видел. Ты мне ничего не хочешь сказать?

— Хочу.

Она обернулась и улыбнулась.

— Нам давно пора поговорить, Родик. Но лучше сделать это не на голодный желудок. Сейчас я приготовлю завтрак, и мы поговорим.

СОДЕРЖАНИЕ

Литературно-художественное издание

А. МАРИНИНА — КОРОЛЕВА ДЕТЕКТИВА

Александра Маринина

ВЗГЛЯД ИЗ ВЕЧНОСТИ

Благие намерения

Ответственный редактор *А. Дышев*
Редактор *Г. Калашников*
Художественный редактор *А. Сауков*
Технический редактор *Н. Носова*
Компьютерная верстка *Е. Мельникова*
Корректор *Е. Сербина*

ООО «Издательство «Эксмо»
127299, Москва, ул. Клары Цеткин, д. 18/5. Тел. 411-68-86, 956-39-21.
Home page: **www.eksmo.ru** E-mail: **info@eksmo.ru**

Подписано в печать 10.12.2009.
Формат 84×108 $^1/_{32}$. Гарнитура «Гарамонд». Печать офсетная.
Бумага газ. Усл. печ. л. 20,16.
Доп. тираж I 15 100 экз. Заказ 7218

ISBN 978-5-699-37812-8

9 785699 378128 >

Отпечатано в ОАО «Можайский полиграфический комбинат».
143200, г. Можайск, ул. Мира, 93.